Schachenmayr

Das große Strick- und Häkelbuch

Ein vollständiger Lehrgang
mit Musterspielen

Otto Maier Verlag Ravensburg

CIP-Kurztitelaufnahme der Deutschen Bibliothek

Das große Strick- und Häkelbuch: e. vollst.
Lehrgang mit Musterbeispielen / Schachenmayr.
[Bearb. d. Häkelteils: Jana Vejvoda]. –
Ravensburg: Maier, 1982.
   (Die großen Ravensburger Bücher)
   Frühere Ausg. u. d. T.: Das neue Strick- und
   Häkelbuch
   ISBN 3-473-42360-2
NE: Vejvoda, Jana [Bearb.]; Schachenmayr,
Mann und Cie. (Salach)

© Otto Maier Verlag Ravensburg
1968 und 1982

Zusammengestellt, redigiert und
herausgegeben von der Kammgarnspinnerei
Schachenmayr, Mann & Cie. GmbH, Salach

Bearbeitung des Häkelteils: Jana Vejvoda
Fotos und Zeichnungen: Schachenmayr
Zeichnungen der Häkeltypenmuster:
Hanni Nirk
Umschlaggestaltung: Heinrich Semmelroch

85 84 83 82   4 3 2 1

ISBN 3-473-42360-2

Inhalt

Vorwort

»Das große Strick- und Häkelbuch« ist die neubearbeitete Fassung des »Neuen Strick- und Häkelbuches«, das 1968 als Gesamtausgabe der schon legendären Schachenmayr-Bände erschien.

Dieses Standardwerk vermittelt ein solides Grundwissen, führt in das Stricken mit der Handstrickmaschine ein, gibt viele praktische Tips und ist mit seinen rund 200 Strickmustern und 160 Häkelmustern zu einem unentbehrlichen Nachschlagewerk für alle Anfänger und Fortgeschrittenen geworden.

Die Neubearbeitung ist übersichtlicher gegliedert und bietet mit den neu aufgenommenen graphischen Darstellungen der Strick- und Häkelmuster eine wichtige Arbeitshilfe. Auch Linkshänder können sich nun Schritt für Schritt die Grundkenntnisse des Strickens aneignen. Vervollständigt wurde das Buch mit zusätzlichen Informationen über Material und Handwerkszeug, mit Beispielen gestrickter und gehäkelter Borten, Norweger- und Zopfmustern sowie Filethäkelei und Häkeln mehrfarbiger Muster.

Handwerkszeug

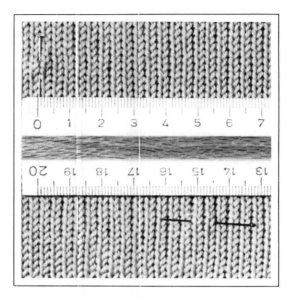

Schnellstricknadeln
Rundstricknadeln
Bambusnadeln
Strumpfstricknadeln
Jackenstricknadeln
Zopfmusternadel

Wollhäkelnadel
Garnhäkelnadel
Filetset
Netzgabel
Häkelringe
Occhischiffchen

Maschenraffer
Zählrahmen
Maßband
Strickrechner
Reihenzähler

Handwerkszeug

Die richtige Wahl von Werkzeug und Material ist auch bei der Handarbeit der erste Schritt zum Erfolg.

In vorchristlicher Zeit gab es schon Stricknadeln aus Bronzedraht, am gebräuchlichsten waren aber bis um das Jahr 1900 geschnitzte Stricknadeln aus Bein (Büffelknochen) und Holz. Sie wurden abgelöst durch Nadeln aus Stahl, und erst um 1910 stellte eine westfälische Firma die ersten Handarbeitsnadeln aus Leichtmetall (Aluminium) her. Seitdem sind von dieser Spezialindustrie viele Verbesserungen erarbeitet worden, wie z.B. die Eloxierung der Nadeln zum Schutz empfindlicher Nerven, die mattgraue Färbung zur Vermeidung von Lichtreflexen, die Rundstricknadeln mit stärkeren Spitzen und zwischengeschweißtem Perlonseil, die Schnellstricknadeln mit stärkeren Spitzen und dünnerem Schaft, die Häkelnadel mit Kunststoffgriff, besonders dicke Hohlnadeln aus Kunststoff zum Verarbeiten von voluminösen Garnen und viele kleine, aber hilfreiche Zusatzwerkzeuge wie Fadenführer zum mehrfarbigen Stricken, Maschenraffer zum Stillegen bestimmter Maschen, Zopfmusternadeln, Reihenzähler usw. Auf den Abbildungen sind die wichtigsten Nadeln und Hilfswerkzeuge aufgezeigt. Bei der Skala der Strick- und Häkelnadelspitzen geben die Zahlen den Durchmesser der Nadeln in Millimetern an.

Erläuterungen zu den Abb. Seite: 12/13:

1 Extra starke Galalith-Jackenstricknadeln für dickere Wolle.

2 Bambusnadeln, besonders geeignet zum Verarbeiten natürlicher Schafwolle.

3 Maschenraffer, zum Stillegen der Maschen.

4 Auf dem verjüngten Schaft der Schnellstricknadeln (2–7 mm) rutschen die Maschen besser.

5 Beim Zopfstricken werden die zu kreuzenden Maschen auf der Zopfmusternadel stillgelegt.

6 Strickfingerhut, er leitet die Fäden beim Stricken mit zwei Farben.

7 Aufgesteckter Reihenzähler, der am Ende jeder Reihe um eine Zahl weitergedreht wird; er ist in zwei Größen erhältlich.

8 Strumpfstricknadeln mit blendfreier Oberfläche, auch als Handschuhnadeln, Länge 15 cm, erhältlich.

9 Jackenstricknadeln mit Perlonschaft für große und schwere Strickstücke.

10 Rundstricknadeln zum Rundstricken.

11 Netzgabel für die Gabelhäkelei, verstellbar auf acht Breiten.

12 Garnhäkelnadeln für feine Häkelarbeiten.

13 Wollhäkelnadeln; die Farben geben die Stärke an; die Nadeln sind auch in Metallausführung erhältlich.

14 Strickrechner zum Ablesen von Maschen- und Reihenzahl des Schnitts.

15 Zählrahmen für Maschenprobe.

16 Nadellehre zur Messung nicht gekennzeichneter Stricknadeln.

17 Occhi-Schiffchen für die neu entdeckten Frivolité-Arbeiten.

18 Fingerhut.

19 Taschenrollmaßband zur Kontrolle der Maße.

20 Stick- und Handarbeitslupe, zur Erleichterung und Kontrolle der Arbeit.

21 Häkelringe für viele dekorative Handarbeiten.

22 Zusammensetzbarer Pomponapparat zum Pomponarbeiten.

23 Wickel-Tric, ein neues Gerät mit vielen Möglichkeiten für Handarbeit und Heimtexmode.

24 Wickelgerät zur Herstellung von Woll- und Bastblüten.

25 Wollhäkelnadeln mit Knopf für das Tunesisch-Häkeln.

Größenskala für Strumpfstricknadeln

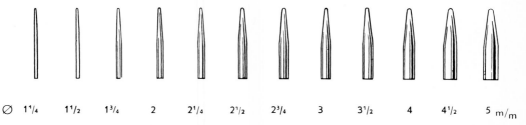

$\varnothing$ $1^1/_4$ $1^1/_2$ $1^3/_4$ 2 $2^1/_4$ $2^1/_2$ $2^3/_4$ 3 $3^1/_2$ 4 $4^1/_2$ 5 m/m

Größenskala für Stricknadeln

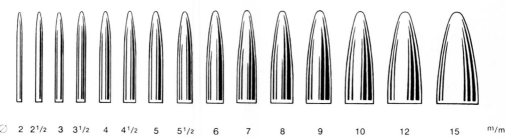

$\varnothing$ 2 $2^1/_2$ 3 $3^1/_2$ 4 $4^1/_2$ 5 $5^1/_2$ 6 7 8 9 10 12 15 m/m

Größenskala für Häkelnadeln

$\varnothing$ 2 $2^1/_2$ 3 $3^1/_2$ 4 $4^1/_2$ 5 $5^1/_2$ 6 7 8 9 10 12 15 m/m

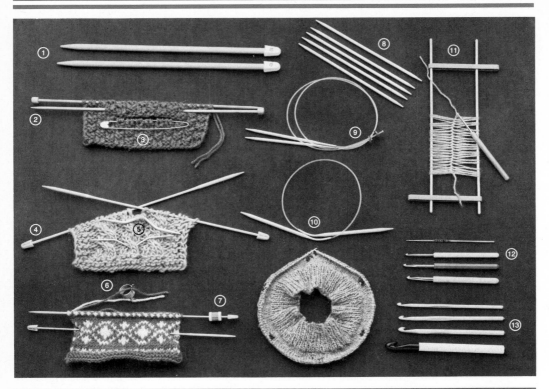

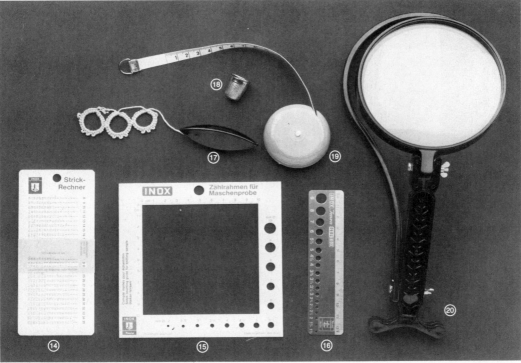

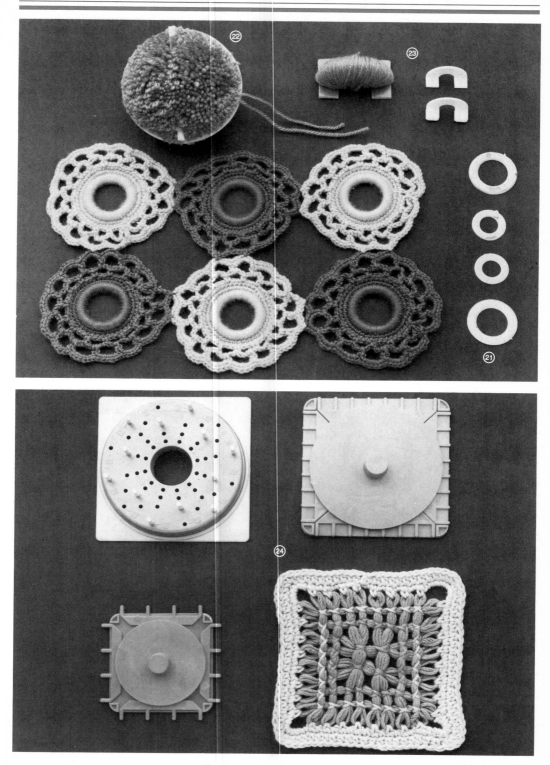

Material

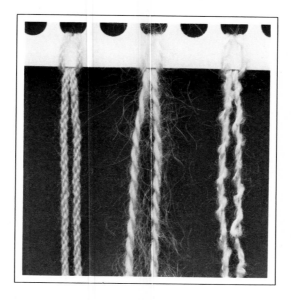

Wollearten
Haargarne
Baumwolle
Chemiefasern
Garnstärken

Material

Garnarten

Wolle

Bei der Wolle werden zwei große Gruppen unterschieden: die Merino-Wolle und die Kreuzzucht-Wolle. Die Merino-Wolle ist die feinste Schurwolle. Sie hat stark gekräuselte Fasern und wird hauptsächlich für weiche, schmiegsame Strick- und Wirkwaren, Schals und elegante Damen- und Herrenstoffe verwendet. Die Kreuzzucht-Wolle hat Fasern mittlerer Feinheit, die länger und weniger gekräuselt sind. Diese Wolle eignet sich für Handstrickgarne, sportliche und strapazierbare Kleidung, rustikale Stoffe etc.

Reine Schurwolle ist die vom lebenden Schaf geschorene Wolle, die zum ersten Mal zu einem Garn verarbeitet wird. Alle guten Eigenschaften kommen hier voll zur Wirkung. Das Wollsiegelzeichen garantiert die Reinheit und eine Reihe von wichtigen Gebrauchseigenschaften. Das Combi-Wollsiegel ist das Qualitätszeichen für Mischungen mit überwiegendem Schurwollanteil. Beide Siegel garantieren kontrollierte Qualität und genießen in über 100 Ländern gesetzlichen Schutz.

Garne oder Textilien mit oder aus Reißwolle fallen unter den Begriff »**Reine Wolle**«. Reißwolle ist aufgerissene Wolle von Abfällen aus der Produktion oder von Lumpen. Reißwollfasern sind beschädigt, kürzer und weitaus weniger elastisch als die der Schurwolle.

Haargarne

Die Haargarne werden mit der Schurwolle im Zusammenhang gesehen, stammen jedoch von anderen Tieren.
Die wichtigsten Arten:

Alpaka ist die Wolle einer Lamaart aus den südamerikanischen Anden. Das feine und weiche Garn ist elastisch und haltbar.

Angora ist die Wolle des Angorakaninchens. Die Angorawolle ist besonders leicht und weich. Ihre Festigkeit läßt sich durch Mischungen mit Schafwolle, Seide, Baumwolle oder Kunstfasern erhöhen.

Kaschmir stammt von der asiatischen Kaschmirziege. Diese sehr weiche Wolle wird oft mit anderen Fasern zusammen versponnen, die dadurch eine besondere Weichheit erlangen.

Mohair stammt von der Angoraziege. Rein oder in Mischungen ist Mohair das Haargarn, das am häufigsten verwendet wird.

Baumwolle

Die Baumwolle ist eine pflanzliche Faser, die aus den Haaren der Baumwollsamen gewonnen wird. Nach dem Reinigen, Kämmen und Strecken entsteht aus der Rohbaumwolle der Baumwollfaden. Dieser erhält durch eine Behandlung mit Natronlauge (Mercerisieren) seinen Glanz.
Die Baumwolle wird rein oder in Mischungen mit Kunstfasern zu Garnen verarbeitet und wird für Strick-, Häkel- und Stickarbeiten verwendet.

Chemiefasern

Chemiefasern werden sehr häufig für die Herstellung von Handarbeitsgarnen und auch für Effektgarne mit eingesponnenen Knoten und Schlaufen verwendet. Dabei unterscheidet man zwei Chemiefaserarten: Fasern, die aus natürlichen Stoffen, wie Zellulose und eiweißhaltige Tier- und Pflanzenprodukte, hergestellt werden, und Fasern, die aus rein synthetischen Stoffen bestehen. Aus beiden Materialien, aus ihren Mischungen untereinander oder in Kombination mit Wolle lassen sich beliebige Arten von Garnen herstellen. Maßgebend ist lediglich der jeweilige Anteil, da er die Festigkeit, die Haltbarkeit oder die Wascheigenschaft beeinflußt.

**Dünne Garne mit unterschiedlichen Verzwirnungen
und Effekten**

lose und stärkere Garne · Cablé · Mohair · Glanzgarn · Schlingen-garn · Flammé · Metall-effekt

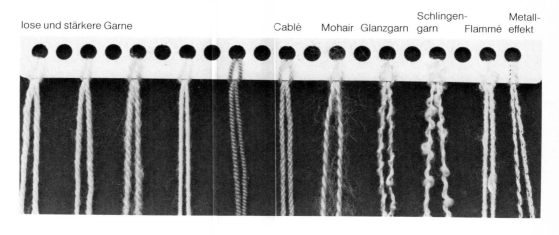

stärkere Garne   **dickere Garne**   **Effektgarne**

vierfach Zwirn · sechsfach Zwirn · dreifach Zwirn · Cablé mit Flammé · dreifach Zwirn · dreifach Zwirn mit Mouliné · dreifach Zwirn Mouliné · Bouclé uni · Mohair einfach Garn gerauht · glatter Vorzwirn mit buntem Knotenzwirn gerauht

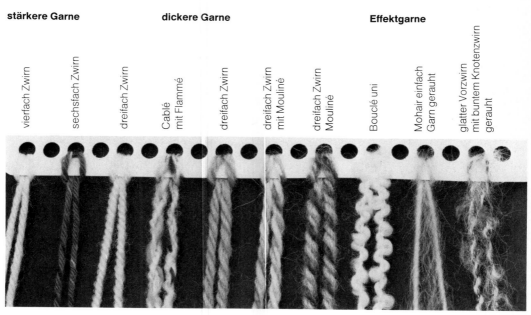

Garnstärken

Feine Garne. Sie eignen sich für Baby- und Kinderkleidung, Handschuhe, Schals und Strümpfe.

Mittelstarke Garne. Diese stehen im allgemeinen in mehr Farben und Effekten zur Verfügung und werden für Schals, Pullover und andere Oberbekleidungsstücke gern verwendet.

Sportgarne. Eignen sich für jegliche Sportbekleidung, also Socken, Strümpfe, Pullover etc.

Starke Garne. Zu dieser Gruppe zählen auch die weichen Schnellstrickgarne, aus denen warme Kinder- und Sportkleidung gearbeitet wird.

Sehr starke Garne. Sie sind oft nur sehr schwach gezwirnt. Unter ihnen findet man Effektgarne mit dünnen und dickeren Stellen. Diese Art eignet sich für warme Jacken, Skipullover etc.

Mohairgarne. Sie sind besonders leicht und wirken elegant. Für Tücher und die verschiedensten Teile der Damenoberbekleidung ist diese Garnart sehr beliebt.

Stricken

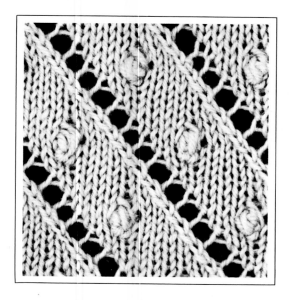

Stricken für Rechtshänder
Stricken für Linkshänder

12 Musterarten mit 216 Mustern:
Einfache Muster
Streifenmuster
Patentmuster
Wabenmuster
Webmuster
Flechtmuster
Zopfmuster
Durchbruchmuster
Spitzenborten
Mehrfarbige Muster
Intarsientechnik
Norwegertechnik

Fehler beheben
Stricken auf der Handstrickmaschine

Stricken für Rechtshänder

Fadenführung

Zu Beginn jeder Strickarbeit muß der Arbeitsfaden richtig um die Finger der linken Hand gelegt werden. Dabei die linke Hand so halten, daß die innere Handfläche auf den Boden schaut. Den fortlaufenden Faden zwischen dem kleinen Finger und dem Ringfinger durchführen, über 3 Finger legen und noch 1mal um den Zeigefinger schlagen.

Einfacher Kreuzanschlag

Dieser Anschlag ist schön und dauerhaft und wird bei all den Arbeiten angewendet, die einen festen Rand haben sollen, z.B. bei Strümpfen und Socken.
Für etwa 10 Maschen Anschlag benötigt man 1 Nadellänge Wollfaden. Den Faden wie zum Stricken aufwickeln (nach außen zwischen Klein- und Ringfinger durchziehen, über 3 Finger legen und um den Zeigefinger schlagen). Das Fadenende von rechts nach links vor dem Daumen herumlegen, oben herüberführen, zwischen den Fingern durchziehen und festklemmen. Die Nadel mit der rechten Hand fassen, von unten nach oben in die Schlinge beim Daumen einstechen, den Faden, der vom Zeigefinger kommt, umschlagen (der Arbeitsfaden liegt beim Umschlagen stets vor der Nadel) und durch die Schlinge ziehen; dann den Daumen aus der Schlinge nehmen und die Schlinge festziehen.

Bei der 2. Masche und allen folgenden Maschen den Daumen über den Faden, der vom Ring- und Mittelfinger kommt, legen, um den Daumen eine Schlinge bilden, von unten nach oben in die Schlinge einstechen, umschlagen, durchziehen, den Daumen aus der Schlinge nehmen und die Schlinge festziehen.
Beim Maschenanschlag ist besonders zu beachten, daß der Anschlag lose gearbeitet wird. Um dies leichter zu erreichen, ist es ratsam, 2 Nadeln von gleicher Stärke zu verwenden (siehe Abbildung).

Soll der Anschlag noch kräftiger und dauerhafter werden, so kann er mit doppeltem Wollfaden gearbeitet werden.

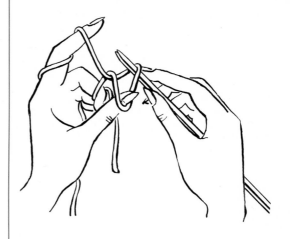

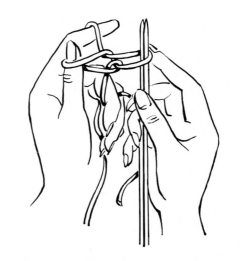

Anschlag aus einer Masche

Das Fadenende mit der rechten Hand fassen und den Faden wie zum Stricken aufwickeln. Nun um den Daumen von rechts nach links eine Schlinge legen, dabei das Fadenende mit dem Ring- und Mittelfinger festhalten. Jetzt die Nadel mit der rechten Hand fassen, von unten nach oben in die Schlinge beim Daumen einstechen, den Faden, der vom Zeigefinger kommt, umschlagen, durch die Schlinge ziehen, Schlinge festziehen. Die Nadel mit der Masche in die linke Hand nehmen. Die 2. Nadel in die rechte Hand nehmen, von vorn nach hinten in die Masche auf der linken Nadel einstechen, Faden um die rechte Nadel schlagen und durch die Masche ziehen; diese nicht abheben. Mit der linken Nadel in die Masche auf der rechten Nadel einstechen, Faden um die rechte Nadel schlagen, durchziehen, nicht abheben usw. Auf der linken Nadel mehren sich die Maschen, während auf der rechten Nadel stets 1 Masche bleibt.

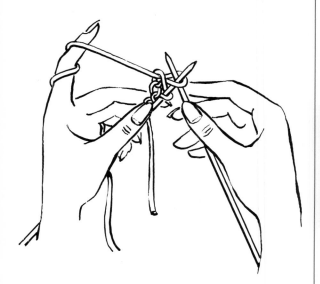

Der gestrickte Anschlag wird hauptsächlich dann angewendet, wenn der Anschlag lose sein soll und wenn die Anschlagmaschen aufgefaßt werden müssen, z. B. bei einem Saum. Dient der Anschlag jedoch gleichzeitig als Kante, ist diese Anschlagart nicht zu empfehlen.

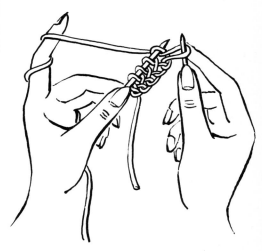

Beim fertigen Anschlag zeigt die Rückseite eine Maschenbildung, als ob schon eine Reihe gestrickt wäre.

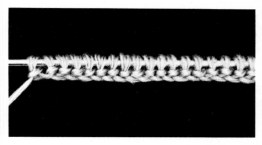

Anschlag von Maschen am Ende der Reihe

Soll eine angefangene Strickarbeit verbreitert werden, kann folgender Kreuzanschlag benützt werden: den Arbeitsfaden wie zum Stricken aufwickeln (oder wie die Abbildung zeigt, nur um den Daumen), um den Daumen von unten nach oben 1 Schlinge legen, mit der Nadel von unten nach oben in diese Schlinge einstechen, den Daumen aus der Schlinge nehmen und diese festziehen.

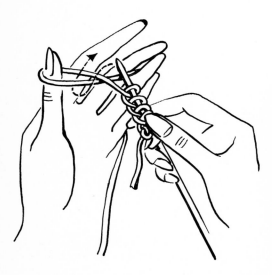

Gehäkelte Luftmaschenkette zu Anfangsmaschen einer Strickarbeit aufgefaßt: Man faßt mit einer Stricknadel die oberen waagrechten Glieder der Luftmaschen-Kette von vorn nach hinten auf und strickt diese als rechte Maschen ab.

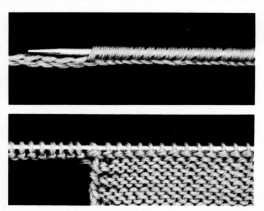

Man unterscheidet eine geschlossene und eine offene Arbeit.

Die geschlossene Arbeit wird in Runden auf einem Nadelspiel oder einer Rundnadel gestrickt, die offene Arbeit auf 2 langen, geraden Stricknadeln in Hin- und Rückreihen.

Maschenanschlag zu einer geschlossenen Arbeit

Die Anschlagmaschen werden so verteilt, daß auf der 1. Nadel 2 Maschen mehr als auf der 2. und 3. Nadel liegen, die 4. Nadel erhält 2 Maschen weniger. Die beiden ersten Maschen der 1. Nadel werden nun mit der 4. Nadel abgestrickt, und damit ist die Runde geschlossen; jetzt mit der 5. Nadel die Maschen der 1. Nadel abstricken.

Anschlag des Rippenmusters
1 Masche rechts, 1 Masche links

Diese Art des Anschlages erhöht die Elastizität des Randes. Es entsteht der Eindruck, daß die Maschen von der rechten zur linken Seite des Gestricks ohne Unterbrechung weiterlaufen. Beim Anschlagen benötigt man für eine Masche etwa 1–1,5 cm Wolle. Nun einen entsprechend langen Faden abmessen, diesen hängen lassen (stets eine gerade Maschenzahl wählen) und eine Schlinge um die Nadel legen.

Die Schlinge mit Daumen und Zeigefinger der linken Hand festhalten und den Knäuelfaden unter der Nadel nach vorn und über die Nadel wieder zurückführen.

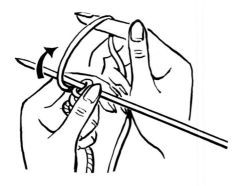

Die Schlinge mit Daumen und Zeigefinger der rechten Hand festhalten und den lose hängenden Faden von hinten über die Nadel nach vorn führen.

Die Schlinge mit Daumen und Zeigefinger der linken Hand festhalten und den Knäuelfaden zunächst vorn über den hängenden Faden legen, dann ersteren unter der Nadel nach hinten führen.

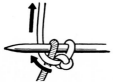

Die Schlingen mit Daumen und Zeigefinger der rechten Hand festhalten und den lose hängenden Faden von hinten über die Nadel nach vorn führen.

Die Schlinge mit Daumen und Zeigefinger der linken Hand festhalten und den Knäuelfaden unter der Nadel nach vorn und über die Nadel wieder zurückführen.

Die Schlingen mit Daumen und Zeigefinger der rechten Hand festhalten und den lose hängenden Faden zunächst über den Knäuelfaden legen, dann ersteren unter der Nadel von hinten nach vorn führen. Es sind nun 2 Maschen zuzüglich Anfangsschlinge auf der Nadel. Diese 6 Arbeitsgänge fortlaufend wiederholen.

Sind genügend Maschen angeschlagen, den Knäuelfaden und den lose hängenden Faden über der Nadel miteinander verknüpfen.

Die nächsten 2 Reihen werden wie folgt gear-beitet: 1. Reihe: 1 Masche rechts, ★ die folgende Masche links abheben (der Faden liegt vor der Masche), 1 Masche rechts verdreht. Ab ★ wie-derholen.
2. Reihe: ★ 1 Masche rechts, die folgende Ma-sche links abheben (der Faden liegt vor der Ma-sche). Ab ★ wiederholen und im Rippenmuster 1 Masche rechts/1 Masche links weiterarbeiten (siehe Seite 23).

Rechte Masche

In die Masche der linken Nadel von vorn nach hinten einstechen, den Faden, der vom Zeige-finger kommt, umschlagen (der Arbeitsfaden liegt vor der Nadel) und durch die Masche zie-hen; die Masche von der linken Nadel abheben.

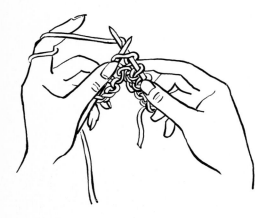

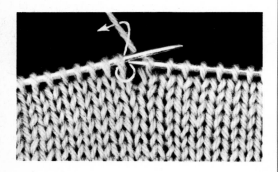

Rechtsverdrehte Masche

Von der rechten Seite nach hinten einstechen, umschlagen, Faden durchziehen, abheben.

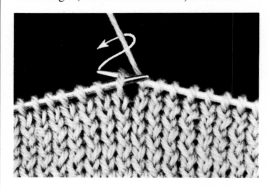

Linke Masche

Den Faden auf die linke Nadel vor die Masche legen, hinter dem Faden von rechts nach links in die Masche einstechen, umschlagen, durchzie-hen, von der linken Nadel heben.

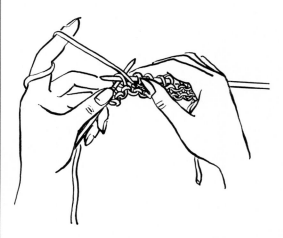

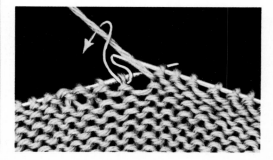

»Kraus«-Strickerei

Es werden in den Hin- und Rückreihen fortlaufend nur rechte Maschen gestrickt.

1 Masche rechts und 1 Masche links im Wechsel

Liest man bei einer Arbeitsanleitung 1 Masche rechts, 1 Masche links im Wechsel, so wird jeweils die ganze Reihe hindurch 1 Masche rechts, 1 Masche links, 1 Masche rechts, 1 Masche links, 1 Masche rechts, 1 Masche links usw. gearbeitet. 2. und alle folgenden Reihen: Maschen stricken, wie sie erscheinen.

1 Linksmasche und 1 verdrehte Rechtsmasche im Wechsel

Hübsch und gleichmäßig im Aussehen ist die verdrehte oder verschränkte Rechtsmasche im Wechsel mit einer Linksmasche. Auf der Rückseite wird die rechts verdrehte Masche links verdreht gestrickt.

2 Maschen rechts und 2 Maschen links im Wechsel

Für Bund und Bündchen ist diese Technik sehr beliebt. Maschenzahl durch 4 teilbar.
1. Reihe: 2 Maschen rechts, 2 Maschen links im Wechsel.
2. Reihe und alle folgenden Reihen: Maschen stricken, wie sie erscheinen.

Abketten der Maschen

Abketten durch Überziehen

Hierbei strickt man die ersten 2 Maschen der
Nadel wie gewöhnlich ab und zieht dann die zuerst gestrickte Masche über die 2. Masche,
strickt die 3. Masche und zieht die 2. Masche
darüber usw., bis alle Maschen abgekettet sind.
Durch die letzte Masche, die sich noch auf der
Nadel befindet, zieht man den Faden und vernäht denselben auf der Rückseite.

Abketten durch Zusammenstricken

Bei dieser Art strickt man 2 Maschen rechts verdreht zusammen. Die durch das Zusammenstricken gebildete Masche übernimmt man auf
die linke Nadel und strickt diese Masche mit der
nächsten Masche wieder rechts verdreht zusammen usw.

Abketten durch Abhäkeln

Dazu benützt man eine Häkelnadel. Soll die
Kante lose werden, so verwendet man eine
ziemlich starke Nadel, für eine mittlere Kante
dieselbe Stärke wie die Stricknadel und für besonders feste Kanten eine etwas feinere Nadel.
Zunächst werden die beiden ersten Maschen
auf die Häkelnadel geholt (jede einzelne Masche rechts abheben), dann häkelt man diese
wie eine Kettenmasche ab (den Arbeitsfaden
mit der Häkelnadel holen und durch beide Maschen ziehen). Von jetzt an wird stets die nächst-
folgende Masche rechts abgehoben und mit der
auf der Nadel befindlichen Masche als Kettenmasche abgehäkelt.

Abketten des Rippenmusters –
1 Masche rechts, 1 Masche links –
mit der Stopfnadel

Diese Art des Abkettens erhöht die Elastizität des Randes. Die Abkettreihe ist als solche nicht erkennbar, d. h. es entsteht der Eindruck, daß die Maschen von der rechten zur linken Seite des Gestricks ohne Unterbrechung weiterlaufen.

Nach Beendigung der letzten Reihe einen genügend langen Faden hängen lassen und dessen Ende durch eine Straminnadel ziehen (die rechte Seite der Arbeit ist vorne).

Mit der Stopfnadel in die 1. Rechts-Masche von rechts nach links einstechen, den Faden durchziehen und die Masche von der Stricknadel nehmen.

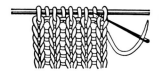

Die folgende Links-Masche übergehen, in die nächste Rechts-Masche von rechts nach links einstechen und den Faden durchziehen (die Masche bleibt auf der Stricknadel).

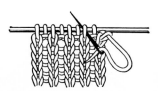

In die übergangene Links-Masche von rechts nach links einstechen, den Faden durchziehen und beide Maschen von der Stricknadel nehmen.

In die folgende Links-Masche von links nach rechts einstechen und den Faden durchziehen (die Masche bleibt auf der Stricknadel).

In die zuvor von der Nadel genommene Rechts-Masche von rechts nach links einstechen und den Faden durchziehen.

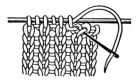

In die nächste Rechts-Masche von rechts nach links einstechen und den Faden durchziehen. Die 4 letzten Arbeitsgänge solange wiederholen, bis alle Maschen abgekettet sind. Den Endfaden vernähen.

Randmasche

Strickarbeiten, welche hin- und hergehend gestrickt werden, schließen jede Reihe mit einer
Randmasche wie folgt: am Ende der Reihe wird
die letzte Masche nicht abgestrickt, man legt
den Faden wie zu einer Linksmasche vor und
hebt die letzte Masche nur ab.

Nach dem Wenden strickt man die abgehobene
Masche rechts verdreht ab.

Knötchenrand

Für alle Kanten, die später zu Nähten verarbeitet werden, empfehlen wir einen festen Rand,
den Knötchenrand. In der Hinreihe wird die
Randmasche rechts abgestrickt. In der Rückreihe wird der Faden hinter die Nadel gelegt, in die
Randmasche wie zu einer Linksmasche eingestochen und nun abgehoben. Der Faden ist fest
anzuziehen.

Derselbe Rand bei »kraus« gestrickten Arbeiten.

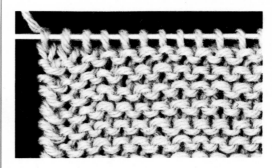

Auffassen der Randmaschen

Wird bei Westen, Pullovern usw. ein Rand, Kragen oder dgl. angestrickt, so faßt man hierzu die
an der Vorderseite liegenden Glieder der Randmaschen auf die Nadel.

Zunehmen einer Masche am Anfang der Reihe

Man holt das waagrecht liegende Querglied
zwischen der Randmasche und der 2. Masche
auf die Nadel und strickt es als verdrehte Masche ab. Wird am Ende der Reihe 1 Masche zugenommen, so strickt man bis zur Randmasche,
holt das letzte Querglied auf die Nadel und
strickt dasselbe ebenfalls verdreht ab.

Zunehmen von Maschen innerhalb einer Strickreihe

Soll die Maschenzahl in einer Reihe vermehrt werden, so kann dies auf 2 Arten erfolgen:
Man strickt aus 1 Masche 2 Maschen, d. h. die Masche wird rechts abgestrickt, jedoch nicht von der Nadel gehoben. Aus der gleichen Masche wird nun eine 2. rechts verdrehte Masche geholt.

Man bildet aus dem zwischen 2 Maschen liegenden Querglied eine neue Masche, indem man dieses mit der linken Nadel auffaßt und rechts verdreht abstrickt.

Sollen innerhalb einer Reihe mehrere Maschen zugenommen werden, so wiederholt man diesen Vorgang in gleichen Abständen.
Soll das Zunehmen von mehreren Maschen innerhalb einer Reihe an denselben Stellen öfter wiederholt werden, so bezeichnet man zunächst die für das Zunehmen vorgesehenen Stellen mit buntem Faden. Soll an jeder Zunahmestelle nur 1 Masche zugenommen werden, so faßt man abwechselnd in einer Zunahmereihe jeweils die Querglieder vor der bezeichneten Masche und in der anderen Zunahmereihe die Querglieder nach der bezeichneten Masche auf und strickt sie verdreht ab.
Sollen an den bezeichneten Stellen 2 Maschen zugenommen werden, so faßt man jeweils das Querglied vor und nach den bezeichneten Maschen auf und strickt es verdreht ab.

Abnehmen

Das gewöhnliche Abnehmen erfolgt durch Zusammenstricken zweier nebeneinanderliegender Maschen. Dieses Zusammenstricken kann rechts, links oder verdreht geschehen. Außerdem kann aber auch noch durch Überziehen abgenommen und dabei die Maschenzahl um 1 oder 2 Maschen vermindert werden. Soll die Maschenzahl um 1 vermindert werden, so hebt man die 1. Masche von der linken auf die rechte Nadel (beim Abheben wie bei einer rechten Masche einstechen), strickt dann die 2. Masche rechts ab und zieht die abgehobene darüber. Will man die Maschenzahl um 2 vermindern, so wird die 1. Masche abgehoben, die 2. und 3. Masche rechts zusammengestrickt und dann die abgehobene darübergezogen. Soll die mittlere Masche weiterlaufen, so muß diese zuerst auf eine Hilfsnadel gehoben werden, dann strickt man die 1. und 3. Masche zusammen und zieht die mittlere Masche darüber.

Wird rechts abgenommen, so bekommt das Abnehmen die Richtung nach rechts. Soll aber das Abnehmen die Richtung nach links haben, so muß verdreht abgenommen werden.

Sollen innerhalb einer Reihe mehrere Maschen abgenommen werden, so wird dies in gleichen Abständen nach einer der zuvor erwähnten Arten durchgeführt (siehe Seite 30 oben).

Soll das Abnehmen von mehreren Maschen innerhalb einer Reihe bei einem Gestrick im Ver-
laufe der Arbeit an denselben Stellen öfter wiederholt werden, z. B. bei Glockenröcken, die
von unten nach oben gearbeitet werden, so bezeichnet man zunächst die für das Abnehmen
vorgesehenen Stellen mit buntem Faden. Soll
an jeder Abnehme-Stelle nur 1 M abgenommen
werden, so strickt man in 1. Abnehme-Runde jeweils die bezeichnete Masche mit der Masche
davor und in 2. Abnehme-Runde die bezeichnete Masche mit der Masche danach zusammen.
Diese beiden Abnehme-Runden werden fortlaufend wiederholt. Sollen an jeder Abnehme-
Stelle 2 M abgenommen werden, so strickt man
zuerst die beiden Maschen vor der bezeichneten
Masche rechts verdreht oder durch Überziehen
zusammen und die beiden Maschen nach der
bezeichneten Masche rechts zusammen.
Sollen am Anfang oder Ende einer Reihe
1–2 Maschen abgenommen werden, z. B. bei
Ausschnitt- oder Raglanschrägungen, so kann
man am Anfang einer Reihe entweder die
Randmasche mit 1–2 Maschen danach rechts
verdreht zusammenstricken und am Ende der
Reihe die Randmasche mit 1–2 Maschen davor
rechts zusammenstricken, oder man läßt am
Anfang und Ende beliebig je 1, 2 oder 3 Maschen hochlaufen und strickt die Maschen danach bzw. davor wie beschrieben zusammen.
Sollen am Anfang einer Reihe mehrere Maschen auf einmal abgenommen werden, so erfolgt dies durch Abketten.

Doppelabnehmen mit Heraufführen der mittleren Masche

Die Maschenzahl muß ungerade sein.
Das Doppelabnehmen erfolgt immer auf der
Vorderseite. Man bezeichnet die mittelste Ma-
sche und strickt bis 1 Masche vor der mittleren

Masche, hebt diese 1 Masche ab und nimmt die
mittlere Masche auf eine Hilfsnadel. Nun
strickt man die Masche vor und nach der Lücke
rechts zusammen und hebt dann die mittlere
Masche und die zusammengestrickte auf die
linke Nadel und zieht die abgehobene mittlere
Masche über die zusammengestrickte Masche.
Die übrigen Maschen werden rechts abgestrickt, auf der Rückseite links. Soll die Arbeit
immer die gleiche Maschenzahl behalten, so
muß stets zu Anfang jeder Hin- und Rückreihe
zwischen der 1. und 2. Masche ein Querglied
aufgefaßt und verdreht abgestrickt werden.

Verkürzte Reihen

Bei eingestrickten Seitenabnähern, Schulterschrägungen, Rückenerhöhungen bei Hosen,
quergestrickten Röcken, wie überhaupt bei allen Ausarbeitungen von Formen innerhalb eines Gestrickes bedient man sich des Strickens
von verkürzten Reihen. Wie unschön wirkt es
dann, wenn beispielsweise bei einer Weste der
Brustabnäher durch Löcher markiert ist. Das
kann vermieden werden, indem man vor dem
Wenden einen Umschlag um die Nadel legt. Bei
der nächsten Reihe wird dieser Umschlag mit
der nächstfolgenden Masche zusammen abgestrickt.
Das gleiche gilt auch für das Stricken mit Hand-
strickapparaten.

Stricken für Linkshänder

Einfacher Kreuzanschlag

Nicht zu fest anschlagen! Für 10–15 Anschlagmaschen werden, je nach Garn- und Nadelstärke, etwa 35 cm Faden benötigt.

Das Fadenende zwischen kleinen Finger und
Ringfinger der rechten Hand von außen nach
innen durchziehen, um den Zeigefinger von innen nach außen und wieder nach innen legen
und anschließend von links nach rechts von innen um den Daumen schlingen. Das Fadenende mit dem kleinen Finger und dem Ringfinger
festhalten.

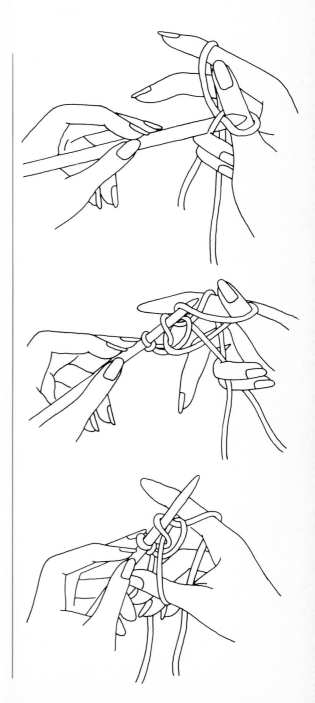

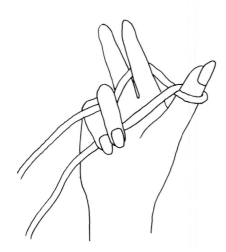

Die Arbeitsnadel in die linke Hand nehmen und
★ von unten nach oben in die Daumenschlinge
einstechen. Nun den Faden vom Zeigefinger
von links nach rechts fassen, durch die Daumenschlinge ziehen, die Schlinge vom Daumen
herunterlassen und mit dem Fadenende eine
neue Daumenschlinge bilden, wobei die Anschlagmasche auf der Nadel mit angezogen
wird. Ab ★ fortlaufend wiederholen.

Stricken

Die Nadel mit den Anschlagmaschen und den
Arbeitsfaden in der rechten Hand halten. Der
Faden läuft zwischen dem kleinen Finger und
dem Ringfinger durch und wird zweimal um
den Zeigefinger geschlungen.

Rechte Masche

Mit der linken Nadel von vorn nach hinten in
das hintere Maschenglied der Masche auf rechter Nadel einstechen, den Faden vom Zeigefinger holen und durch die Masche ziehen, die Masche von der rechten Nadel lassen. Die neue
Masche liegt jetzt auf der linken Nadel.

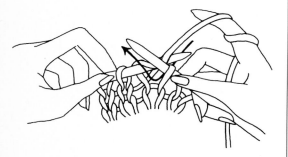

Linke Masche

Den Arbeitsfaden vor die Masche auf der rechten Nadel legen, in das vordere Maschenglied
von links nach rechts einstechen, den Arbeitsfaden holen und durch die Masche ziehen. Die
Masche von der rechten Nadel lassen, die neue
Masche liegt jetzt auf der linken Nadel.

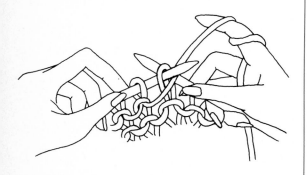

Umschlag

Der Umschlag wird vorwiegend bei Lochmustern verwendet. Man legt den Arbeitsfaden von
vorn nach hinten über die linke Nadel und
strickt diesen Faden in der folgenden Reihe, je
nach Muster, rechts oder links ab.

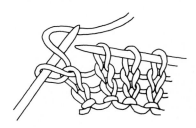

Zunehmen

Aus einer Rechtsmasche 2 Maschen herausstricken

Eine Masche rechts abstricken, die Masche jedoch auf der rechten Nadel lassen und aus derselben Masche eine rechts verdrehte Masche
herausstricken. Man sticht dazu in das vordere
Maschenglied von rechts nach links ein und holt
den Arbeitsfaden durch die Masche. Die Masche von der rechten Nadel lassen.

Zwischen 2 Rechtsmaschen eine Masche zunehmen

Mit der rechten Nadel ein Querglied der vorhergehenden Reihe von vorn nach hinten auffassen
und wie eine rechte Masche abstricken. Auf der
linken Nadel ist jetzt eine zugenommene Masche.

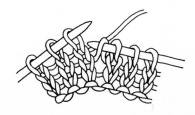

Abnehmen

Zwei Maschen rechts zusammenstricken

Man sticht mit der linken Nadel in die hinteren Maschenglieder von 2 Maschen gemeinsam von links nach rechts ein, holt den Arbeitsfd. und zieht ihn durch beide Maschen. Die Maschen von der rechten Nadel lassen, auf der linken Nadel ist jetzt nur eine Masche.

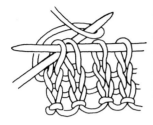

Zwei Maschen rechts verdreht zusammenstricken

Mit der linken Nadel von rechts nach links in die vorderen Maschenglieder der folgenden 2 Maschen gemeinsam einstechen, den Arbeitsfaden durchholen und beide Maschen von der rechten Nadel lassen. Auf der linken Nadel ist jetzt eine Masche.

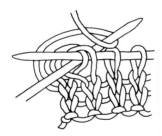

Abnehmen durch Überziehen von der linken Seite

In die folgende Masche mit der linken Nadel wie zum Rechtsstricken einstechen, die Masche von der rechten Nadel abheben, die nächste Masche rechts abstricken und die abgehobene Masche über die gestrickte Masche ziehen.

Abnehmen durch Überziehen von der rechten Seite

1 Masche rechts stricken, die Masche wieder zurück auf die rechte Nadel nehmen, in das vordere Maschenglied der nächsten Masche von links nach rechts einstechen und diese Masche über die gestrickte Masche ziehen. Die Masche auf die linke Nadel nehmen.

Abketten

Am Ende einer Arbeit werden die Maschen abgekettet. Man strickt 2 Maschen ab und zieht mit der rechten Nadel die zuerst gestrickte Masche über die 2. Masche. Nun wieder eine Masche stricken und die 2. gestrickte Masche mit der rechten Nadel über die zuletzt gestrickte Masche ziehen usw., bis alle Maschen abgekettet sind. Den Arbeitsfaden abschneiden und durch die letzte Masche ziehen.

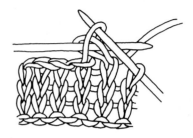

Fehler beheben

Aufheben von gefallenen Rechtsmaschen

Man faßt mit der rechten Stricknadel den querliegenden Faden und die Masche von hinten nach vorn und legt beides auf die linke Nadel (der Querfaden liegt rechts von der Masche). Mit der rechten Nadel die Masche von der Seite nach vorn fassen und über den Querfaden heben.

Liegt die Masche mehrere Reihen weiter unten, so beginnt man mit dem untersten Querfaden und macht es mit den folgenden auf gleiche Weise.

Aufhäkeln von Rechtsmaschen

Mit Hilfe einer Häkelnadel (möglichst in der gleichen Stärke wie die Stricknadel) kann die heruntergefallene Masche sehr leicht aufgehoben werden. Wie die Abbildung zeigt, liegt die gefallene Masche auf der Häkelnadel. Nun holt man den nächsten querliegenden Faden und zieht ihn durch die gefallene Masche (wie bei einer Luftmasche). Diesen Vorgang wiederholt man bis oben und hebt dann die Masche auf die linke Nadel, so daß das rechte Maschenglied vor der Nadel liegt (siehe rechts oben).

Aufheben von gefallenen Linksmaschen

Bei Linksmaschen liegt die gefallene Masche auf der linken Nadel rechts von dem Querfaden. Man sticht mit der rechten Nadel von der Seite nach vorn durch die aufgefaßte Masche und zieht den Querfaden durch die Masche. Auf einfachere Weise verbessert man diesen Fehler, indem man die Arbeit wendet und die heruntergefallene Masche rechts heraufhäkelt.

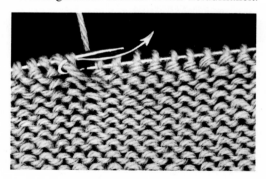

Rückwärtsstricken

Hier ist darauf zu achten, daß die Nadel so durchgesteckt wird, daß die Maschen nicht verdreht werden. Um dies zu verhindern, läßt man am besten eine Masche nach der anderen fallen und führt die Nadel dem Muster entsprechend durch die gefallene Masche.

Strickmuster

Einfache Muster

1 Kleines Perlmuster

Gerade Maschenzahl.
1. Reihe: ⋆ 1 M r, 1 M li. Ab ⋆ wiederholen.
2. Reihe: ⋆ 1 M li, 1 M r. Ab ⋆ wiederholen.
Die 1. und 2. Reihe fortlaufend wiederholen.

2 Großes Perlmuster

Gerade Maschenzahl.
1. Reihe: Randm., ⋆ 1 M r, 1 M li. Ab ⋆ wiederholen, Randm.
2. Reihe: M str., wie sie erscheinen.
3. Reihe: Randm., ⋆ 1 M li, 1 M r. Ab ⋆ wiederholen, Randm.
4. Reihe: M str., wie sie erscheinen.
1.–4. Reihe fortlaufend wiederholen.

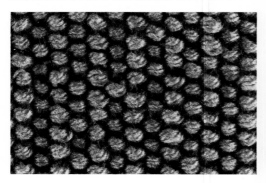

3

Gerade Maschenzahl.
1. Reihe: Randm., ⋆ 1 M r, 1 M li. Ab ⋆ wiederholen, Randm.
2. und 3. Reihe: M str., wie sie erscheinen.
4. Reihe: die r M der Vorreihe li und die li M der Vorreihe r str.
5. und 6. Reihe: M str., wie sie erscheinen.
1.–6. Reihe fortlaufend wiederholen.

4

Gerade Maschenzahl.
1. Reihe: Randm., ⋆ 1 M r, 1 M li. Ab ⋆ wiederholen, Randm.
2. Reihe: links.
1. und 2. Reihe fortlaufend wiederholen.

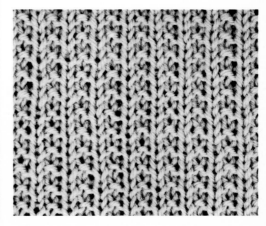

5

Maschenzahl durch 4 teilbar und 3 Maschen (1 M und 2 Randm.).
1. Reihe: Randm., ⋆ 1 Umschl., 1 M li abh., 3 M r. Ab ⋆ wiederholen. Die Reihe endet: 1 Umschl., 1 M li abh., Randm.
2. Reihe: Randm., ⋆ den Umschl. der Vorreihe mit der abgeh. M r zus.str., 3 M li. Ab ⋆ wiederholen. Die Reihe endet: den Umschl. der Vorreihe mit der abgeh. M r zus.str., Randm.
3. und 5. Reihe wie die 1. Reihe.
4. und 6. Reihe wie die 2. Reihe.
7. Reihe: Randm., 2 M r, ⋆ 1 Umschl., folg. M li abh., 3 M r. Ab ⋆ wiederholen. Die Reihe endet: 1 Umschl., folg. M li abh., 2 M r, Randm.
8. Reihe: Randm., 2 M li, ⋆ folg. M mit dem Umschl. r zus.str., 3 M li. Ab ⋆ wiederholen. Die Reihe endet: folg. M mit dem Umschl. r zus.str., 2 M li, Randm.
9. und 11. Reihe wie die 7. Reihe.
10. und 12. Reihe wie die 8. Reihe.
1.–12. Reihe fortlaufend wiederholen.

6

Maschenzahl durch 4 teilbar und 2 Randmaschen.
1. Reihe und jede weitere Hinreihe: rechts.
2., 4. und 6. Reihe: Randm., ⋆ 2 M r, 2 M li. Ab ⋆ wiederholen, Randm.
8., 10. und 12. Reihe: Randm., ⋆ 2 M li, 2 M r. Ab ⋆ wiederholen, Randm.
1.–12. Reihe fortlaufend wiederholen.

7

Maschenzahl durch 6 teilbar und 5 Maschen (3 M und 2 Randm.).
1. Reihe: Randm., ⋆ 3 M r, 3 M li. Ab ⋆ wiederholen. Die Reihe endet mit 3 M r, Randm.
2. Reihe: M str., wie sie erscheinen.
3. Reihe: Randm., ⋆ 3 M li, 3 M r. Ab ⋆ wiederholen. Die Reihe endet mit 3 M li, Randm.
4. Reihe: M str., wie sie erscheinen.
1.–4. Reihe fortlaufend wiederholen.

8

Maschenzahl durch 4 teilbar und 2 Randmaschen.
1. Reihe: Randm., ⋆ 3 M r, 1 M li. Ab ⋆ wiederholen, Randm.
2. Reihe: Randm., ⋆ 1 M r, 3 M li. Ab ⋆ wiederholen, Randm.
3. Reihe: Randm., ⋆ 3 M r, 1 M li. Ab ⋆ wiederholen, Randm.
4. Reihe: rechts.
5. Reihe: links.
6. Reihe: Randm., ⋆ 1 M r, 3 M li. Ab ⋆ wiederholen, Randm.
7. Reihe: Randm., ⋆ 3 M r, 1 M li. Ab ⋆ wiederholen, Randm.
8. Reihe: Randm., ⋆ 1 M r, 3 M li. Ab ⋆ wiederholen, Randm.
9. Reihe: links.
10. Reihe: rechts.
1.–10. Reihe fortlaufend wiederholen.

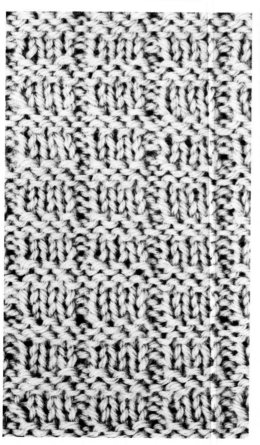

9

Maschenzahl durch 6 teilbar und 1 M.
1. Reihe sowie jede weitere Hinreihe: rechts.
2. Reihe: Randm., ⋆ 5 M r, 1 M li. Ab ⋆ wiederholen. Die Reihe endet mit 5 M r, Randm.
4., 6. und 8. Reihe wie die 2. Reihe.
10. Reihe: Randm., 2 M r, ⋆ 1 M li, 5 M r. Ab ⋆ wiederholen. Die Reihe endet mit 1 M li, 2 M r, Randm.
12., 14. und 16. Reihe wie die 10. Reihe.
1.–16. Reihe fortlaufend wiederholen.

10

Maschenzahl durch 8 teilbar und 2 Randmaschen.

1. Reihe: Randm., ⋆ 5 M r, 3 M li. Ab ⋆ wiederholen, Randm.

2.–5. Reihe: M stricken, wie sie erscheinen.

6. Reihe: Randm., ⋆ 5 M li, 3 M r. Ab ⋆ wiederholen, Randm.

7.–10. Reihe: M stricken, wie sie erscheinen.

11. Reihe: Randm., 3 M r, ⋆ 3 M li, 5 M r. Ab ⋆ wiederholen; die Reihe endet mit 3 M li, 2 M r, Randm.

12.–15. Reihe: M stricken, wie sie erscheinen.

16. Reihe: Randm., 2 M r, ⋆ 5 M li, 3 M r. Ab ⋆ wiederholen; die Reihe endet mit 5 M li, 1 M r, Randm.

17.–20. Reihe: M stricken, wie sie erscheinen.

21. Reihe: Randm., 1 M r, ⋆ 3 M li, 5 M r. Ab ⋆ wiederholen; die Reihe endet mit 3 M li, 4 M r, Randm.

22.–25. Reihe: M stricken, wie sie erscheinen.

26. Reihe: Randm., 1 M li, ⋆ 3 M r, 5 M li. Ab ⋆ wiederholen; die Reihe endet mit 3 M r, 4 M li, Randm.

27.–30. Reihe: M stricken, wie sie erscheinen.

31. Reihe: Randm., 2 M li, ⋆ 5 M r, 3 M li. Ab ⋆ wiederholen; die Reihe endet mit 5 M r, 1 M li, Randm.

32.–35. Reihe: M stricken, wie sie erscheinen.

36. Reihe: Randm., 3 M li, ⋆ 3 M r, 5 M li. Ab ⋆ wiederholen; die Reihe endet mit 3 M r, 2 M li, Randm.

37.–40. Reihe: M stricken, wie sie erscheinen.

1.–40. Reihe fortlaufend wiederholen.

11

Maschenzahl durch 8 teilbar und 2 Randmaschen.

1. und 2. Reihe: »glatt r« (= Hinr. r, Rückr. li).

3. Reihe: Randm., ⋆ 4 M r, 4 M li. Ab ⋆ wiederholen, Randm.

4. Reihe: Randm., 1 M li, ⋆ 4 M r, 4 M li. Ab ⋆ wiederholen. Die R endet: 4 M r, 3 M li, Randm.

5. Reihe: Randm., 2 M r, ⋆ 4 M li, 4 M r. Ab ⋆ wiederholen. Die R endet: 4 M li, 2 M r, Randm.

6. Reihe: Randm., 3 M li, ⋆ 4 M r, 4 M li. Ab ⋆ wiederholen. Die R endet: 4 M r, 1 M li, Randm.

7. Reihe: Randm., ⋆ 4 M li, 4 M r. Ab ⋆ wiederholen, Randm.

8. Reihe: links.

9. und 10. Reihe: »glatt r«.

11. Reihe wie die 7. Reihe.

12. Reihe wie die 6. Reihe.

13. Reihe wie die 5. Reihe.

14. Reihe wie die 4. Reihe.

15. Reihe wie die 3. Reihe.

16. Reihe: links.

1.–16. Reihe fortlaufend wiederholen.

12

Maschenzahl durch 6 teilbar und 2 Randm.
1. Reihe: Randm., ⋆ 1 M li, 5 M r. Ab ⋆ wiederholen, Randm.
2. Reihe: Randm., ⋆ 4 M li, 2 M r. Ab ⋆ wiederholen, Randm.
3. Reihe: Randm., ⋆ 3 M li, 3 M r. Ab ⋆ wiederholen, Randm.
4. Reihe: Randm., ⋆ 2 M li, 4 M r. Ab ⋆ wiederholen, Randm.
5. Reihe: Randm., ⋆ 5 M li, 1 M r. Ab ⋆ wiederholen, Randm.
6. Reihe: r.
7. Reihe wie die 5. Reihe.
8. Reihe wie die 4. Reihe.
9. Reihe wie die 3. Reihe.
10. Reihe wie die 2. Reihe.
11. Reihe wie die 1. Reihe.
12. Reihe: li.
1.–12. Reihe fortlaufend wiederholen.

13

Maschenzahl durch 8 teilbar und 1 M und 2 Randmaschen.
1. Reihe und alle folgenden Hinreihen: rechts.
2. Reihe: Randm., 1 M li, ⋆ 7 M r, 1 M li. Ab ⋆ wiederholen.
4. Reihe: Randm., 2 M li, ⋆ 5 M r, 3 M li. Ab ⋆ wiederholen. Die Reihe endet mit 5 M r, 2 M li, Randm.
6. Reihe: Randm., 3 M li, ⋆ 3 M r, 5 M li. Ab ⋆ wiederholen. Die Reihe endet mit 3 M r, 3 M li, Randm.
8. Reihe: Randm., 4 M li, ⋆ 1 M r, 7 M li. Ab ⋆ wiederholen. Die Reihe endet mit 1 M r, 4 M li, Randm.
10. Reihe: Randm., 4 M r, ⋆ 1 M li, 7 M r. Ab ⋆ wiederholen. Die Reihe endet mit 1 M li, 4 M r, Randm.
12. Reihe: Randm., 3 M r, ⋆ 3 M li, 5 M r. Ab ⋆ wiederholen. Die Reihe endet mit 3 M li, 3 M r, Randm.
14. Reihe: Randm., 2 M r, ⋆ 5 M li, 3 M r. Ab ⋆ wiederholen. Die Reihe endet mit 5 M li, 2 M r, Randm.
16. Reihe: Randm., 1 M r, ⋆ 7 M li, 1 M r. Ab ⋆ wiederholen, Randm.
1.–16. Reihe fortlaufend wiederholen.

14

Maschenzahl durch 8 teilbar und 2 Randmaschen.
1. Reihe: Randm., 4 M r, ⋆ 1 M li, 7 M r. Ab ⋆ wiederholen. Die Reihe endet: 1 M li, 3 M r, Randm.
2. Reihe: Randm., ⋆ 2 M li, 3 M r, 2 M li, 1 M r. Ab ⋆ wiederholen, Randm.
3. Reihe: Randm., 2 M r, ⋆ 2 M li, 1 M r, 2 M li, 3 M r. Ab ⋆ wiederholen. Die Reihe endet: 2 M li, 1 M r, 2 M li, 1 M r, Randm.
4. Reihe: Randm., 2 M r, ⋆ 3 M li, 5 M r. Ab ⋆ wiederholen. Die Reihe endet: 3 M li, 3 M r, Randm.
5. Reihe: Randm., ⋆ 1 M r, 1 M li, 5 M r, 1 M li. Ab ⋆ wiederholen, Randm.
6. Reihe: Randm., ⋆ 7 M li, 1 M r. Ab ⋆ wiederholen, Randm.
1.–6. Reihe fortlaufend wiederholen.

15

Maschenzahl durch 8 teilbar und 1 M.
1. Reihe: Randm., ⋆ 7 M r, 1 M li. Ab ⋆ wiederholen. Die Reihe endet mit 7 M r, Randm.
2. Reihe: Randm., 1 M r, ⋆ 5 M li, 1 M r, 1 M li, 1 M r. Ab ⋆ wiederholen. Die Reihe endet mit 5 M li, 1 M r, Randm.
3. Reihe: Randm., 1 M r, 1 M li, ⋆ 3 M r, 1 M li. Ab ⋆ wiederholen. Die Reihe endet mit 1 M r, Randm.
4. Reihe: Randm., 2 M li, ⋆ 1 M r, 1 M li, 1 M r, 5 M li. Ab ⋆ wiederholen. Die Reihe endet mit 1 M r, 1 M li, 1 M r, 2 M li, Randm.
5. Reihe: Randm., 3 M r, ⋆ 1 M li, 7 M r. Ab ⋆ wiederholen. Die Reihe endet mit 1 M li, 3 M r, Randm.
6. Reihe wie die 4. Reihe.
7. Reihe wie die 3. Reihe.
8. Reihe wie die 2. Reihe.
1.–8. Reihe fortlaufend wiederholen.

Streifenmuster

16

Maschenzahl durch 4 teilbar und 2 Randmaschen.

1. Reihe: Randm., ⋆ 1 M li, 3 M r. Ab ⋆ wiederholen, Randm.
2. Reihe: Randm., 2 M li, ⋆ 1 M r, 3 M li. Ab ⋆ wiederholen; die Reihe endet mit 1 M r, 1 M li, Randm.
3. Reihe: Randm., 2 M r, ⋆ 1 M li, 3 M r. Ab ⋆ wiederholen; die Reihe endet mit 1 M li, 1 M r, Randm.
4. Reihe: Randm., ⋆ 1 M r, 3 M li. Ab ⋆ wiederholen, Randm.

1.–4. Reihe fortlaufend wiederholen.
Das Muster ist rechts und links verwendbar.

Vorderseite

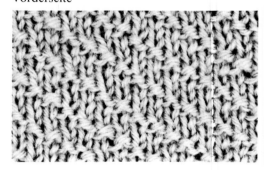

Rückseite

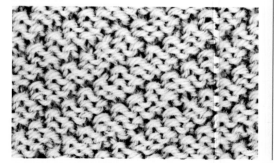

17

Maschenzahl durch 8 teilbar und 2 Randmaschen.

1. Reihe: Randm., ⋆ 4 M r, 4 M li. Ab ⋆ wiederholen, Randm.
2. Reihe: Randm., 1 M li, ⋆ 4 M r, 4 M li. Ab ⋆ wiederholen; die R endet mit 4 M r, 3 M li, Randm.
3. Reihe: Randm., 2 M r, ⋆ 4 M li, 4 M r. Ab ⋆ wiederholen; die R endet mit 4 M li, 2 M r, Randm.
4. Reihe: Randm., 3 M li, ⋆ 4 M r, 4 M li. Ab ⋆ wiederholen; die R endet mit 4 M r, 1 M li, Randm.
5. Reihe: Randm., ⋆ 4 M li, 4 M r. Ab ⋆ wiederholen, Randm.
6. Reihe: Randm., 1 M r, ⋆ 4 M li, 4 M r. Ab ⋆ wiederholen; die R endet mit 4 M li, 3 M r, Randm.
7. Reihe: Randm., 2 M li, ⋆ 4 M r, 4 M li. Ab ⋆ wiederholen; die R endet mit 4 M r, 2 M li, Randm.
8. Reihe: Randm., 3 M r, ⋆ 4 M li, 4 M r. Ab ⋆ wiederholen; die R endet mit 4 M li, 1 M r, Randm.

1.–8. Reihe fortlaufend wiederholen.

18

Maschenzahl durch 8 teilbar und 2 Randmaschen.

1. Reihe und jede weitere Hinreihe: rechts.

2. Reihe: Randm., ⋆ 6 M r, 2 M li. Ab ⋆ wiederholen, Randm.

4. Reihe wie die 2. Reihe.

6. Reihe: Randm., 4 M r, ⋆ 2 M li, 6 M r. Ab ⋆ wiederholen; die Reihe endet mit 2 M li, 2 M r, Randm.

8. Reihe wie die 6. Reihe.

10. Reihe: Randm., 2 M r, ⋆ 2 M li, 6 M r. Ab ⋆ wiederholen; die Reihe endet mit 2 M li, 4 M r, Randm.

12. Reihe wie die 10. Reihe.

14. Reihe: Randm., ⋆ 2 M li, 6 M r. Ab ⋆ wiederholen, Randm.

16. Reihe wie die 14. Reihe.

1.–16. Reihe fortlaufend wiederholen.

19

Maschenzahl durch 8 teilbar und 1 Masche für die Mitte und 2 Randmaschen. Die mittlere Masche der gesamten Maschenzahl wird auf der Vorderseite links und auf der Rückseite rechts gestrickt.

1. Reihe: Randm., ⋆ 2 M r, 2 M li. Ab ⋆ wiederholen bis zur Mitte, die mittelste M li, ⋆⋆ 2 M li, 2 M r. Ab ⋆⋆ wiederholen, Randm.

2. Reihe: Randm., 1 M r, ⋆ 2 M li, 2 M r. Ab ⋆ wiederholen bis 3 M vor der Mitte, 2 M li, die 3 mittelsten M r, ⋆⋆ 2 M li, 2 M r. Ab ⋆⋆ wiederholen. Die Reihe endet: 2 M li, 1 M r, Randm.

3. Reihe: Randm., ⋆ 2 M li, 2 M r. Ab ⋆ wiederholen bis zur Mitte, die mittelste M li, ⋆⋆ 2 M r, 2 M li. Ab ⋆⋆ wiederholen, Randm.

4. Reihe: Randm., 1 M li, ⋆ 2 M r, 2 M li. Ab ⋆ wiederholen bis 3 M vor der Mitte, dann 2 M r, 1 M li, die mittelste M r, 1 M li, ⋆⋆ 2 M r, 2 M li. Ab ⋆⋆ wiederholen. Die Reihe endet: 2 M r, 1 M li, Randm.

1.–4. Reihe fortlaufend wiederholen.

20

Maschenzahl durch 4 teilbar und 2 Randmaschen.
1. Reihe (Rückr.): Randm., ⋆ 2 M r, 2 M li abh. (Fd. vor den M). Ab ⋆ wiederholen, Randm.
2. Reihe (Hinr.): Randm., ⋆ 2 M r, 2 M li. Ab ⋆ wiederholen, Randm.
3. Reihe: Randm., 1 M li abh. (Fd. vor der M), ⋆ 2 M r, 2 M li abh. (Fd. vor den M). Ab ⋆ wiederholen. Die Reihe endet mit 2 M r, 1 M li abh. (Fd. vor der M), Randm.
4. Reihe: Randm., 1 M r, ⋆ 2 M li, 2 M r. Ab ⋆ wiederholen. Die Reihe endet mit 2 M li, 1 M r, Randm.
5. Reihe: Randm., ⋆ 2 M li abh. (Fd. vor den M), 2 M r, Ab ⋆ wiederholen, Randm.
6. Reihe: Randm., ⋆ 2 M li, 2 M r. Ab ⋆ wiederholen, Randm.
7. Reihe: Randm., 1 M r, ⋆ 2 M li abh. (Fd. vor den M), 2 M r. Ab ⋆ wiederholen. Die Reihe endet mit 2 M li abh. (Fd. vor den M), 1 M r, Randm.
8. Reihe: Randm., 1 M li, ⋆ 2 M r, 2 M li. Ab ⋆ wiederholen. Die R endet mit 2 M r, 1 M li, Randm.
1.–8. Reihe fortlaufend wiederholen.

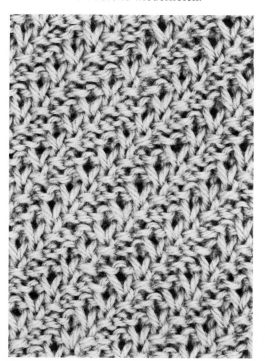

21

Maschenzahl durch 7 teilbar und 4 M (2 M und 2 Randmaschen).
1. Reihe: Randm., ⋆ 2 M li, 2 M r, 1 M li, 2 M r. Ab ⋆ wiederholen. Die Reihe endet mit 2 M li, Randm.
2. Reihe: M str., wie sie erscheinen.
3. Reihe: Randm., ⋆ 2 M li, 1 M r, 1 M li, 1 M r, 1 M li, 1 M r. Ab ⋆ wiederholen. Die Reihe endet mit 2 M li, Randm.
4. Reihe wie die 2. Reihe.
1.–4. Reihe fortlaufend wiederholen.

22

Maschenzahl durch 4 teilbar und 1 Masche und 2 Randmaschen.
1. Reihe und alle folgenden Reihen: Randm., ⋆ 2 M r, 2 M li. Ab ⋆ wiederholen. Die Reihe endet mit 2 M r, 3 M li, Randm.
2. Reihe: Randm., ⋆ 2 M r, 2 M li. Ab ⋆ wiederholen. Die Reihe endet mit 2 M r, 3 M li, Randm.
Diese beiden Reihen fortlaufend wiederholen.

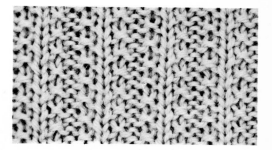

23

Gerade Maschenzahl.
1. Reihe: Randm., ⋆ 1 Umschl., 1 M li abh., 1 M
r. Ab ⋆ wiederholen, Randm.
2. Reihe: Randm., ⋆ 1 M li, die abgeh. M mit
dem Umschl. der Vorreihe r zus.str. Ab ⋆ wiederholen, Randm.
3. Reihe: rechts.
4. Reihe: links.
1.–4. Reihe fortlaufend wiederholen.

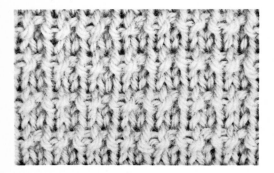

24

Das Muster erscheint auf der linken Seite.
Maschenzahl durch 3 teilbar und 2 Randmaschen.
1. Reihe: Randm., ⋆ 2 M r, 1 M mit Umschl. li
abh. Ab ⋆ wiederholen, Randm.
2. Reihe: Randm., ⋆ die abgeh. M mit dem
Umschl. r verdr. zus.str., 2 M r. Ab ⋆ wiederholen, Randm.
1. und 2. Reihe fortlaufend wiederholen.

25

Maschenzahl durch 4 teilbar.
1. Reihe: Randm., ⋆ 2 M li, 1 Umschl., 1 M li
abh., 1 M r. Ab ⋆ wiederholen. Die Reihe endet:
2 M li, Randm.
2. Reihe: Randm., ⋆ 2 M r, 1 Umschl., 1 M li
abh., die folg. M mit dem Umschl. der Vorreihe
li zus.str. Ab ⋆ wiederholen. Die Reihe endet:
2 M r, Randm.
3. Reihe: Randm., ⋆ 2 M li, 1 Umschl., 1 M li
abh., die nächste M mit dem Umschl. der Vorreihe r zus.str. Ab ⋆ wiederholen. Die Reihe endet: 2 M li, Randm.
2. und 3. Reihe fortlaufend wiederholen.

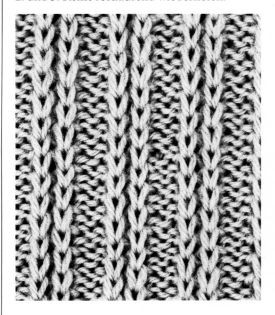

26

Maschenzahl durch 7 teilbar und 5 M (3 M und 2 Randmaschen).

1. Reihe: Randm., ★ 3 M li, die folg. M r str., dabei den Fd. 3mal um die Nd. schlingen, die nächsten 3 M ebenfalls r mit jeweils 3 Umschl. str. Ab ★ wiederholen. Die Reihe endet: 3 M li, Randm.

2. Reihe: Randm., ★ 3 M r, die folg. 4 M li abh. (Fd. vor den M), dabei die Umschl. der Vorreihe fallen lassen. Ab ★ wiederholen. Die Reihe endet: 3 M r, Randm.

3. Reihe: Randm., ★ 3 M li, 4 M li abh. (Fd. hinter den M). Ab ★ wiederholen. Die Reihe endet: 3 M li, Randm.

4. Reihe: Randm., ★ 3 M r, 4 M li abh. (Fd. vor den M). Ab ★ wiederholen. Die Reihe endet mit 3 M r, Randm.

1.–4. Reihe fortlaufend wiederholen.

27

Maschenzahl durch 14 teilbar und 6 M (4 M und 2 Randmaschen).

1. Reihe: Randm., ★ 4 M r, 1 M li, die übernächste M (von der Rückseite aus) r verdr. str., dann die übergangene M r str. und beide M von der Nadel nehmen. Das Verkreuzen der beiden M noch 3mal wiederholen, 1 M li. Ab ★ wiederholen. Die Reihe endet mit 4 M r, Randm.

2. Reihe: M str., wie sie erscheinen.

3. Reihe: Randm., ★ 4 M r, 1 M li, 1 M r, die folg. 6 M verkreuzen, wie in der 1. Reihe beschrieben, 1 M r, 1 M li. Ab ★ wiederholen. Die Reihe endet mit 4 M r, Randm.

4. Reihe wie 2. Reihe.

1.–4. Reihe fortlaufend wiederholen.

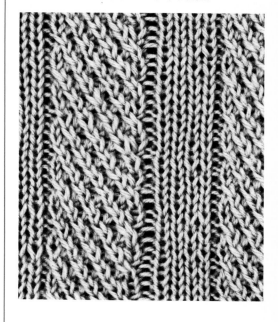

28

Maschenzahl durch 20 teilbar und 6 M (4 M und 2 Randmaschen).

1. Reihe: Randm., 2 M r, ⋆ die beiden nächsten M verkreuzen wie folgt: 1. M auf Hilfsnd. nehmen und vor die Arbeit legen, nächste M r str., dann Hilfsnd.-M r str., die folg. 14 M (7mal 2 M) in derselben Weise verkreuzen, dann 4 M r. Ab ⋆ wiederholen. Die Reihe endet: 2 M r, Randm.

2. Reihe: links.

Diese beiden Reihen fortlaufend wiederholen, das Muster jedoch in jeder Hinr. um 1 M nach links versetzen. Die 3. R lautet also: Randm., 3 M r, ⋆ die folg. 16 M (8mal 2 M) paarweise verkreuzen, wie in 1. R beschrieben, 4 M r; ab ⋆ wiederholen. Die Reihe endet: 1 M r, Randm.

29

Maschenzahl durch 18 teilbar und 2 Randmaschen.

1. Reihe: Randm., ⋆ 4 M li, 4 M r, 1 M li, 4 M r, 1 M li, 4 M r. Ab ⋆ wiederholen, Randm.

2. Reihe: Randm., ⋆ 1 M r, 4 M li, 4 M r, 4 M li, 1 M r, 4 M li. Ab ⋆ wiederholen, Randm.

3. Reihe: Randm., 5 M r, ⋆ 1 M li, 10 M r, 1 M li, 6 M r. Ab ⋆ wiederholen. Die Reihe endet: 1 M li, 10 M r, 1 M li, 1 M r, Randm.

4. Reihe: Randm., 2 M li, ⋆ 1 M r, 8 M li, 1 M r, 8 M li. Ab ⋆ wiederholen. Die Reihe endet: 1 M r, 8 M li, 1 M r, 6 M li, Randm.

5. Reihe: Randm., 7 M r, ⋆ 1 M li, 6 M r, 1 M li, 10 M r. Ab ⋆ wiederholen. Die Reihe endet: 1 M li, 6 M r, 1 M li, 3 M r, Randm.

6. Reihe: Randm., ⋆ 4 M li, 1 M r, 4 M li, 1 M r, 4 M li, 4 M r. Ab ⋆ wiederholen, Randm.

7. Reihe: Randm., ⋆ 4 M r, 1 M li, 4 M r, 4 M li, 4 M r, 1 M li. Ab ⋆ wiederholen, Randm.

8. Reihe: Randm., 1 M li, ⋆ 1 M r, 10 M li, 1 M r, 6 M li. Ab ⋆ wiederholen. Die Reihe endet: 1 M r, 10 M li, 1 M r, 5 M li, Randm.

9. Reihe: Randm., 6 M r, ⋆ 1 M li, 8 M r, 1 M li, 8 M r. Ab ⋆ wiederholen. Die Reihe endet: 1 M li, 8 M r, 1 M li, 2 M r, Randm.

10. Reihe: Randm., 3 M li, ⋆ 1 M r, 6 M li, 1 M r, 10 M li. Ab ⋆ wiederholen. Die Reihe endet: 1 M r, 6 M li, 1 M r, 7 M li, Randm.

1.–10. Reihe fortlaufend wiederholen.

In die waagrechten Glieder der li M werden auf der rechten Seite feste M gehäkelt.

Patentmuster

30 Einfachpatent

Strickart I
Gerade Maschenzahl.
1. Reihe: Randm., ⋆ 1 Umschl., folg. Masche li abh., 1 M r. Ab ⋆ wiederholen, Randm.
2. Reihe: Randm., ⋆ 1 Umschl., folg. Masche li abh., den Umschl. der Vorreihe mit der abgeh. M r zus.str. Ab ⋆ wiederholen, Randm.
Die 2. Reihe fortlaufend wiederholen.

Strickart II
Gerade Maschenzahl.
1. Reihe: rechts.
2. Reihe: Randm., ⋆ 1 M r, 1 M r, dabei sticht man unter die Linksmasche, so daß diese sich auflöst. Ab ⋆ wiederholen.
Die 2. Reihe fortlaufend wiederholen, dabei die Rechtsmaschen versetzen. Auf die tiefgestrickte Rechtsmasche kommt also die normale Rechtsmasche, usw.

31 Halbpatent

Gerade Maschenzahl.
1. Reihe: ⋆ 1 M r, 1 Umschl., 1 M li abh. Ab ⋆ wiederh.
2. Reihe: ⋆ die abgeh. M der Vorreihe mit dem Umschl. r zus.str., 1 M li. Ab ⋆ wiederh.
1. und 2. R fortlaufend wiederholen.

32

Gerade Maschenzahl.
1. Reihe: links.
2. Reihe: links.
3. Reihe: Randm., ⋆ 1 M li, folg. M li, dabei das darunterliegende linke Querglied mitfassen, ab ⋆ wdh., Randm.
4. Reihe: links.
5. Reihe: Randm., ⋆ 1 M li, dabei das darunterliegende linke Querglied mitfassen, 1 M li, ab ⋆ wdh., Randm.
6. Reihe: links.
3.–6. Reihe fortlaufend wiederholen.

33 Netzpatent

Das Muster erscheint auf der linken Seite.
Gerade Maschenzahl.
1. Reihe: Randm., ⋆ 1 Umschl., folg. Masche li abh., 1 M r. Ab ⋆ wiederholen, Randm.
2. Reihe: Randm., ⋆ 2 M r, den Umschl. der Vorreihe li abh. (der Faden liegt hinter dem Umschl.). Ab ⋆ wiederholen, Randm.
3. Reihe: Randm., ⋆ folg. Masche mit dem Umschl. r zus.str., 1 Umschl., 1 M li abh. Ab ⋆ wiederholen, Randm.
4. Reihe: Randm., 1 M r, ⋆ den Umschl. der Vorreihe li abh. (der Faden liegt hinter dem Umschl.), 2 M r. Ab ⋆ wiederholen. Die Reihe endet: den Umschl. der Vorreihe li abheben (Faden hinten), 1 M r, Randm.
5. Reihe: Randm., ⋆ 1 Umschl., 1 M li abh., folg. Masche mit dem Umschl. r zus.str. Ab ⋆ wiederholen, Randm.
2.–5. Reihe fortlaufend wiederholen.

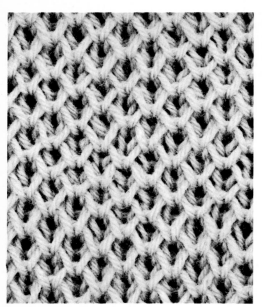

34

Das Muster erscheint auf der linken Seite.
Gerade Maschenzahl.
1. Reihe: Randm., ⋆ 1 Umschl., folg. Masche li abh., 1 M r. Ab ⋆ wiederholen, Randm.
2. Reihe: Randm., ⋆ 1 M r, folg. Masche mit dem Umschl. r verdr. zus.str. Ab ⋆ wiederholen, Randm.
3. Reihe: Randm., ⋆ 1 M r, 1 Umschl., 1 M li abh. Ab ⋆ wiederholen, Randm.
4. Reihe: Randm., ⋆ folg. Masche mit dem Umschl. r verdr. zus.str., 1 M r. Ab ⋆ wiederholen, Randm.
1.–4. Reihe fortlaufend wiederholen.

35 Kreuzpatent

Maschenzahl durch 3 teilbar und 2 Randmaschen.

1. Reihe: Randm., ★ 1 M li abh. (der Faden liegt hinter der M), umschl., 2 M r zus.str. Ab ★ wiederholen, Randm.

2. Reihe: Randm., 1 M r, ★ den Umschl. li abh. (der Faden liegt hinter der Arbeit), umschl., 2 M r zus.str. Ab ★ wiederholen. Die Reihe endet: den Umschl. li abh. (Faden hinten), umschl., 1 M r, Randm.

3. Reihe: Randm., 1 M r, ★ den 1. Umschl. li abh., umschl., den 2. Umschl. mit der folg. M r zus.str. Ab ★ wiederholen, Randm.

Die 3. Reihe fortlaufend wiederholen.

36 Doppelpatent

Gerade Maschenzahl.

1. Reihe: 1 M r, 1 Umschl. im Wechsel.

2. Reihe: die Umschl. der Vorreihe r str. und die gestr. M der Vorreihe li abh. (der Faden liegt dabei vor den M).

3. Reihe: die abgeh. M der Vorreihe r str. und die gestr. M der Vorreihe li abh. (der Faden liegt dabei vor den M). Die 3. Reihe fortlaufend wiederholen.

Bemerkung: Das Strickstück zeigt auf beiden Seiten eine Rechtsfläche. Die Strickflächen der Vorder- und Rückseite sind voneinander getrennt.

Gittermuster

37

Gerade Maschenzahl.
Dieses Muster soll lose gearbeitet werden.
1. Reihe: Randm., ★ zuerst die übernächste M r verdr. str. (von der Rückseite aus einstechen, ohne die 1. M von der Nadel zu nehmen), hochziehen und über die 1. M ziehen. Jetzt erst die 1. M r abstr. Ab ★ wiederholen, Randm.
2. Reihe: Randm., 1 M li, ★ zuerst die übernächste M li str., ohne die 1. M von der Nadel zu nehmen, überziehen wie oben, nun die 1. M li str. Ab ★ wiederholen. Die Reihe endet mit 1 M li, Randm.
1. und 2. Reihe fortlaufend wiederholen.

38

Gerade Maschenzahl.
1. Reihe: rechts.
2. Reihe: links.
3. Reihe: Randm., 1 M r, ★ 2. folg. M durch die 1. M durchholen und r str., dann 1. M r str. Ab ★ wiederholen. Die Reihe endet: 1 M r, Randm.
4. Reihe: links.
5. Reihe: Randm., ★ 2. folg. M durch die 1. M durchholen und r str., dann 1. M r str. Ab ★ wiederholen, Randm.
6. Reihe: links.
3.–6. Reihe fortlaufend wiederholen.

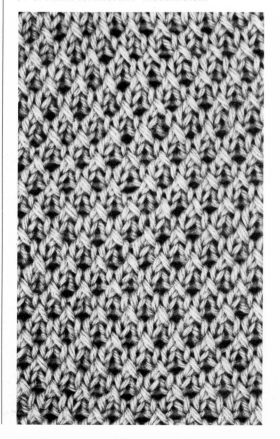

39

Maschenzahl durch 6 teilbar und 2 Randm.

1. Reihe: Randm., 1 M r, ⋆ 4 M li, 2 M r. Ab ⋆ wiederholen. Die R endet: 4 M li, 1 M r, Randm.

2. Reihe: Randm., 1 M li, ⋆ 4 M r, 2 M li. Ab ⋆ wiederholen. Die R endet: 4 M r, 1 M li, Randm.

3. Reihe: Randm., ⋆ 1 M auf Hilfsnd. nehmen und vor die Arbeit legen, 1 M li, Hilfsnd.-M r, 2 M li, 1 M auf Hilfsnd. nehmen und hinter die Arbeit legen, 1 M r, Hilfsnd.-M li. Ab ⋆ wiederholen, Randm.

4. Reihe: Randm., 1 M r, ⋆ 1 M li abh. (Fd. vor der M), 2 M r. Ab ⋆ wiederholen. Die Reihe endet: 1 M li abh. (Fd. vor der M), 1 M r, Randm.

5. Reihe: Randm., 1 M li, ⋆ 1 M auf Hilfsnd. nehmen und vor die Arbeit legen, 1 M li, Hilfsnd.-M r, 1 M auf Hilfsnd. nehmen und hinter die Arbeit legen, 1 M r, Hilfsnd.-M li, 2 M li. Ab ⋆ wiederholen. Die Reihe endet: 1 M auf Hilfsnd. nehmen und vor die Arbeit legen, 1 M li, Hilfsnd.-M r, 1 M auf Hilfsnd. nehmen und hinter die Arbeit legen, 1 M r, Hilfsnd.-M li, 1 M li, Randm.

6. Reihe: Randm., 2 M r, ⋆ 2 M li abh. (Fd. vor den M), 4 M r. Ab ⋆ wiederholen. Die Reihe endet: 2 M li abh. (Fd. vor den M), 2 M r, Randm.

7. Reihe: Randm., 2 M li, ⋆ 1 M auf Hilfsnd. nehmen und vor die Arbeit legen, 1 M r, Hilfsnd.-M r, 4 M li. Ab ⋆ wiederholen. Die Reihe endet: 1 M auf Hilfsnd. nehmen und vor die Arbeit legen, 1 M r, Hilfsnd.-M r, 2 M li, Randm.

8. Reihe: Randm., 2 M r, ⋆ 2 M li abh. (Fd. vor den M), 4 M r. Ab ⋆ wiederholen. Die Reihe endet: 2 M li abh. (Fd. vorne), 2 M r, Randm.

9. Reihe: Randm., 1 M li, ⋆ 1 M auf Hilfsnd. nehmen und hinter die Arbeit legen, 1 M r, Hilfsnd.-M li, 1 M auf Hilfsnd. nehmen und vor die Arbeit legen, 1 M li, Hilfsnd.-M r, 2 M li. Ab ⋆ wiederholen. Die Reihe endet: 1 M auf Hilfsnd. nehmen und hinter die Arbeit legen, 1 M r, Hilfsnd.-M li, 1 M auf Hilfsnd. nehmen und vor die Arbeit legen, 1 M li, Hilfsnd.-M r, 1 M li, Randm.

10. Reihe: Randm., 1 M r, ⋆ 1 M li abh. (Fd. vor der M), 2 M r. Ab ⋆ wiederholen. Die Reihe endet: 1 M li abh. (Fd vorne), 1 M r, Randm.

11. Reihe: Randm., ⋆ 1 M auf Hilfsnd. nehmen und hinter die Arbeit legen, 1 M r, Hilfsnd.-M li, 2 M li, 1 M auf Hilfsnd. nehmen und vor die Arbeit legen, 1 M li, Hilfsnd.-M r. Ab ⋆ wiederholen, Randm.

12. Reihe: Randm., 1 M li abh. (Fd. vor der M), ⋆ 4 M r, 2 M li abh. (Fd. vor den M). Ab ⋆ wiederholen. Die Reihe endet: 4 M r, 1 M li abh. (Fd. vor der M), Randm.

13. Reihe: Randm., 1 M r, ⋆ 4 M li, 1 M auf Hilfsnd. nehmen und vor die Arbeit legen, 1 M r, Hilfsnd.-M r. Ab ⋆ wiederholen. Die Reihe endet: 4 M li, 1 M r, Randm.

14. Reihe: Randm., 1 M li abh. (Fd. vor der M), ⋆ 4 M r, 2 M li abh. (Fd. vor den M). Ab ⋆ wiederholen. Die Reihe endet: 4 M r, 1 M li abh., Randm.

3.–14. Reihe fortlaufend wiederholen.

40

Maschenzahl durch 10 teilbar und 2 Randmaschen.

1. Reihe: Randm., ⋆ 6 M r, die folg. M auf Hilfsnd. nehmen und hinter die Arbeit legen, 1 M r, Hilfsnd.-M r str., die nächste M auf Hilfsnd. nehmen und vor die Arbeit legen, 1 M r, Hilfsnd.-M r str. Ab ⋆ wiederholen, Randm.

2. Reihe und jede weitere Rückreihe: links.

3. Reihe: Randm., ⋆ 6 M r, die folg. M auf Hilfsnd. nehmen und vor die Arbeit legen, 1 M r, Hilfsnd.-M r str., die nächste M auf Hilfsnd. nehmen und hinter die Arbeit legen, 1 M r, Hilfsnd.-M r str. Ab ⋆ wiederholen, Randm.

5.–8. Reihe wie 1.–4. R, das Muster jedoch versetzen. Die 5. R heißt also: Randm., 1 M r, ⋆ die folg. 4 M (2mal 2 M) verkreuzen, wie in 1. R beschrieben, 6 M r. Ab ⋆ wiederholen. Die Reihe endet: die folg. 4 M (2mal 2 M) verkreuzen, 5 M r, Randm.

7. Reihe: Randm., 1 M r, ⋆ die folg. 4 M (2mal 2 M) verkreuzen, wie in 3. Reihe beschrieben, 6 M r. Ab ⋆ wiederholen. Die Reihe endet: die folg. 4 M verkreuzen, 5 M r, Randm.

1.–8. Reihe fortlaufend wiederholen.

Wabenmuster

41

Beliebige Maschenzahl.
1. Reihe: Randm., ⋆ von vorn nach hinten zwischen der nächsten und übernächsten M durchstechen und einen Umschlag durchholen, hochziehen und dann die 1. M r str. Ab ⋆ wiederholen, Randm.
2. Reihe: Randm., ⋆ die gestr. M mit dem Umschl. li zus.str. Ab ⋆ wiederholen, Randm.
1. und 2. Reihe fortlaufend wiederholen.

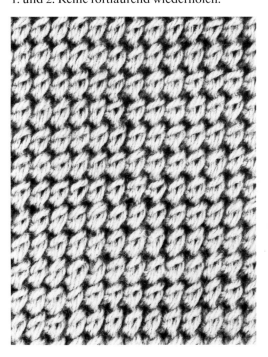

42

Gerade Maschenzahl.
1. Reihe: Randm., ⋆ 1. und 2. M verkreuzen wie folgt: zuerst die 2. M r verdr. str., hochziehen und über die 1. M ziehen, nun die 1. M r str. Ab ⋆ wiederholen, Randm.
2. Reihe: Randm., ⋆ 1. und 2. M verkreuzen wie folgt: zuerst die 2. M li str. und über die 1. M ziehen, nun die 1. M li str. Ab ⋆ wiederholen, Randm.
3. Reihe: Randm., 1 M r, dann die ganze Reihe verkreuzt abstr., wie in 1. Reihe beschrieben. Die Reihe endet mit 1 M r, Randm.
4. Reihe: Randm., 1 M li, dann die ganze Reihe verkreuzt abstr., wie in 2. Reihe beschrieben. Die Reihe endet mit 1 M li, Randm.
1.–4. Reihe fortlaufend wiederholen.

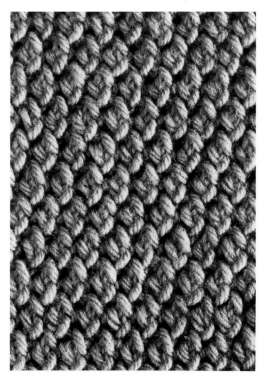

43

Gerade Maschenzahl.
1. Reihe: rechts.
2. Reihe: rechts.
3. Reihe: rechts.
4. Reihe: links.
5. Reihe: Randm., ⋆ 1 M r, das 3 Reihen unterhalb der folg. M liegende Linksmaschenglied mit der rechten Nadel auffassen und mit der M r zus.str. Ab ⋆ fortlaufend wiederholen, Randm.
6. Reihe: rechts.
7. Reihe: rechts.
8. Reihe: links.
9. Reihe: Randm., ⋆ das 3 Reihen unterhalb der folg. M liegende Linksmaschenglied mit der rechten Nd. auffassen und mit der M r zus.str., 1 M r. Ab ⋆ wiederholen, Randm.
2.–9. Reihe fortlaufend wiederholen.

44

Maschenzahl durch 4 teilbar und 2 Randmaschen.
1. Reihe: Randm., ⋆ folg. M auf Hilfsnd. vor die Arbeit legen, 1 M r, Hilfsnd.-M r, folg. M auf Hilfsnd. hinter die Arbeit legen, 1 M r, Hilfsnd.-M r, ab ⋆ fortl. wdh., Randm.
2. Reihe: links.
3. Reihe: Randm., ⋆ folg. M auf Hilfsnd. hinter die Arbeit legen, 1 M r, Hilfsnd.-M r, folg. M auf Hilfsnadel vor die Arbeit legen, 1 M r, Hilfsnd.-M r, ab ⋆ fortl. wdh., Randm.
4. Reihe: links.
1.–4. Reihe fortlaufend wiederholen.

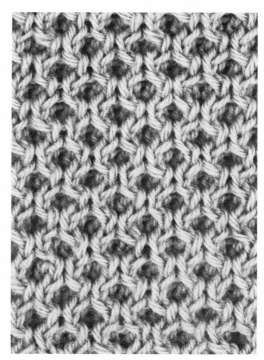

45

Maschenzahl durch 12 teilbar und 2 Randmaschen.

1. Reihe: (alle M r str.) Randm., ∗ 3 M auf Hilfsnd. nehmen und vor die Arbeit legen, die nächsten 3 M str., dann die 3 M von der Hilfsnd. abstr. Nun die folg. 3 M auf Hilfsnd. nehmen und hinter die Arbeit legen, die nächsten 3 M str., dann die 3 Hilfsnd.-M str. Ab ∗ wiederholen, Randm.

2. Reihe: links.

3.–6. Reihe: »glatt rechts« (= Hinr. r, Rückr. li).

7. Reihe wie die 1. Reihe, jedoch das Muster versetzen wie folgt; Randm., ∗ 3 M auf Hilfsnd. nehmen und hinter die Arbeit legen, 3 M str., die 3 Hilfsnd.-M abstr., dann 3 M auf Hilfsnd. nehmen und vor die Arbeit legen, 3 M str., dann die 3 Hilfsnd.-M abstr. Ab ∗ wiederholen, Randm.

8. Reihe: links.

9.–12. Reihe: »glatt rechts«.

1.–12. Reihe fortlaufend wiederholen.

46

Maschenzahl durch 4 teilbar und 5 M (3 M und 2 Randm.).

1.–8. Reihe: »glatt rechts« (= Hinr. r, Rückr. li).

9. Reihe: Randm., ∗ 3 M r, die folgende M 7 Reihen tief fallen lassen, in die M mit der Häkelnadel von vorn nach hinten einstechen, dann den obersten Querfaden von hinten fassen und durch die auf der Häkelnadel befindliche M ziehen; die entstandene Schlinge auf die linke Nadel nehmen und r abstr. Ab ∗ wiederholen. Die Reihe endet: 3 M r, Randm.

10. Reihe: links.

11.–16. Reihe: »glatt rechts«.

17. Reihe: Randm., 1 M r, ∗ die folgende M 7 Reihen tief fallen lassen, in die M mit der Häkelnadel von vorn nach hinten einstechen, dann den obersten Querfaden von hinten fassen und durch die auf der Häkelnadel befindliche M ziehen; die entstandene Schlinge auf die linke Nadel nehmen und r abstr., 3 M r. Ab ∗ wiederholen. Die Reihe endet mit einer tiefergestochenen M, 1 M r, Randm.

18. Reihe: links.

19.–24. Reihe: »glatt rechts«.

9.–24. Reihe fortlaufend wiederholen.

47

Maschenzahl durch 10 teilbar und 2 Randmaschen.

1. Reihe: Randm., 3 M r, folg. Masche auf Hilfsnd. nehmen und hinter die Arbeit legen, nächste M r, dann Hilfsnd.-M r str., die folg. M auf Hilfsnd. nehmen und vor die Arbeit legen, nächste M r, dann Hilfsnd.-M r str., 3 M r. Ab ★ wiederholen, Randm.

2. Reihe und jede weitere Rückreihe: links.

3. Reihe: Randm., ★ 2 M r, folg. M auf Hilfsnd. nehmen und hinter die Arbeit legen, 1 M r, dann Hilfsnd.-M r str., 2 M r, folg. M auf Hilfsnd. nehmen und vor die Arbeit legen, 1 M r, Hilfsnd.-M r, 2 M r. Ab ★ wiederholen, Randm.

5. Reihe: Randm., 1 M auf Hilfsnd. nehmen und vor die Arbeit legen, 1 M r, dann Hilfsnd.-M r str., 6 M r, 1 M auf Hilfsnd. nehmen und hinter die Arbeit legen, folg. M r, Hilfsnd.-M r str. Ab ★ wiederholen, Randm.

7. Reihe: Randm., ★ 1 M r, folg. M auf Hilfsnd. nehmen und vor die Arbeit legen, 1 M r, dann Hilfsnd.-M r str., 4 M r, folg. M auf Hilfsnd. nehmen und hinter die Arbeit legen, 1 M r, Hilfsnd.-M r str., 1 M r. Ab ★ wiederholen, Randm.

8. Reihe: links.

1.–8. Reihe fortlaufend wiederholen.

48

Maschenzahl durch 4 teilbar und 1 M und 2 Randmaschen.

1. Reihe (Rückr.): rechts.

2.–5. Reihe: »glatt links« (= Hinr. li, Rückr. r str.)

6. Reihe (Hinr.): links, dabei die 3. und jede folg. 4. M 5 Reihen tief fallen lassen, dann die 5 Querfäden mit der M auf die Nd. nehmen und zus. r abstr.

7. Reihe (Rückr.): rechts.

8.–11. Reihe: »glatt links«.

12. Reihe (Hinr.): links, dabei die 5. M und jede weitere 4. M 5 Reihen tief fallen lassen, dann die Querfäden mit der M auf die linke Nd. nehmen und zus. r abstr. Die R endet mit 4 M li, Randm.

1.–12. Reihe fortlaufend wiederholen.

49

Maschenzahl durch 10 teilbar und 7 M (5 M und 2 Randmaschen).

1. Reihe: Randm., ⋆ 5 M r, 5 M li abh. (Fd. hinter der Arbeit). Ab ⋆ wiederholen. Die Reihe endet mit 5 M r, Randm.

2. Reihe: alle M r str.

3.–7. Reihe wie 1. und 2. Reihe.

8. Reihe: Randm., 7 M r, ⋆ die 4 lose liegenden Querfäden mit der rechten Nadel fassen und zus. mit der folg. M r abstr., 9 M r. Ab ⋆ wiederholen. Die Reihe endet: die 4 lose liegenden Querfäden mit rechter Nadel fassen und zus. mit folg. M r abstr., 7 M r, Randm.

9. Reihe: Randm., ⋆ 5 M li abh. (Fd. hinter der Arbeit), 5 M r. Ab ⋆ wiederholen. Die Reihe endet: 5 M li abh., Randm.

10. Reihe: rechts.

11.–15. Reihe wie 9. und 10. Reihe.

16. Reihe: Randm., 2 M r, ⋆ die 4 Querfäden fassen und mit folg. M r zus.str., 9 M r. Ab ⋆ wiederholen. Die Reihe endet: die 4 Querfäden mit folg. M r zus.str., 2 M r, Randm.

1.–16. Reihe fortlaufend wiederholen.

Das Muster erscheint auf der linken Seite.

Webmuster

50

Gerade Maschenzahl.
1. Reihe: Randm., ⋆ 1 M r, folg. M li abh. und den Fd. vor die Arbeit legen. Ab ⋆ wiederholen, Randm.
2. Reihe: Randm., ⋆ die abgeh. M der Vorreihe li str. und die gestr. M li abh. (den Fd. hinter die Arbeit legen). Ab ⋆ wiederholen, Randm.
Diese beiden Reihen fortlaufend wiederholen.

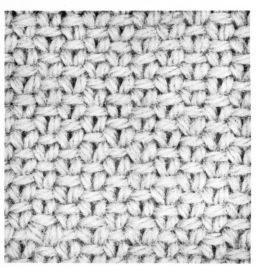

51

Gerade Maschenzahl.
1. Reihe: Randm., ⋆ 1 M r, 1 M li abh. (Fd. hinten). Ab ⋆ wiederholen, Randm.
2. Reihe: Randm., ⋆ 1 M r, 1 M li abh. (Fd. vorn). Ab ⋆ wiederholen, Randm.
1. und 2. Reihe fortlaufend wiederholen.
Das Muster erscheint auf der linken Seite.

52

Gerade Maschenzahl.
1. Reihe: rechts.
2. Reihe: Randm., ⋆ 1 M abh. (Fd. hinten), 1 M r.
Ab ⋆ wiederholen, Randm.
3. Reihe: rechts.
4. Reihe: Randm., ⋆ 1 M r, 1 M abh. (Fd. hinten).
Ab ⋆ wiederholen, Randm.
1.–4. Reihe fortlaufend wiederholen.

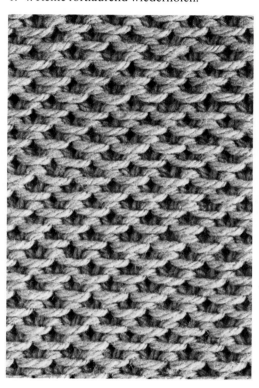

53

Maschenzahl durch 4 teilbar und 2 Randmaschen.
1. Reihe: Randm., ⋆ 2 M r, umschl., 2 M r, den
Umschl. über die beiden letzten Rechtsmaschen
ziehen. Ab ⋆ wiederholen, Randm.
2. Reihe: links.
3. Reihe: Randm., ⋆ umschl., 2 M r, den Umschl.
über die beiden Rechtsmaschen ziehen, 2 M r.
Ab ⋆ wiederholen, Randm.
4. Reihe: links.
1.–4. Reihe fortlaufend wiederholen.

54

Maschenzahl durch 4 teilbar und 2 Randmaschen.
1. Reihe: rechts.
2. Reihe: links.
3. Reihe: Randm., ⋆ 2 M r, 2 M li abh. (Fd. liegt vor den M). Ab ⋆ wiederholen, Randm.
4. Reihe: Randm., ⋆ 2 M li abh. (Fd. liegt hinter den M), 2 M li. Ab ⋆ wiederholen, Randm.
5. Reihe: rechts.
6. Reihe: links.
7. Reihe: Randm., ⋆ 2 M li abh. (Fd. liegt vor den M), 2 M r. Ab ⋆ wiederholen, Randm.
8. Reihe: Randm., ⋆ 2 M li, 2 M li abh. (Fd. liegt hinter den M). Ab ⋆ wiederholen, Randm.
1.–8. R fortlaufend wiederholen.

55

Maschenzahl durch 4 teilbar und 2 Randm.
1. Reihe (Rückr.): Randm., ⋆ 2 M li, 1 Umschl. Ab ⋆ wiederholen. Die R endet mit 2 M li, Randm.
2. Reihe (Hinr.): Randm., 1 M r, ⋆ 1 M li abh. (Fd. hinter der M), den Umschl. und die folg. M r str., dann die abgeh. M überz. Ab ⋆ wiederholen. Die R endet mit 1 M r, Randm.
3. Reihe: Randm., ⋆ 1 M li, 1 Umschl., 1 M li. Ab ⋆ wiederholen, Randm.
4. Reihe: Randm., ⋆ folg. M li abh. (Fd. liegt hinter der M), den Umschl. und die folg. M r str., dann die abgeh. M überz. Ab ⋆ wiederholen, Randm.
1.–4. Reihe fortlaufend wiederholen.

56

Gerade Maschenzahl.
1.–4. Reihe: »glatt rechts«.
5. Reihe: ⋆ 1 M li, 1 M li abh. (Fd. liegt vor der M). Ab ⋆ wiederholen.
6. Reihe: ⋆ 1 M r, 1 M li abh. (Fd. liegt hinter der M). Ab ⋆ wiederholen.
1.–6. Reihe fortlaufend wiederholen.

57

Maschenzahl durch 6 teilbar und 2 Randmaschen.
1. Reihe: rechts.
2. Reihe: links.
3. Reihe: rechts.
4. Reihe: links.
5. Reihe: rechts.
6. Reihe: Randm., ⋆ 3 M li, bei der nächsten M die 3 Maschenglieder unterhalb dieser M von unten her mit der rechten Nadel hochnehmen und r zus.str. Die M selbst wird nicht mitgefaßt, sondern fallen gelassen. Die beiden nächsten M ebenso str. Ab ⋆ wiederholen, Randm.
7.–11. Reihe wie 1.–5. Reihe.
12. Reihe: Randm., ⋆ bei der nächsten M die 3 Maschenglieder unterhalb dieser M von unten her mit der rechten Nadel hochnehmen und r zus.str. Die M selbst wird nicht mitgefaßt, sondern fallen gelassen. Die beiden nächsten M ebenso str., 3 M li. Ab ⋆ wiederholen, Randm.
1.–12. Reihe fortlaufend wiederholen.

Flechtmuster

58

Gerade Maschenzahl.
1. Reihe: Randm., ⋆ die nächsten 2 M verkreuzen wie folgt: 1. M auf Hilfsnd. nehmen und vor
die Arbeit legen, 2. M r str., dann die Hilfsnd.-M
r str. Ab ⋆ wiederholen, Randm.
2. Reihe: Randm., 1 M li, ⋆ die 2 folg. M verkreuzen, und zwar zuerst die 2. M li str. (M bleibt
auf der linken Nadel), dann 1. M li str. und beide
M zus. von der Nadel nehmen. Ab ⋆ wiederholen. Die Reihe endet: 1 M li, Randm.
Diese beiden Reihen fortlaufend str.
Geübte Hände können das Muster auch ohne
Hilfsnadel arbeiten.

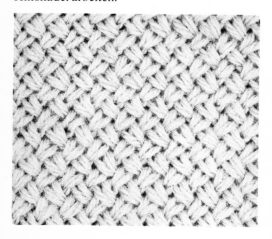

59

Maschenzahl durch 6 teilbar und 5 M (3 M und
2 Randmaschen).
1. Reihe: rechts.
2. Reihe: links.
3. Reihe: Randm., ⋆ 3 M auf Hilfsnd. nehmen
und vor die Arbeit legen, die folg. 3 M r str.,
dann die 3 Hilfsnd.-M r str. Ab ⋆ wiederholen,
die Reihe endet: 3 M r, Randm.
4. Reihe: links.
5. Reihe: rechts.
6. Reihe: links.
7. Reihe: Randm., 3 M r, ⋆ 3 M auf Hilfsnd. nehmen und hinter die Arbeit legen, die folg. 3 M r
str., dann die 3 Hilfsnd.-M r str. Ab ⋆ wiederholen, Randm.
8. Reihe: links.
1.–8. Reihe fortlaufend wiederholen.

Kleine Zopfmuster

60

Maschenzahl durch 3 teilbar und 2 Randmaschen.
1. Reihe: Randm., ⋆ 2 M r, 1 M li. Ab ⋆ wiederholen, Randm.
2. Reihe: Randm., ⋆ 1 M r, 2 M li. Ab ⋆ wiederholen, Randm.
3. Reihe: Randm., ⋆ die 1. M auf eine Hilfsnadel nehmen und vor die Arbeit legen, 1 M r, dann die Hilfsnadel-M r str., 1 M li. Ab ⋆ wiederholen, Randm.
4. Reihe wie die 2. Reihe.
1.–4. Reihe fortlaufend wiederholen.

61

Maschenzahl durch 5 teilbar und 3 M (1 M und 2 Randmaschen).
1. Reihe: Randm., ⋆ 1 M li, 4 M r. Ab ⋆ wiederholen. Die Reihe endet: 1 M li, Randm.
2. Reihe: M str., wie sie erscheinen.
3. Reihe: Randm., ⋆ 1 M li, 2 M auf Hilfsnd. nehmen und vor die Arbeit legen, die nächsten 2 M r zus.str., 2 Umschl, die Hilfsnd.-M r zus.str. Ab ⋆ wiederholen. Die Reihe endet: 1 M li, Randm.
4. Reihe: M str., wie sie erscheinen, aus den 2 Umschl. 1 M li, 1 M r str.
5.–8. Reihe wie 1. und 2. Reihe.
1.–8. Reihe fortlaufend wiederholen.

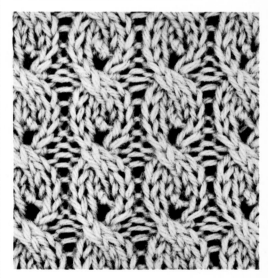

62

Maschenzahl durch 8 teilbar und 6 M.

1. Reihe: Randm., ✶ 1 M auf Hilfsnd. nehmen und hinter die Arbeit legen, 1 M r, Hilfsnd.-M r, 1 M auf Hilfsnd. nehmen und vor die Arbeit legen, 1 M r, Hilfsnd.-M r, 4 M r. Ab ✶ wiederholen. Die Reihe endet: 1 M auf Hilfsnd. nehmen und hinter die Arbeit legen, 1 M r, Hilfsnd.-M r, 1 M auf Hilfsnd. nehmen und vor die Arbeit legen, 1 M r, Hilfsnd.-M r, Randm.

2. Reihe: links.

3. Reihe: Randm., ✶ 4 M r, 1 M auf Hilfsnd. nehmen und hinter die Arbeit legen, 1 M r, Hilfsnd.-M r, 1 M auf Hilfsnd. nehmen und vor die Arbeit legen, 1 M r, Hilfsnd.-M r. Ab ✶ wiederholen. Die Reihe endet: 4 M r, Randm.

4. Reihe: links.

1.–4. Reihe fortlaufend wiederholen.

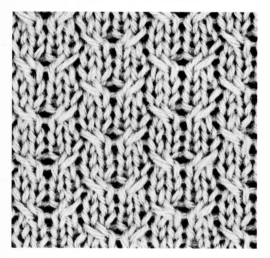

63

Maschenzahl durch 4 teilbar und 2 Randmaschen.

1. Reihe: Randm., ✶ 2 M r, 2 M li. Ab ✶ wiederholen, Randm.

2.–8. Reihe: M str., wie sie erscheinen.

9. Reihe: Randm., 1 M li, ✶ folg. r M auf Hilfsnd. nehmen und vor die Arbeit legen, die nächste li M li str., Hilfsnd.-M r str. Die 2. li M auf Hilfsnd. hinter die Arbeit legen und folg. M r str., Hilfsnd.-M li. Ab ✶ wiederholen. Die Reihe endet: 1 M auf Hilfsnd. vor die Arbeit legen, 1 M li, Hilfsnd.-M r, 1 M r, Randm.

10. Reihe: M str., wie sie erscheinen.

11. Reihe: Randm., ✶ 2 M li, 2 M r. Ab ✶ wiederholen, Randm.

12.–18. Reihe: M str., wie sie erscheinen.

19. Reihe: Randm., 1 M r, ✶ folg. li M auf Hilfsnd. hinter die Arbeit legen, folg. M r, Hilfsnd.-M li, 2. r M auf Hilfsnd. vor die Arbeit legen und nächste li M li str., Hilfsnd.-M r. Ab ✶ wiederholen. Die Reihe endet: folg. li M auf Hilfsnd. hinter die Arbeit legen, nächste M r, Hilfsnd.-M li, 1 M li, Randm.

20. Reihe: M str., wie sie erscheinen.

1.–20. Reihe fortlaufend wiederholen.

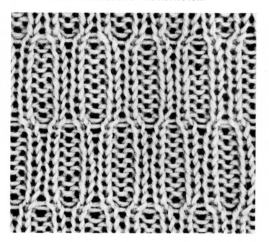

64

Maschenzahl durch 8 teilbar und 2 Randmaschen.
1. Reihe: Randm., ★ 1 M r, 2 M li, 1 M li abh. (Fd. hinter der M), 2 M r, die abgeh. M über die beiden gestr. M ziehen und gleichzeitig r verdr. abstr., 2 M li. Ab ★ wiederholen, Randm.
2. Reihe: Randm., ★ 2 M r, 3 M li, 2 M r, 1 M li. Ab ★ wiederholen, Randm.
Diese beiden Reihen fortlaufend wiederholen.

65

Maschenzahl durch 7 teilbar und 2 Randmaschen.
1. Reihe: ★ 2 M li, folgende Masche auf Hilfsnadel nehmen und vor die Arbeit legen, 1 M r verdr., Hilfsnadel-M r str., 2 M li, 1 M r. Ab ★ wiederholen, Randm.
2. Reihe: Randm., ★ 1 M li, 2 M r, 2 M li, 2 M r. Ab ★ wiederholen, Randm.
3. und 4. Reihe: Maschen stricken, wie sie erscheinen.
1.–4. Reihe fortlaufend wiederholen.

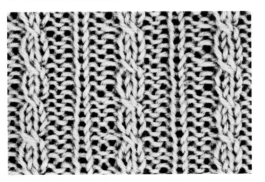

66

Maschenzahl durch 6 teilbar und 4 M (2 M und 2 Randmaschen).
1. Reihe: Randm., 2 M li, ★ 4 M r, 2 M li. Ab ★ wiederholen, Randm.
2. Reihe: Randm., 2 M r, ★ 4 M li, 2 M r. Ab ★ wiederholen, Randm.
3. Reihe: Randm., 2 M li, ★ 1 M auf Hilfsnd. vor die Arbeit legen, 1 M r str., Hilfsnd.-M r str., 1 M auf Hilfsnd. hinter die Arbeit legen, 1 M r str., Hilfsnd.-M r str., 2 M li. Ab ★ wiederholen, Randm.
4. Reihe: Randm., 2 M r, ★ 4 M li, 2 M r. Ab ★ wiederholen, Randm.
5. Reihe: Randm., 2 M li, ★ 1 M abh. (Fd. hinter der M), 2 M r, 1 M abh. (Fd. hinter der M), 2 M li. Ab ★ wiederholen, Randm.
6. Reihe: Randm., 2 M r, ★ 1 M abh. (Fd. vor der M), 2 M li, 1 M abh. (Fd. vor der M), 2 M r. Ab ★ wiederholen, Randm.
3.–6. Reihe fortlaufend wiederholen.

67

Maschenzahl durch 7 teilbar und 5 M (3 M und 2 Randmaschen).

1. Reihe: Randm., 1 M li, 1 M r, 1 M li, ★ 4 M r, 1 M li, 1 M r, 1 M li, ab ★ wiederholen, Randm.
2. Reihe: Randm., ★ 1 M r, 1 M li, 1 M r, 4 M li, ab ★ wiederholen. Die R endet: 1 M r, 1 M li, 1 M r, Randm.
3. Reihe: Randm., 1 M li, 1 M r, 1 M li, ★ 1 M r, 1 M auf Hilfsnd. vor die Arbeit legen, 2 M r, dann die Hilfsnd.-M unabgestrickt auf die rechte Nd. übernehmen (Fd. hinter der Arbeit), 1 M li, 1 M r, 1 M li, Randm.
4. Reihe: Randm., ★ 1 M r, 1 M li, 1 M r, 4 M li, ab ★ wiederholen. Die R endet: 1 M r, 1 M li, 1 M r, Randm.
5. Reihe: Randm., 1 M li, 1 M r, 1 M li, ★ 2 M auf Hilfsnd. hinter die Arbeit legen, (Fd. hinter der Arbeit), 1 M li abh., die beiden Hilfsnd.-M r str., 1 M r, 1 M li, 1 M r, 1 M li, ab ★ wiederholen, Randm.
6. Reihe: Randm., ★ 1 M r, 1 M li, 1 M r, 4 M li, ab ★ wiederholen. Die R endet: 1 M r, 1 M li, 1 M r, Randm.
1.–6. Reihe fortlaufend wiederholen.

68

Maschenzahl durch 12 teilbar und 2 Randmaschen.

1. Reihe: Randm., ★ 2 M li, 1 M r, 2 M li abh. (Fd. hinter den M), 1 M r, 2 M li, 1 M li abh. (Fd. hinten), 2 M r, 1 M li abh. Ab ★ wiederholen, Randm.
2. Reihe: M str., wie sie erscheinen, die abgeh. M wieder li abh. (Fd. vor den M).
3. Reihe wie 1. Reihe.
4. Reihe wie 2. Reihe.
5. Reihe: Randm., ★ 2 M li, die folg. 2 M nach rechts verkreuzen (dafür zuerst die 2. M von vorn, dann die 1. M r abstr. und nun erst beide M von der Nadel nehmen), die folg. 2 M nach links verkreuzen (zuerst die 2. M von hinten r abstr., dann die 1. M r str. und beide M von der Nadel nehmen), 2 M li, 2 M nach links verkreuzen, die folg. 2 M nach rechts verkreuzen und r abstr. Ab ★ wiederholen, Randm.
6. Reihe: Randm., ★ 4 M li, 2 M r. Ab ★ wiederholen, Randm.
7. Reihe: Randm., ★ 2 M li, 1 M li abh. (Fd. hinten), 2 M r, 1 M li abh. (Fd. hinten), 2 M li, 1 M r, 2 M li abh. (Fd. hinten), 1 M r. Ab ★ wiederholen, Randm.
8. Reihe: Randm., ★ 1 M li, 2 M li abh. (Fd. vorn), 1 M li, 2 M r, 1 M li abh. (Fd. vorn), 2 M li, 1 M li abh. (Fd. vorn), 2 M r. Ab ★ wiederholen, Randm.
9. Reihe wie 7. Reihe.
10. Reihe wie 8. Reihe.
11. Reihe: Randm., ★ 2 M li, folg. 2 M nach links verkreuzen, nächste 2 M nach rechts verkreuzen und r abstr., 2 M li, folg. 2 M nach rechts, nächste 2 M nach links verkreuzen. Ab ★ wiederholen, Randm.
12. Reihe: Randm., ★ 4 M li, 2 M r. Ab ★ wiederholen, Randm.
1.–12. Reihe fortlaufend wiederholen.

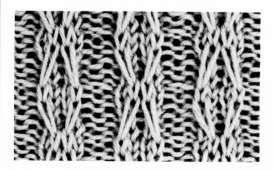

69

Maschenzahl durch 10 teilbar und 3 M (1 M und 2 Randmaschen).

1. Reihe: rechts.
2. Reihe: links.
3. Reihe: Randm., ⋆ 6 M r, 3 M von vorne übergehen und die folg. 4. M r str., dann die 1., 2. und 3. M r str. (die 4. M fallen lassen, da schon gestr.). Ab ⋆ wiederholen, 1 M r, Randm.
4. Reihe: links.
5. Reihe: rechts.
6. Reihe: links.
7. Reihe: Randm., 1 M r. ⋆ 3 M von vorne übergehen und die 4. M r str., dann die 1., 2. und 3. M r str., 6 M r. Ab ⋆ wiederholen. Die Reihe endet: 3 M von vorne übergehen und die 4. M r str., dann die 1., 2., 3. M r str., 6 M r, Randm.
8. Reihe: links.
Die 1.–8. Reihe fortlaufend wiederholen.

Große Zopfmuster

70

Maschenzahl durch 11 teilbar und 2 Randmaschen.

1. Reihe: Randm., ⋆ 1 M r, 2 M li, 6 M r, 2 M li. Ab ⋆ wiederholen, Randm.

2.–4. Reihe: M stricken, wie sie erscheinen.

5. Reihe: Randm., ⋆ 1 M r, 2 M li, die folg. 3 M auf Hilfsnadel nehmen und vor die Arbeit legen, die folg. 3 M r (siehe Abbildung links oben), dann die Hilfsnadel-Maschen ebenfalls r str., 2 M li. Ab ⋆ wiederholen, Randm.

6. Reihe: Randm., ⋆ 2 M r, 6 M li, 2 M r, 1 M li. Ab ⋆ wiederholen, Randm.

1.–6. Reihe fortlaufend wiederholen.

Die Abbildung zeigt die Arbeit während des Verkreuzens. Spezielle Zopfmusternadeln von INOX (2,5 oder 4 mm stark und 12 cm lang) sind hierzu besonders geeignet.

Der Zopf kann mit 2, 4, 6 oder 8 Maschen gearbeitet und je nach Belieben in kürzeren oder längeren Zwischenräumen gekreuzt werden.

71

Maschenzahl durch 17 teilbar und 3 M (1 M und 2 Randmaschen).

1. Reihe: Randm., ⋆ 1 M li, 1 M r verdr., 3 M li, 8 M r, 3 M li, 1 M r verdr. Ab ⋆ wiederholen. Die Reihe endet: 1 M li, Randm.

2. Reihe: Randm., 1 M r, ⋆ 1 M li verdr., 3 M r, 8 M li, 3 M r, 1 M li verdr., 1 M r. Ab ⋆ wiederholen, Randm.

3. Reihe: Randm., ⋆ 1 M li, 1 M r verdr., 3 M li, die nächsten 2 M auf Hilfsnd. nehmen und vor die Arbeit legen, 2 M r, die 2 Hilfsnd.-M r str., die nächsten 2 M auf Hilfsnd. nehmen und hinter die Arbeit legen, 2 M r, die 2 Hilfsnd.-M r str., 3 M li, 1 M r verdr. Ab ⋆ wiederholen. Die Reihe endet: 1 M li, Randm.

4. Reihe wie die 2. Reihe.

1.–4. Reihe fortlaufend wiederholen.

72 Dreiteiliger Zopf

Der Zopf wird mit 12 Maschen gearbeitet.
1. Reihe: 12 M r.
2. Reihe und alle folg. Rückreihen: 12 M li.
3. Reihe: 12 M r.
5. Reihe: 4 M auf Hilfsnd. hinter die Arbeit legen, 4 M r, Hilfsnd.-M r str., 4 M r.
7. und 9. Reihe: 12 M r.
11. Reihe: 4 M r, 4 M auf Hilfsnd. vor die Arbeit legen, 4 M r, Hilfsnd.-M r str.
1.–12. Reihe fortlaufend wiederholen.

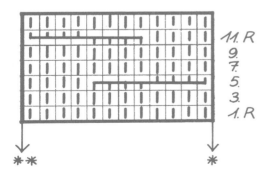

Nach dem Typenmuster in den Hinreihen von ★ bis ★★ arb., in den Rückreihen die M str., wie sie erscheinen.
1.–12. Reihe fortlaufend wiederholen.
Zeichenerklärung siehe Seite 348.

73 Vierteiliger Zopf

Der Zopf wird mit 12 M gearbeitet.
1. Reihe: 12 M r
2. Reihe und jede weitere Rückreihe: 12 M li.
3. Reihe: ★ 3 M auf Hilfsnd. hinter die Arbeit legen, 3 M r, Hilfsnd.-M r str. ab ★ noch 1mal wiederholen.
5. Reihe: 12 M r
7. Reihe: 3 M r, folg. 3 M auf Hilfsnd. vor die Arbeit legen, die nächsten 3 M r, dann die Hilfsnd.-M r und die letzten 3 M r str.
1.–8. Reihe fortlaufend wiederholen.

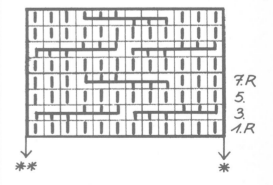

Nach dem Typenmuster in den Hinreihen von ★ bis ★★ str., in den Rückreihen die M li str.
1.–8. Reihe fortlaufend wiederholen.
Zeichenerklärung siehe Seite 348.

74 Kettenzopfmuster

Der Zopf wird mit 12 M gearbeitet.
1. Reihe: 12 M r.
2. Reihe und alle folg. Rückreihen: 12 M li.
3., 5. und 7. Reihe: 12 M r.
9. Reihe: Die ersten 4 M auf Hilfsnd. hinter die
Arbeit legen, die mittl. 4 M auf Hilfsnd. vor die
Arbeit legen, folg. 4 M r str., dann die M der vorderen Hilfsnd. r str. und anschließend die M der
hinteren Hilfsnd. r str.
11., 13., 15. und 17. Reihe: 12 M r str.
19. Reihe: Die ersten 4 M auf Hilfsnd. hinter die
Arbeit legen, die mittl. 4 M auf Hilfsnd. ebenfalls hinter die Arbeit legen, und zwar so, daß sie
hinter der 1. Hilfsnd. liegen, folg. 4 M r str., dann
die mittl. 4 M von der hintersten Hilfsnd. r str.
und anschließend die 4 M der 1. Hilfsnd. r str.
1.–20. Reihe fortlaufend wiederholen.

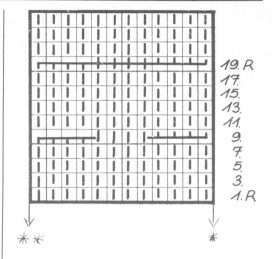

19. R
17.
15.
13.
11.
9.
7.
5.
3.
1. R

Nach dem Typenmuster in den Hinreihen von
★ bis ★★ arb., in den Rückreihen alle M li str.
1.–20. Reihe fortlaufend wiederholen.
Zeichenerklärung siehe Seite 348.

75 3- und 6maschiges Zopfmuster

Man arbeitet nach dem Typenmuster in den
Hinreihen 1mal von ○ bis ★ und fortlaufend
von ★ bis ★★. In den Rückreihen die M str., wie
sie erscheinen.
1.–4. Reihe fortlaufend wiederholen.
Zeichenerklärung siehe Seite 348.

76

Nach dem Typenmuster in den Hinreihen von
○ bis ∅ arb., in den Rückreihen die M str., wie
sie erscheinen.
1.–24. Reihe fortlaufend wiederholen.
Zeichenerklärung siehe Seite 348.

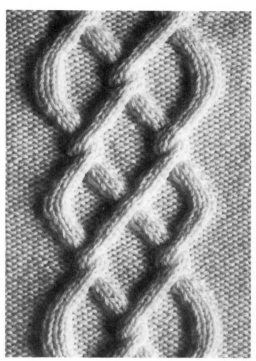

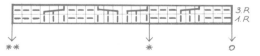

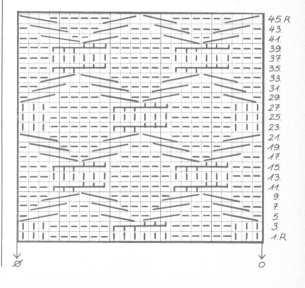

77

Nach dem Typenmuster in den Hinreihen bei ○ beginnen, fortlaufend von ⋆ bis ⋆⋆ str. und bei ∅ enden. In den Rückreihen die M str., wie sie erscheinen.
3.–38. Reihe fortlaufend wiederholen.
Zeichenerklärung siehe Seite 348.

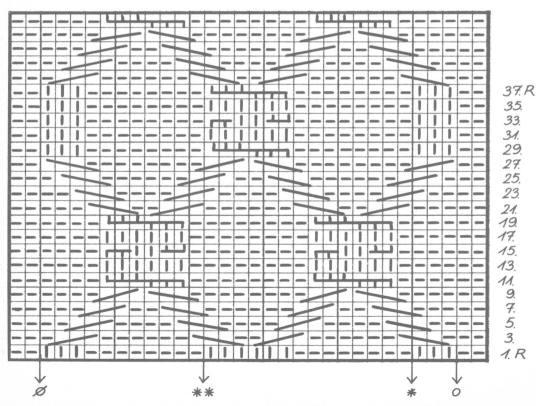

37. R
35.
33.
31.
29.
27.
25.
23.
21.
19.
17.
15.
13.
11.
9.
7.
5.
3.
1. R

∅   ⋆⋆   ⋆   O

78

Nach dem Typenmuster in den Hinreihen bei
○ beginnen, fortlaufend von ⋆ bis ⋆⋆ str. und in
den Rückreihen die M str., wie sie erscheinen.
1.–16. Reihe fortlaufend wiederholen.
Zeichenerklärung siehe Seite 348.

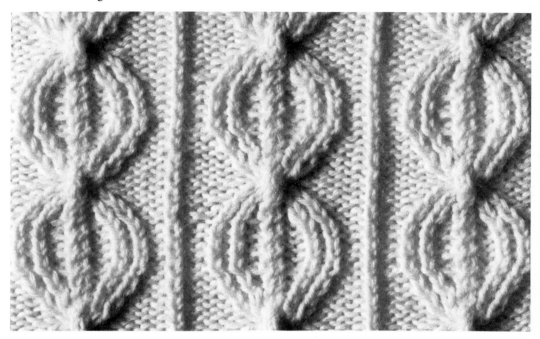

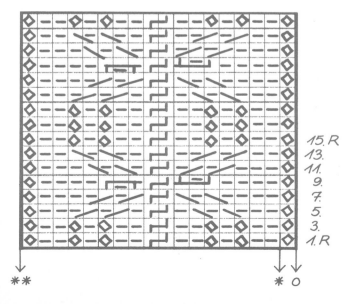

15. R
13.
11.
9.
7.
5.
3.
1. R

⋆⋆   ⋆ ○

79

Nach dem Typenmuster in den Hinreihen bei
○ beginnen, fortlaufend von ★ bis ★★ arbeiten
und bei ∅ enden. In den Rückreihen die M str.,
wie sie erscheinen.
1.–40. Reihe fortlaufend wiederholen.
Zeichenerklärung siehe Seite 348.

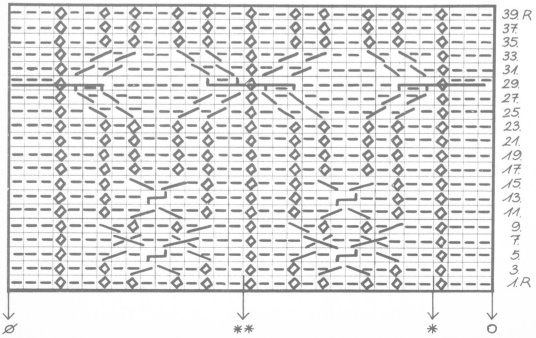

80

Man arb. nach dem Typenmuster in den Hinreihen von ○ bis ∅, in den Rückreihen die M str.,
wie sie erscheinen.
Von ○ bis ★ und von ★★ bis ∅ die 1.–4. Reihe
und von ★ bis ★★.
1.–22. Reihe fortlaufend wiederholen.
Zeichenerklärung siehe Seite 348.

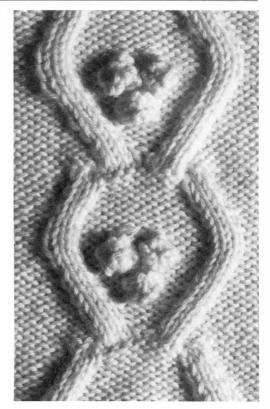

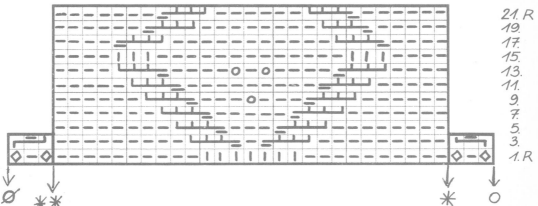

21. R
19.
17.
15.
13.
11.
9.
7.
5.
3.
1. R

∅ ★★ ★ ○

81   Zopfmuster mit Noppen

Nach dem Typenmuster in den Hinreihen von
★ bis ★★ str., in den Rückreihen die M str., wie sie
erscheinen.
1.–24. Reihe fortlaufend wiederholen.
Zeichenerklärung siehe Seite 348.

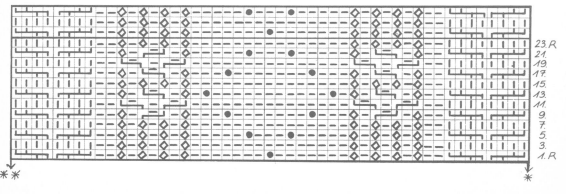

23. R
21.
19.
17.
15.
13.
11.
9.
7.
5.
3.
1. R

82

Hinr. nach Typenmuster arb., in den Rückr. die
M str., wie sie erscheinen. Die Muster ab 3. Rei-
he fortl. wdh.
Zeichenerklärung siehe Seite 348.

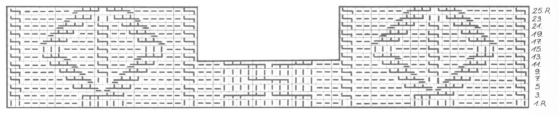

83

Nach dem Typenmuster in den Hinreihen von
★ bis ★★ arb., in den Rückreihen die M str., wie
sie erscheinen.
1.–24. Reihe fortlaufend wiederholen.
Zeichenerklärung siehe Seite 348.

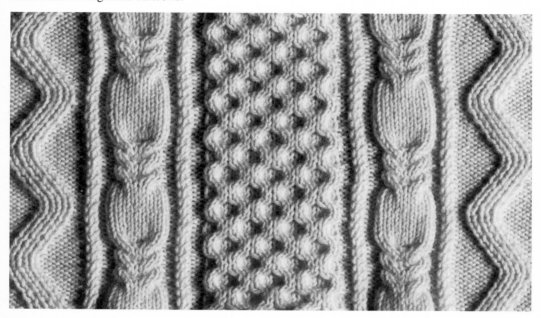

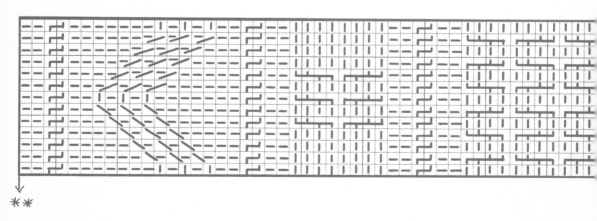

Typenmuster zu Muster 83

84

Hinreihen nach Typenmuster arbeiten und in
den Rückreihen die M str., wie sie erscheinen,
dabei die r verdr. M der Vorreihe li abstr.
Einzelne Muster ab 3. Reihe fortlaufend wiederholen.
Zeichenerklärung siehe Seite 348.

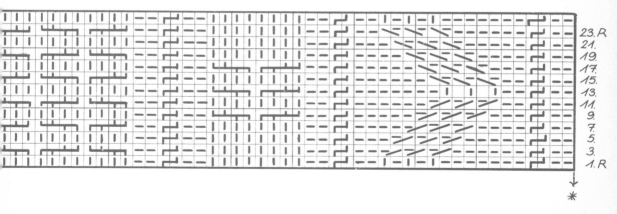

Typenmuster zu Muster 83

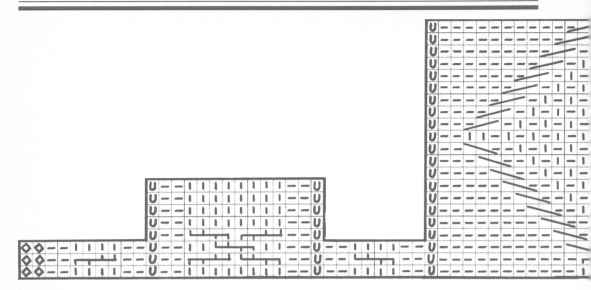

Typenmuster zu Muster 84

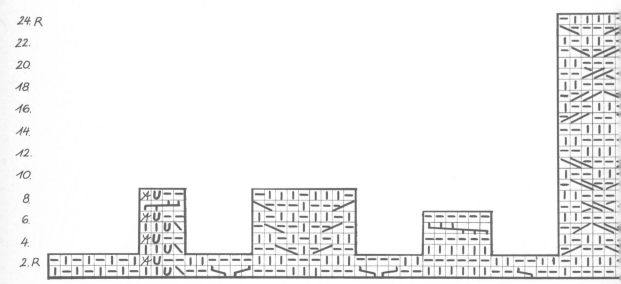

Typenmuster zu Muster 85

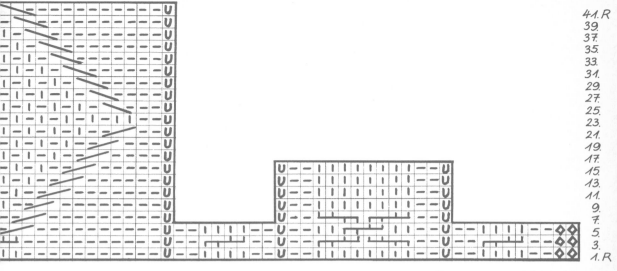

41. R
39.
37.
35.
33.
31.
29.
27.
25.
23.
21.
19.
17.
15.
13.
11.
9.
7.
5.
3.
1. R

Typenmuster zu Muster 84

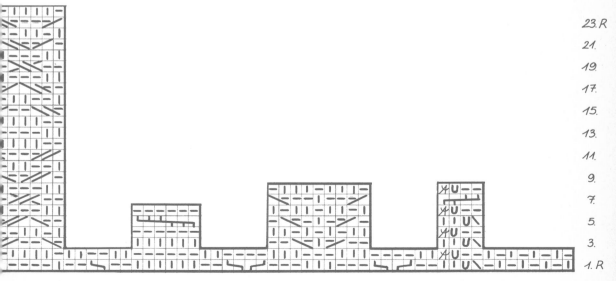

23. R
21.
19.
17.
15.
13.
11.
9.
7.
5.
3.
1. R

Typenmuster zu Muster 85

85

In Hin- und Rückreihen nach Typenmuster arbeiten und alle Muster ab 1. Reihe fortlaufend wiederholen.
Zeichenerklärung siehe Seite 348.

Durchbruchmuster

86 Krausgestrickt mit je einer Fallmaschenreihe

Beliebige Maschenzahl.
1.–10. Reihe: »kraus«.
11. Reihe: Randm., ★ 1 M r, 1 Umschl. Ab ★ wiederholen, Randm.
12. Reihe (Fallmaschenreihe): die Maschen r str., die Umschl. wieder fallen lassen.
1.–12. Reihe fortlaufend wiederholen.

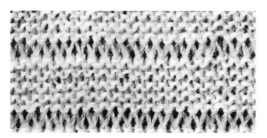

87 Stricken mit Nadeln in verschiedener Stärke

Man erreicht dadurch ohne jede Mühe ein sehr hübsches Strickmuster.
★ Mit Nadeln, die der Wollstärke entsprechen, beginnen und hin- und hergehend 3 Reihen rechts stricken. Nun verwendet man Nadeln in doppelter Stärke und strickt 1 Reihe rechts. Ab ★ wiederholen. Nach Belieben können mit den feineren Nadeln mehr oder weniger Reihen gestrickt werden.

88

Maschenzahl durch 10 teilbar und 6 Maschen.
1. Reihe: ★ 6 M r, 1 Umschl., 1 M r, 2 Umschl., 1 M r, 3 Umschl., 1 M r, 2 Umschl., 1 M r, 1 Umschl. Ab ★ wiederholen. Die Reihe endet mit 6 M r.
2. Reihe: alle M r, dabei die Umschl. fallen lassen.
3. Reihe: rechts.
4. Reihe: rechts.
5. Reihe: ★ 1 M r, 1 Umschl., 1 M r, 2 Umschl., 1 M r, 3 Umschl., 1 M r, 2 Umschl., 1 M r, 1 Umschl., 5 M r, Ab ★ wiederholen. Die Reihe endet: 1 M r, 1 Umschl., 1 M r, 2 Umschl., 1 M r, 3 Umschl., 1 M r, 2 Umschl., 1 M r, 1 Umschl., 1 M r.
6. Reihe wie 2. Reihe.
7. Reihe: rechts.
8. Reihe: rechts.
1.–8. Reihe fortlaufend wiederholen.

89

Gerade Maschenzahl.
1. Reihe: rechts.
2. Reihe: Randm., ⋆ 2 M r zus.str., 1 Umschl. Ab ⋆ wiederholen, Randm.
3. Reihe: rechts, dabei die Umschläge der 2. Reihe fallen lassen.
4. Reihe: aus jeder M 1 M r und 1 M li str.
2.–4. Reihe fortlaufend wiederholen.

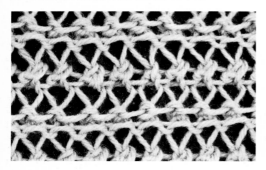

90

Maschenzahl durch 6 teilbar und 2 Randmaschen.
1.–6. Reihe: »kraus«.
7. Reihe: Randm., ⋆ 1 M r, 3mal umschl. Ab ⋆ wiederholen, Randm.
8. Reihe: Randm., ⋆ die folg. 6 M auf die r Nd. heben, dabei die Umschl. der Vorreihe fallen lassen (es entstehen lange M). Nun die 3 zuerst abgeh. M mit der linken Nd. über die 3 zuletzt abgeh. M ziehen, erstere auf der linken Nd. lassen, die anderen 3 M ebenfalls auf die linke Nd. zurücknehmen und alle 6 M r abstr. Ab ⋆ wiederholen.
Die 3.–8. Reihe fortlaufend wiederholen.

91

Maschenzahl durch 6 teilbar und 4 M (2 M und 2 Randmaschen).
1. Reihe: rechts.
2. Reihe: Randm., 1 M r, ⋆ 1 M r, dabei den Fd. 2mal um die Nd. schlingen. Ab ⋆ wiederholen. Die Reihe endet: 1 M r, Randm.
3. Reihe: Randm., 1 M r, ⋆ die folg. 6 M auf die rechte Nd. nehmen, wobei man die Umschl. fallen läßt; nun mit der linken Nd. die ersten 3 M über die letzten 3 M ziehen, die verbliebenen 3 M wieder auf die linke Nd. nehmen und aus jeder M 1 r M und 1 r verdr. M herausstr. Ab ⋆ wiederholen. Die Reihe endet: 1 M r, Randm.
4. Reihe: rechts.
1.–4. Reihe fortlaufend wiederholen.

92

Maschenzahl durch 6 teilbar und 2 M.
1.–6. Reihe: Mit Nd. Nr. 3½ str.
7. Reihe: Mit Nd. Nr. 5 ★ 2 Umschl., 1 M r str., ab ★ fortl. wdh. Die Reihe endet mit 2 Umschl.
8. Reihe: Mit Nd. Nr. 5 die Randm. etwa 1½ cm hochziehen, 2 Umschl. fallen lassen, ★ die folg. 6 M wie zum Linksstr. abheben (der Fd. liegt hinter der Arbeit) und die dazwischenliegenden sowie die 2 Umschl. nach der 6. M fallen lassen. Alle 6 M gleichmäßig hochziehen, zurück auf die linke Nd. nehmen und li zus.str. Anschließend die 6 Maschenglieder – von rückwärts einstechend (die Nadelspitze folgt dem Arbeitsfaden) – noch einmal auf die linke Nd. fassen und daraus 2mal wechselnd 1 M r, 1 M li, dann noch 1 M r herausstr. Ab ★ stets wdh. Am Schluß der R muß die Maschenzahl mit der 6. R. übereinstimmen.
1.–8. Reihe fortlaufend wiederholen.

93

Maschenzahl durch 6 teilbar und 5 M (3 M und 2 Randmaschen).
1. Reihe: rechts.
2. Reihe: links.
3. Reihe: rechts.
4. Reihe: Randm., ★ 3 M li, die 3 folg. M r zus.str., jedoch noch nicht abh., sondern 2 weitere M herausstr. (1 li M und 1 r M) und dann abh. Ab ★ wiederholen. Die Reihe endet mit 3 M li, Randm.
1.–4. Reihe fortlaufend wiederholen.

94

Das Muster erscheint auf der linken Seite.
Maschenzahl durch 4 teilbar und 2 Randmaschen.
1. Reihe: Randm., ★ aus folg. Masche 1 M r, 1 M li und 1 M r herausstr., 3 M li zus.str. Ab ★ wiederholen, Randm.
2. Reihe: links.
3. Reihe: Randm., ★ 3 M li zus.str., aus folg. Masche 1 M r, 1 M li und 1 M r herausstr. Ab ★ wiederholen, Randm.
4. Reihe: links.
1.–4. Reihe fortlaufend wiederholen.

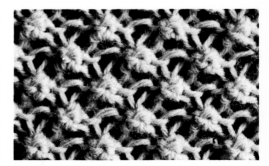

95

Gerade Maschenzahl.
1. Reihe: rechts.
2. Reihe: links.
3. Reihe: Randm., ★ 2 M r verdr. zus.str. Ab ★ wiederholen, Randm.
4. Reihe: Randm., ★ aus jeder M 1 li M und 1 r M herausstr. Ab ★ wiederholen, Randm.
1.–4. Reihe fortlaufend wiederholen.

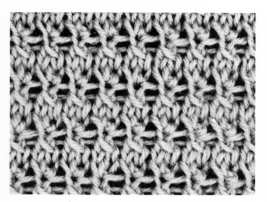

96

Maschenzahl durch 3 teilbar.
1. Reihe: Randm., ★ 1 M li, umschl., 2 M r verdr. zus.-str. Ab ★ wiederholen. Die Reihe endet: 1 M li, Randm.
2. Reihe: Randm., ★ 1 M r, umschl., 2 M li zus.str. Ab ★ wiederholen. Die Reihe endet: 1 M r, Randm.
1. und 2. Reihe fortlaufend wiederholen.

97

Maschenzahl durch 4 teilbar.
1. Reihe: Randm., 2 M li, ★ umschl., 1 M abh., 1 M r und die abgehobene M überziehen, 2 M li. Ab ★ wiederholen, Randm.
2. Reihe: Randm., ★ 2 M r, 2 M li. Ab ★ wiederholen. Die Reihe endet mit 2 M r, Randm.
3. Reihe: Randm., 2 M li, ★ 2 M r zus.str., umschl., 2 M li. Ab ★ wiederholen, Randm.
4. Reihe wie die 2. Reihe.
1.–4. Reihe fortlaufend wiederholen.

98

Maschenzahl durch 4 teilbar und 3 M (1 M und 2 Randmaschen).
1. Reihe: Randm., 1 M r, ⋆ umschl., 1 M li abh. (der Faden liegt hinter der M), 2 M li zus.str. und die abgehobene M überziehen, umschl., 1 M r. Ab ⋆ wiederholen, Randm.
2. Reihe: links.
1. und 2. Reihe fortlaufend wiederholen.

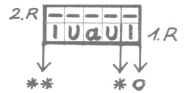

Nach dem Typenmuster in den Hinreihen bei ○ beginnen und fortlaufend von ⋆ bis ⋆⋆ str., in den Rückreihen alle M li str.
1. und 2. Reihe fortlaufend wiederholen.
Zeichenerklärung siehe Seite 348.

99

Maschenzahl durch 4 teilbar.
1. und 3. Reihe: Randm., 2 M li, ⋆ 2 M r, 2 M li. Ab ⋆ wiederholen, Randm.
2. und 4. Reihe: Randm., 2 M r ⋆ 2 M li, 2 M r. Ab * wiederholen, Randm.
5. Reihe: Randm., 2 M li, ⋆ umschl., 1 M abh., 1 M r und die abgehobene M überziehen, 2 M li. Ab ⋆ wiederholen, Randm.
6. Reihe: M str., wie sie erscheinen; die Umschl. li str.
1.–6. Reihe fortlaufend wiederholen.

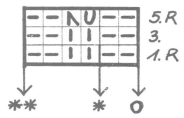

Nach dem Typenmuster in den Hinreihen bei ○ beginnen, dann fortlaufend von ⋆ bis ⋆⋆ str. und in den Rückreihen die M str., wie sie erscheinen, die Umschläge li str.
1.–6. Reihe fortlaufend wiederholen.
Zeichenerklärung siehe Seite 348.

100

Maschenzahl durch 6 teilbar und 5 M (3 M + 2 Randmaschen)
1. Reihe: Randm., 3 M r, ★ 3 M li, 3 M r, ab ★ wiederholen, Randmasche.
2. Reihe und jede weitere Rückreihe: M str., wie sie erscheinen, Umschl. li str.
3. Reihe: Randm., 1 M r, 2 M r verdr. zus.str., 1 Umschl., ★ 3 M li, 1 M r, 2 M r verdr. zus.str., 1 Umschl., ab ★ wiederholen, Randm.
1.–4. Reihe fortlaufend wiederholen.

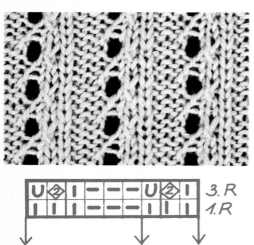

Nach dem Typenmuster in den Hinreihen 1mal von O bis ★, dann fortlaufend von ★ bis ★★ str. In den Rückreihen die M str., wie sie erscheinen, Umschläge li str.
1.–4. Reihe fortlaufend wiederholen.
Zeichenerklärung siehe Seite 348.

101

Maschenzahl durch 4 teilbar und 2 Randmaschen.
1. Reihe: Randm., ★ 2 M r, 2 M li zus.str., 1 Umschl. Ab ★ wiederholen, Randm.
2. Reihe: Randm., ★ 2 M r (auch den Umschl.), 2 M li. Ab ★ wiederholen, Randm.
3. Reihe: Randm., ★ 2 M r zus.str., 1 Umschl., 2 M li. Ab ★ wiederholen, Randm.
4. Reihe: Randm., ★ 2 M r, 2 M li (auch den Umschl.). Ab ★ wiederholen, Randm.
1.–4. Reihe fortlaufend wiederholen.

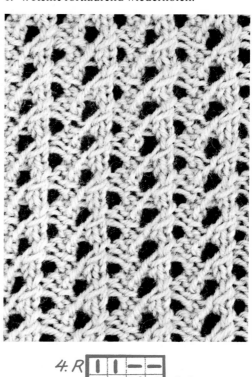

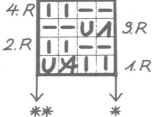

Nach dem Typenmuster in den Hinreihen fortlaufend von ★ bis ★★, in den Rückreihen von ★★ bis ★ str.
1.–4. Reihe fortlaufend wiederholen.
Zeichenerklärung siehe Seite 348.

102

Maschenzahl durch 6 teilbar und 5 M (3 M und 2 Randmaschen).
1. Reihe: Randm., ∗ 3 M li, 1 Umschl., 1 M abh., 2 M r zus.str. und die abgeh. M überziehen, 1 Umschl. Ab ∗ wiederholen. Die Reihe endet: 3 M li, Randm.
2. Reihe: Randm., 3 M r, 3 M li im Wechsel. Die Reihe endet mit 3 M r, Randm.
3. und 4. Reihe: M str., wie sie erscheinen.
1.–4. Reihe fortlaufend wiederholen.

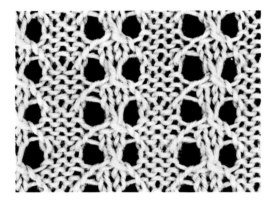

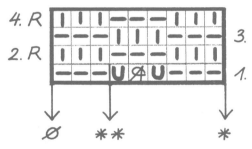

Nach dem Typenmuster arb. man in den Hinreihen fortlaufend von ∗ bis ∗∗ und 1mal von ∗∗ bis ∅.
In den Rückreihen 1mal von ∅ bis ∗∗, dann fortlaufend von ∗∗ bis ∗ str.
1.–4. Reihe fortlaufend wiederholen.
Zeichenerklärung siehe Seite 348.

103

Maschenzahl durch 6 teilbar und 2 Randmaschen.
1. Reihe: Randm., ∗ 3 M r, 3 M li. Ab ∗ wiederholen, Randm.
2. Reihe: M str., wie sie erscheinen.
3. Reihe wie die 1. Reihe.
4. Reihe: Randm., ∗ 3 M li, umschl., 1 M li abh., 2 M r verdr. zus.str. und die abgehobene M überziehen, umschl. Ab ∗ wiederholen, Randm.
5. Reihe: Randm., ∗ 3 M li, 3 M r. Ab ∗ wiederholen, Randm.
6. Reihe: M str., wie sie erscheinen.
7. Reihe wie die 5. Reihe.
8. Reihe: Randm., ∗ umschl., 1 M li abh., 2 M r verdr. zus.str. und die abgehobene M überziehen, umschl., 3 M li. Ab ∗ wiederholen, Randm.
1.–8. Reihe fortlaufend wiederholen.

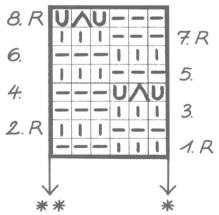

Nach dem Typenmuster str. man in den Hinreihen fortlaufend von ∗ bis ∗∗ und in den Rückreihen fortlaufend von ∗∗ bis ∗.
1.–8. Reihe fortlaufend wiederholen.
Zeichenerklärung siehe Seite 348.

104

Maschenzahl durch 8 teilbar und 4 M (2 M und 2 Randmaschen).

1. Reihe: Randm., ⋆ 2 M li, 3 M r, 2 M li, 1 M r. Ab ⋆ wiederholen. Die Reihe endet: 2 M li, Randm.

2.–4. Reihe: M str. wie sie erscheinen.

5. Reihe: Randm., ⋆ 2 M li; 3 M durch Überziehen zus.str. (d. h. 1 M abh., 2 M r zus.str. und die abgeh. M überz.), 2 M li, 1 M zunehmen (Querglied auffassen und r verdreht abstr.), 1 M r, 1 M zunehmen. Ab ⋆ wiederholen. Die Reihe endet: 2 M li, Randm.

6. Reihe: Randm., 2 M r, ⋆ 3 M li, 2 M r, 1 M li, 2 M r. Ab ⋆ wiederholen, Randm.

7.–10. Reihe: M str., wie sie erscheinen.

11. Reihe: Randm., ⋆ 2 M li, 1 M zunehmen (Querglied auffassen und r verdr. abstr.), 1 M r, 1 M zunehmen, 2 M li, 3 M durch Überz. zus.str. Ab ⋆ wiederholen. Die Reihe endet: 2 M li, Randm.

12. Reihe: Randm., 2 M r, ⋆ 1 M li, 2 M r, 3 M li, 2 M r. Ab ⋆ wiederholen, Randm.

1.–12. Reihe fortlaufend wiederholen.

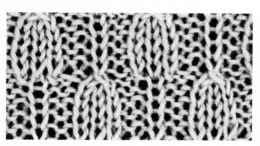

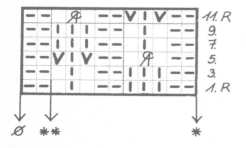

Nach dem Typenmuster in den Hinreihen fortlaufend von ⋆ bis ⋆⋆ arb. und bei ∅ enden, in den Rückreihen die M str., wie sie erscheinen.

1.–12. Reihe fortlaufend wiederholen.

Zeichenerklärung siehe Seite 348.

105

Maschenzahl durch 6 teilbar und 7 M (5 M und 2 Randmaschen).

1. Reihe: links.

2. Reihe: rechts.

3. Reihe: Randm., 5 M li, ⋆ umschl., 1 M r, umschl., 5 M li. Ab ⋆ wiederholen, Randm.

4. Reihe: Randm., ⋆ 5 M r, 3 M li. Ab ⋆ wiederholen. Die Reihe endet: 5 M r, Randm.

5. Reihe: Randm., ⋆ 5 M li, 3 M r. Ab ⋆ wiederholen. Die Reihe endet: 5 M li, Randm.

6. Reihe: Randm., ⋆ 5 M r, 3 M li zus.str. Ab ⋆ wiederholen. Die Reihe endet: 5 M r, Randm.

7. Reihe: links.

8. Reihe: rechts.

9. Reihe: Randm., 2 M li, ⋆ umschl., 1 M r, umschl., 5 M li. Ab ⋆ wiederholen. Die Reihe endet: umschl., 1 M r, umschl., 2 M li, Randm.

10. Reihe: Randm., 2 M r, ⋆ 3 M li, 5 M r. Ab ⋆ wiederholen. Die Reihe endet: 3 M li, 2 M r, Randm.

11. Reihe: Randm., 2 M li, ⋆ 3 M r, 5 M li. Ab ⋆ wiederholen. Die Reihe endet: 3 M r, 2 M li, Randm.

12. Reihe: Randm., 2 M r, ⋆ 3 M li zus.str., 5 M r. Ab ⋆ wiederholen. Die Reihe endet: 3 M li zus.str., 2 M r, Randm.

1.–12. Reihe fortlaufend wiederholen.

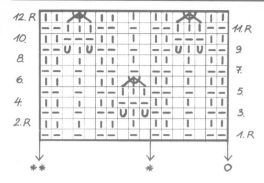

Nach dem Typenmuster in den Hinreihen 1mal von ○ bis ★, dann fortlaufend von ★ bis ★★ str., in den Rückreihen fortlaufend von ★★ bis ★ str. und bei ○ enden.

1.–12. Reihe fortlaufend wiederholen.

Zeichenerklärung siehe Seite 348.

106

Maschenzahl durch 8 teilbar.

1. Reihe: Randm., ★ 6 M r, 1 Umschl., 2 M r zus.str. Ab ★ wiederholen. Die Reihe endet mit 6 M r, Randm.
2. Reihe: alle M, auch die Umschl., li str.
3. Reihe: r.
4. Reihe: li.
5. Reihe: Randm., 2 M r, ★ 1 Umschl., 2 M r zus.str., 6 M r. Ab ★ wiederholen. Die Reihe endet mit 1 Umschl., 2 M r zus.str., 2 M r, Randm.
6. Reihe wie die 2. Reihe.
7. Reihe: r.
8. Reihe: li.

1.–8. Reihe fortlaufend wiederholen.

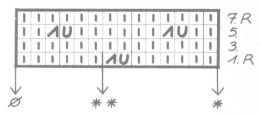

Wird nach dem Typenmuster gearbeitet, beginnt und endet man mit 1 Randm., strickt in den Hinreihen fortlaufend von ★ bis ★★ und 1mal von ★★ bis ∅.

In den Rückreihen alle M, auch die Umschläge, li str.

1.–8. Reihe fortlaufend wiederholen.

Zeichenerklärung siehe Seite 348.

107

Maschenzahl durch 8 teilbar und 6 M und 2 Randmaschen.

1. Reihe: Randm., 6 M r, ★ 2 M li abh. (der Faden liegt hinter den M), 6 M r. Ab ★ wiederholen, Randm.

2. Reihe: links; die abgehobenen M wieder li abh., der Faden liegt jedoch vor den M.

3. Reihe: Randm., 4 M r, ★ die folgenden 2 M auf Hilfsnadel nehmen und hinter die Arbeit legen, die 1. abgehobene M r str., dann die Hilfsnadel-M r zus.str., 1 Umschl., die 2. abgehobene M auf Hilfsnadel nehmen und vor die Arbeit legen, 2 M r zus.str., dann die Hilfsnadel-M r str., 2 M r. Ab ★ wiederholen. Die Reihe endet: 2 M auf Hilfsnadel hinter die Arbeit legen, die 1. abgeh. M r str., dann die Hilfsnadel-Maschen r zus.str., 1 Umschl., die 2. abgehobene M auf Hilfsnadel nehmen und vor die Arbeit legen, 2 M r zus.str., dann die Hilfsnadel-M r str., 4 M r, Randm.

4. Reihe: links, dabei aus jedem Umschl. 1 li M und 1 r M herausstr.

5. Reihe: Randm., 2 M r, ★ 2 M li abh. (der Faden liegt hinter den M), 6 M r. Ab ★ wiederholen. Die Reihe endet: 2 M li abheben (Faden hinten), 2 M r, Randm.

6. Reihe: links; die abgehobenen M wieder li abh., der Faden liegt jedoch vor den M.

7. Reihe: Randm., ★ die folgenden 2 M auf Hilfsnadel nehmen und hinter die Arbeit legen, die 1. abgehobene M r str., dann die Hilfsnadel-M r zus.str., 1 Umschl., die 2. abgehobene M auf Hilfsnadel nehmen und vor die Arbeit legen, 2 M r zus.str., dann die Hilfsnadel-M r str., 2 M r. Ab ★ wiederholen. Die Reihe endet: 2 M auf Hilfsnadel hinter die Arbeit legen, die 1. abgehobene M r str., dann die Hilfsnadel-M r zus.str., 1 Umschl., die 2. abgehobene M auf Hilfsnadel nehmen und vor die Arbeit legen, 2 M r zus.str., dann die Hilfsnadel-M r str., Randm.

8. Reihe: li, dabei aus jedem Umschl. 1 li M und 1 r M herausstr.

1.–8. Reihe fortlaufend wiederholen.

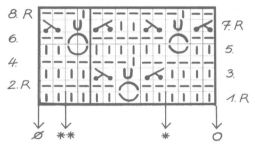

Nach dem Typenmuster arbeitet man in den Hinreihen 1mal von ○ bis ★, fortlaufend von ★ bis ★★ und 1mal von ★★ bis ∅.

In den Rückreihen 1mal von ∅ bis ★★, fortlaufend von ★★ bis ★ und 1mal von ★ bis ○.

In 4. und 8. Reihe str. man jeweils aus dem Umschl. 1 M li, 1 M r.

1.–8. Reihe fortlaufend wiederholen.

Zeichenerklärung siehe Seite 348.

108

Maschenzahl durch 8 teilbar und 2 Randmaschen.

1. Reihe: rechts.

2. Reihe und jede weitere Rückreihe: alle M, auch die Umschl., li str.

3. Reihe: Randm., ★ 6 M r, umschl., 2 M r zus.str. Ab ★ wiederholen, Randm.

5. Reihe: Randm., 5 M r, ★ umschl., 2 M r zus.str., umschl., 2 M r zus.str., 4 M r. Ab ★ wiederholen. Die Reihe endet: umschl., 2 M r zus.-str., 1 M r, Randm.

7. Reihe wie die 3. Reihe.

9. Reihe: alle M r str.

11. Reihe: Randm., 2 M r, ★ umschl., 2 M r zus.str., 6 M r. Ab ★ wiederholen. Die Reihe endet: umschl., 2 M r zus.str., 4 M r, Randm.

13. Reihe: Randm., 1 M r, ★ umschl., 2 M r zus.str., umschl., 2 M r zus.str., 4 M r. Ab ★ wiederholen. Die Reihe endet: umschl., 2 M r zus.str., umschl., 2 M r zus.str., 3 M r, Randm.

15. Reihe wie die 11. Reihe.

17. Reihe: alle M r str.

18. Reihe: links.

3.–18. Reihe fortlaufend wiederholen.

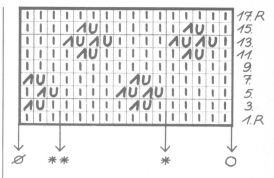

Nach dem Typenmuster arbeitet man in den Hinreihen 1mal von ○ bis ★, dann fortlaufend von ★ bis ★★ und 1mal von ★★ bis ∅. In den Rückreihen alle M, auch die Umschläge, li str.

3.–18. Reihe fortlaufend wiederholen.

Zeichenerklärung siehe Seite 348.

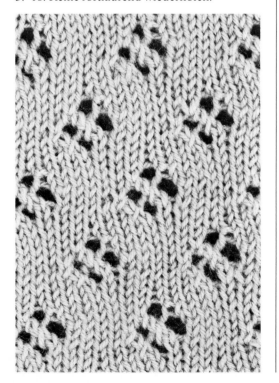

109

Maschenzahl durch 12 teilbar und 2 Randmaschen.

1. Reihe: Randm., ∗ 8 M r, 2 M r zus.str., 2mal umschl., 1 M abh., 1 M r str. und die abgeh. M überziehen. Ab ∗ wiederholen, Randm.

2. Reihe und jede weitere Rückreihe: links; alle Umschl. werden 1 M r, 1 M li gestr.

3. Reihe: Randm., 6 M r, ∗ 2 M r zus.str., 2mal umschl., 1 M abh., 1 M r str. und die abgehobene M überziehen, 2 M r zus.str., 2mal umschl., 1 M abh., 1 M r str. und die abgehobene M überziehen, 4 M r. Ab ∗ wiederholen. Die Reihe endet: 2 M r zus.str., 2mal umschl., 1 M abh., 1 M r str. und die abgehobene M überziehen, 2 M r zus.-str., 1mal umschl., Randm.

5. Reihe wie die 1. Reihe.

7. Reihe wie die 3. Reihe.

9. Reihe wie die 1. Reihe.

11. Reihe: Randm., 2 M r, ∗ 2 M r zus.str., 2mal umschl., 1 M abh., 1 M r str. und die abgehobene M überziehen, 8 M r. Ab ∗ wiederholen. Die Reihe endet: 2 M r zus.str., 2mal umschl., 1 M abh., 1 M r str. und die abgehobene M überziehen, 6 M r, Randm.

13. Reihe: Randm., ∗ 2 M r zus.str., 2mal umschl., 1 M abh., 1 M r str. und die abgehobene M überziehen, 2 M r zus.str., 2mal umschl., 1 M abh., 1 M r str. und die abgehobene M überziehen, 4 M r. Ab ∗ wiederholen, Randm.

15. Reihe wie die 11. Reihe.

17. Reihe wie die 13. Reihe.

19. Reihe wie die 11. Reihe.

1.–20. Reihe fortlaufend wiederholen.

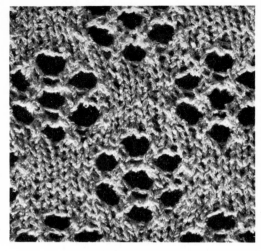

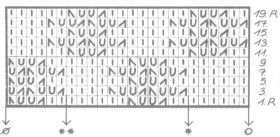

Nach dem Typenmuster arbeitet man in den Hinreihen 1mal von ○ bis ∗, fortlaufend von ∗ bis ∗∗ und 1mal von ∗∗ bis ∅. In den Rückreihen alle M li str., aus dem doppelten Umschlag jeweils 1 M r, 1 M li str.

1.–20. Reihe fortlaufend wiederholen.

Zeichenerklärung siehe Seite 348.

110

Gerade Maschenzahl.
1. Reihe: Randm., ∗ 1 Umschl., 1 M abh., 1 M r
str. und die abgeh. M überz. Ab ∗ wiederholen,
Randm.
2. Reihe: alle M, auch die Umschl., li str.
3. Reihe: li.
4. Reihe: li.
1.–4. Reihe fortlaufend wiederholen.

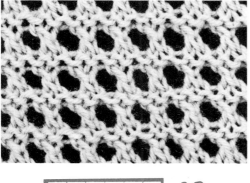

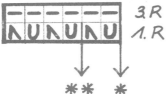

Nach dem Typenmuster in den Hinreihen fortlaufend von ∗ bis ∗∗ str., in den Rückreihen alle
M, auch die Umschläge, li str.
1.–4. Reihe fortlaufend wiederholen.
Zeichenerklärung siehe Seite 348.

111

Gerade Maschenzahl.
1., 2. und 3. Reihe: rechts.
4. Reihe: links.
5. Reihe: Randm., ∗ umschl., 2 M r zus.str. Ab ∗
wiederholen, Randm.
6. Reihe: alle M, auch die Umschl., li str.
1.–6. Reihe fortlaufend wiederholen.

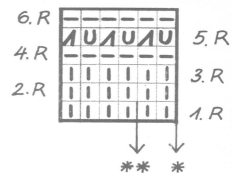

Nach dem Typenmuster in den Hinreihen fortlaufend von ∗ bis ∗∗, in den Rückreihen von ∗∗
bis ∗ str.
1.–6. Reihe fortlaufend wiederholen.
Zeichenerklärung siehe Seite 348.

112

Gerade Maschenzahl.
1. Reihe: rechts.
2. Reihe: Randm., ⋆ 2 M r zus.str., 1 Umschl. Ab ⋆ wiederholen, Randm.
3. Reihe: links.
4. Reihe: Randm., ⋆ 1 Umschl., 2 M r zus.str. Ab ⋆ wiederholen, Randm.
5. Reihe: links.
6. Reihe: links.
1.–6. Reihe fortlaufend wiederholen.

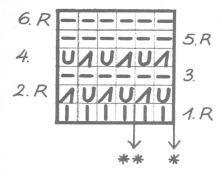

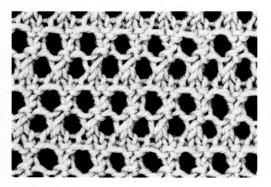

Nach dem Typenmuster in den Hinreihen fortlaufend von ⋆ bis ⋆⋆, in den Rückreihen von ⋆⋆ bis ⋆ str.
1.–6. Reihe fortlaufend wiederholen.
Zeichenerklärung siehe Seite 348.

113

Maschenzahl durch 3 teilbar und 2 Randmaschen.
1. Reihe: Randm., 2 M r, ⋆ umschl., 3 M r, die erste der 3 Rechtsmaschen über die folgenden 2 Rechtsmaschen ziehen. Ab ⋆ wiederholen; die Reihe endet mit 1 M r, Randm.
2. Reihe: alle M, auch die Umschl., li str.
3. Reihe: Randm., 1 M r, ⋆ 3 M r, die erste der 3 Rechtsmaschen über die folgenden 2 Rechtsmaschen ziehen, umschl. Ab ⋆ wiederholen; die Reihe endet mit 2 M r, Randm.
4. Reihe: alle M, auch die Umschl., li str.
1.–4. Reihe fortlaufend wiederholen.

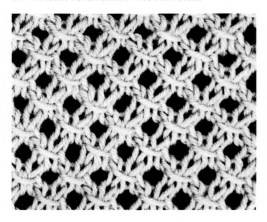

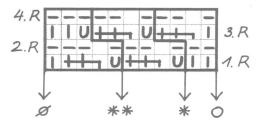

Nach dem Typenmuster in den Hinreihen bei ○ beginnen, fortlaufend von ⋆ bis ⋆⋆ str. und bei ∅ enden.
In den Rückreihen bei ∅ beginnen, fortlaufend von ⋆⋆ bis ⋆ str. und bei ○ enden.
1.–4. Reihe fortlaufend wiederholen.
Zeichenerklärung siehe Seite 348.

114

Gerade Maschenzahl.
1. Reihe: Randm., ⋆ umschl., 2 M r zus.str. Ab ⋆ wiederholen, Randm.
2. Reihe: alle M, auch die Umschl., li str.
3. Reihe: Randm., ⋆ 2 M r zus.str., umschl. Ab ⋆ wiederholen, Randm.
4. Reihe: alle M, auch die Umschl., li str.
1.–4. Reihe fortlaufend wiederholen.

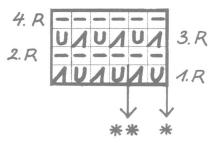

Nach dem Typenmuster in den Hinreihen fortlaufend von ⋆ bis ⋆⋆, in den Rückreihen von ⋆⋆ bis ⋆ str.
1.–4. Reihe fortlaufend wiederholen.
Zeichenerklärung siehe Seite 348.

115

Maschenzahl durch 4 teilbar.
1.–4. R: »glatt r«.
5. R: Randm., ⋆ 1 Umschl., 2 M r zus.str. 2 M r. Ab ⋆ wiederh. Die R endet: 1 Umschl., 2 M r zus.str., Randm.
6. R: Links, auch die Umschl.
7. und 8. R: »glatt r«.
9. R: Randm., 2 M r, ⋆ 1 Umschl., 2 M r zus.str., 2 M r. Ab ⋆ wiederh., Randm.
10. R: Links, auch die Umschl.
3.–10. R. fortlaufend wiederh.

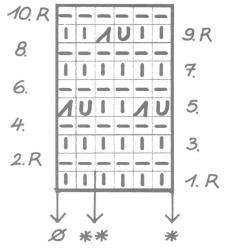

Nach dem Typenmuster in den Hinreihen fortlaufend von ⋆ bis ⋆⋆ arb. und bei ∅ enden, in den Rückreihen 1mal von ∅ bis ⋆⋆ str., dann fortlaufend von ⋆⋆ bis ⋆ arbeiten.
3.–10. Reihe fortlaufend wiederholen.
Zeichenerklärung siehe Seite 348.

116

Maschenzahl durch 3 teilbar und 2 Randmaschen.
1. Reihe: rechts
2. Reihe: Randm., ⋆ 1 M abh., 2 M r und die abgeh. M über die beiden M ziehen, 1 Umschl. Ab ⋆ wiederholen, Randm.
3. Reihe: rechts.
4. Reihe: Randm., 1 M r, ⋆ 1 Umschl., 1 M abh., 2 M r und die abgeh. M überziehen. Ab ⋆ wiederholen. Die Reihe endet mit 1 Umschl., 1 M abh., 1 M r und die abgeh. M überziehen, Randm.
1.–4. Reihe fortlaufend wiederholen.

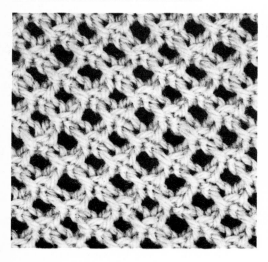

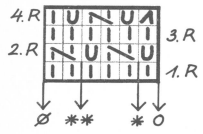

Nach dem Typenmuster in den Hinreihen bei ○ beginnen, von ⋆ bis ⋆⋆ fortlaufend wiederholen und bei ∅ enden, in den Rückreihen bei ∅ beginnen, von ⋆⋆ bis ⋆ fortlaufend wiederholen und bei ○ enden.
1.–4. Reihe fortlaufend wiederholen.
Zeichenerklärung siehe Seite 348.

117

Gerade Maschenzahl.
1. Reihe: 1 M r, ⋆ 1 Umschl., 1 M abh., 1 M r verdr. und die abgeh. M überz. Ab ⋆ wiederholen. Die Reihe endet mit 1 M r.
2. Reihe: 2 M li, ⋆ 1 Umschl., 1 M abh., 1 M li str. und die abgeh. M überziehen. Ab ⋆ wiederholen.
1. und 2. Reihe fortlaufend wiederholen.

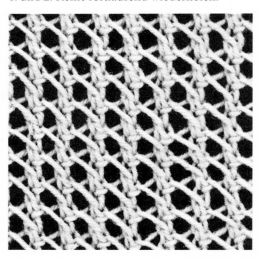

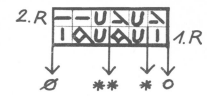

Nach dem Typenmuster in den Hinreihen bei ○ beginnen, fortlaufend von ⋆ bis ⋆⋆ str. und bei ∅ enden, in den Rückreihen bei ∅ beg., fortlaufend von ⋆⋆ bis ⋆ str. und bei ○ enden.
1. und 2. Reihe fortlaufend wiederholen.
Zeichenerklärung siehe Seite 348.

118

Maschenzahl durch 7 teilbar und 2 Randmaschen.
1. Reihe: Randm., ⋆ 1 M r, 1 M li, 1 M r,
1 Umschl., 2 M r verdr. zus.str., 1 Umschl., 2 M r
verdr. zus.str. Ab ⋆ wiederholen, 1 M r, 1 M li,
1 M r, Randm.
2. Reihe: Randm., 1 M r, 1 M li, 1 M r, ⋆
1 Umschl., die folg. M mit dem Umschl. der
Vorreihe li zus.str., 1 Umschl., die folg. M mit
dem Umschl. der Vorreihe li zus.str., 1 M r, 1 M
li, 1 M r. Ab ⋆ wiederholen, Randm.
1. und 2. Reihe fortlaufend wiederholen.

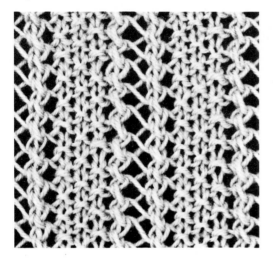

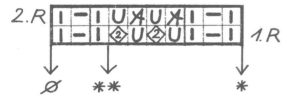

Nach dem Typenmuster in den Hinreihen fortlaufend von ⋆ bis ⋆⋆ str. und bei ∅ enden, in
den Rückreihen bei ∅ beginnen und fortlaufend von ⋆⋆ bis ⋆ str.
1. und 2. Reihe fortlaufend wiederholen.
Zeichenerklärung siehe Seite 348.

119

Gerade Maschenzahl.
1. Reihe: Randm., ⋆ umschl., 1 M abh., 1 M r
und die abgehobene M überziehen. Ab ⋆ wiederholen, Randm.
Diese Reihe fortlaufend wiederholen.

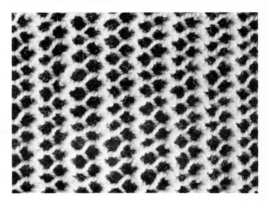

Nach dem Typenmuster in den Hinreihen fortlaufend von ⋆ bis ⋆⋆, in den Rückreihen fortlaufend von ⋆⋆ bis ⋆ str.
1. und 2. Reihe fortlaufend wiederholen.
Zeichenerklärung siehe Seite 348.

120

Maschenzahl durch 8 teilbar und 6 M und 2 Randmaschen.

1. Reihe: Randm., ⋆ 2 M li, 2 M r, 2 M li, 1 M r, 1 Umschl., 1 M r. Ab ⋆ wiederholen. Die Reihe endet: 2 M li, 2 M r, 2 M li, Randm.

2. Reihe und jede weitere Rückreihe: M str., wie sie erscheinen, Umschläge li.

3. Reihe: Randm., ⋆ 2 M li, 2 M r, 2 M li, 3 M r. Ab ⋆ wiederholen. Die Reihe endet: 2 M li, 2 M r, 2 M li, Randm.

5. Reihe wie 3. Reihe.

7. Reihe: Randm., ⋆ 2 M li, 1 M r, 1 Umschl., 1 M r, 2 M li, 1 M r, 1 M fallen lassen (sie löst sich bis zum Umschl. der 1. Reihe auf), 1 M r. Ab ⋆ wiederholen. Die Reihe endet: 2 M li, 1 M r, 1 Umschl., 1 M r, 2 M li, Randm.

9. Reihe: Randm., ⋆ 2 M li, 3 M r, 2 M li, 2 M r. Ab ⋆ wiederh. Die Reihe endet: 2 M li, 3 M r, 2 M li, Randm.

11. Reihe wie 9. Reihe.

13. Reihe: Randm., ⋆ 2 M li, 1 M r, 1 M fallen lassen (sie löst sich bis zum Umschl. der 7. Reihe auf), 1 M r, 2 M li, 1 M r, 1 Umschl., 1 M r. Ab ⋆ wiederholen. Die Reihe endet: 2 M li, 1 M r, 1 M fallen lassen, 1 M r, 2 M li, Randm.

14. Reihe: M str., wie erscheinen, Umschl. li.

3.–14. Reihe fortlaufend wiederholen.

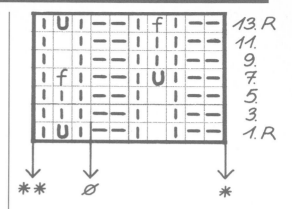

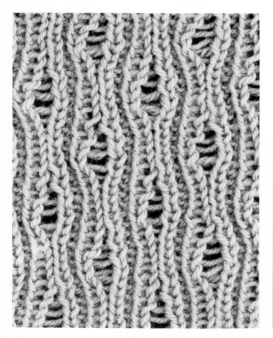

Nach dem Typenmuster arbeitet man in den Hinreihen fortlaufend von ⋆ bis ⋆⋆ und 1mal von ⋆ bis ⊘.

In den Rückreihen die M str., wie sie erscheinen, Umschläge li str.

Die leeren Kästchen im Typenmuster haben keine Bedeutung. Sie werden beim Stricken nicht beachtet.

3.–14. Reihe fortlaufend wiederholen.

Zeichenerklärung siehe Seite 348.

121

Maschenzahl durch 10 teilbar und 3 M (1 M und 2 Randmaschen).

1. Reihe: Randm., ⋆ 1 M r verdr., 1 M li, 1 Umschl., 1 M li, 1 Umschl., 1 M li, 1 M r verdr., 1 M li, 1 M r verdr., 1 M li, 1 M r verdr., 1 M li. Ab ⋆ wiederholen. Die Reihe endet mit 1 M r verdr., Randm.

2. Reihe: Randm., 1 M li verdr., ⋆ 1 M r, 1 M li verdr., 1 M r, 1 M li verdr., 1 M r, 1 M li verdr., 1 M r, 3 M li, 1 M r, 1 M li verdr. Ab ⋆ wiederholen, Randm.

3. Reihe: Randm., ⋆ 1 M r verdr., 1 M li, 1 Umschl., 1 M abh. (Faden hinter der Arbeit), 2 M r zus.str. und die abgeh. M überz., 1 Umschl., 1 M li, 1 M r verdr., 1 M li, 1 M r verdr., 1 M li, 1 M r verdr., 1 M li. Ab ⋆ wiederholen. Die Reihe endet mit 1 M r verdr., Randm.

4. Reihe wie 2. Reihe.
5. Reihe wie 3. Reihe.
6. Reihe wie 2. Reihe.
7. Reihe wie 3. Reihe.
8. Reihe wie 2. Reihe.

9. Reihe: Randm., ⋆ 1 M r verdr., 1 M li, 1 M abh. (Faden hinter der Arbeit), 2 M r zus.str. und die abgeh. M überz., 1 M li, 1 M r verdr., 1 M li, 1 M r verdr., 1 M li, 1 M r verdr., 1 M li. Ab ⋆ wiederholen. Die Reihe endet mit 1 M r verdr., Randm.

10. Reihe: Randm., 1 M li verdr., ⋆ 1 M r, 1 M li verdr., 1 M r, 1 M li verdr., 1 M r, 1 M li verdr., 1 M r, 1 M li, 1 M r, 1 M li verdr. Ab ⋆ wiederholen, Randm.

11. Reihe: Randm., ⋆ 1 M r verdr., 1 M li, 1 M r verdr., 1 M li, 1 M r verdr., 1 M li, 1 M r verdr., 1 Umschl., 1 M li, 1 Umschl., 1 M r verdr., 1 M li. Ab ⋆ wiederholen. Die Reihe endet mit 1 M r verdr., Randm.

12. Reihe: Randm., 1 M li verdr., ⋆ 1 M r, 1 M li verdr., 3 M li, 1 M r, 1 M li verdr., 1 M r, 1 M li verdr., 1 M r, 1 M li verdr., 1 M r, 1 M li verdr. Ab ⋆ wiederholen, Randm.

13. Reihe: Randm., ⋆ 1 M r verdr., 1 M li, 1 M r verdr., 1 M li, 1 M r verdr., 1 M li, 1 M r verdr., 1 Umschl., 1 M abh., 2 M r zus.str. und die abgeh. M überz., 1 Umschl., 1 M r verdr., 1 M li. Ab ⋆ wiederholen. Die Reihe endet mit 1 M r verdr., Randm.

14. Reihe wie 12. Reihe.
15. Reihe wie 13. Reihe.
16. Reihe wie 12. Reihe.
17. Reihe wie 13. Reihe.
18. Reihe wie 12. Reihe.

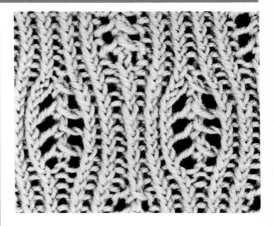

19. Reihe: Randm., ⋆ 1 M r verdr., 1 M li, 1 M r verdr., 1 M li, 1 M r verdr., 1 M li, 1 M r verdr., 1 M abh., 2 M r zus.str. und abgeh. M überz., 1 M r verdr., 1 M li. Ab ⋆ wiederholen. Die Reihe endet mit 1 M r verdr., Randm.

20. Reihe: Randm., 1 M li verdr., ⋆ 1 M r, 1 M li verdr., 1 M r, 1 M li verdr., 1 M r, 1 M li verdr., 1 M r, 1 M li verdr., 1 M r, 1 M li verdr. Ab ⋆ wiederholen, Randm.

1.–20. Reihe fortlaufend wiederholen.

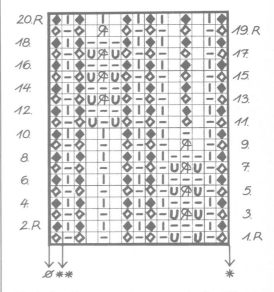

Nach dem Typenmuster str. man in den Hinreihen fortlaufend von ⋆ bis ⋆⋆ und 1mal von ⋆⋆ bis ∅. In den Rückreihen arb. man 1mal von ∅ bis ⋆⋆, dann fortlaufend von ⋆⋆ bis ⋆. Die leeren Kästchen haben keine Bedeutung.

1.–20. Reihe fortlaufend wiederholen.
Zeichenerklärung siehe Seite 348.

122

Maschenzahl durch 8 teilbar und 6 M (4 M und 2 Randmaschen).

1. Reihe: Randm., ⋆ 4 M li, 2 M r zus.str., umschl., 2 M r. Ab ⋆ wiederholen, 4 M li, Randm.

2. Reihe: Randm., 4 M r, ⋆ 2 M li zus.str., umschl., 2 M li, 4 M r. Ab ⋆ wiederholen, Randm.

1. und 2. Reihe fortlaufend wiederholen.

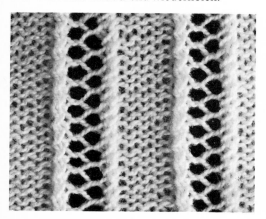

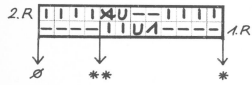

Nach dem Typenmuster in den Hinreihen fortlaufend von ⋆ bis ⋆⋆ str. und bei ∅ enden, in den Rückreihen bei ∅ beginnen und fortlaufend von ⋆⋆ bis ⋆ str.

1. und 2. Reihe fortlaufend wiederholen.

Zeichenerklärung siehe Seite 348.

123

Maschenzahl durch 4 teilbar und 2 Randmaschen.

1. Reihe: Randm., ⋆ 1 M li, 1 M abh., 2 M r str. und die abgeh. M überz. Ab ⋆ wiederholen, Randm.

2. Reihe: Randm., ⋆ 1 M li, 1 Umschl., 1 M li, 1 M r. Ab ⋆ wiederholen, Randm.

3. Reihe: Randm., ⋆ 1 M li, 1 M r, den Umschl. r abstr., 1 M r. Ab ⋆ wiederholen, Randm.

4. Reihe: Randm., ⋆ 3 M li, 1 M r. Ab ⋆ wiederholen, Randm.

1.–4. Reihe fortlaufend wiederholen.

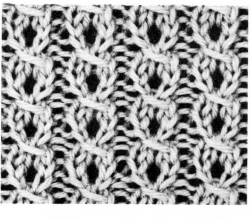

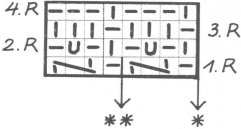

Nach dem Typenmuster in den Hinreihen fortlaufend von ⋆ bis ⋆⋆, in den Rückreihen fortlaufend von ⋆⋆ bis ⋆ str.

1.–4. Reihe fortlaufend wiederholen.

Zeichenerklärung siehe Seite 348.

124

Maschenzahl durch 4 teilbar und 2 Randmaschen.

1. Reihe: Randm., ∗ 1 M li, 2 M r, 1 M li. Ab ∗ wiederholen, Randm.

2. Reihe: Randm., ∗ 1 M r, 2 M li, 1 M r. Ab ∗ wiederholen, Randm.

3. Reihe: Randm., ∗ 2 M r zus.str., 2 Umschl., 1 M abh., 1 M r str. und die abgeh. M überz. Ab ∗ wiederholen, Randm.

4. Reihe: Randm., ∗ 1 M li, 1. Umschl. r verdr., 2. Umschl. r str., 1 M li. Ab ∗ wiederholen, Randm.

5. Reihe: Randm., ∗ 1 M r, 2 M li, 1 M r. Ab ∗ wiederholen, Randm.

6. Reihe: Randm., ∗ 1 M li, 2 M r, 1 M li. Ab ∗ wiederholen, Randm.

7. Reihe: Randm., 1 Umschl., ∗ 1 M abh., 1 M r und die abgeh. M überz., 2 M r zus.str., 2 Umschl. Ab ∗ wiederholen. Der letzte Mustersatz endet mit 1 Umschl., Randm.

8. Reihe: Randm., Umschl. r str., ∗ 2 M li, 1. Umschl. r verdr., 2. Umschl. r str. Ab ∗ wiederholen. Die Reihe endet: 2 M li, Umschl. r str., Randm.

1.–8. Reihe fortlaufend wiederholen.

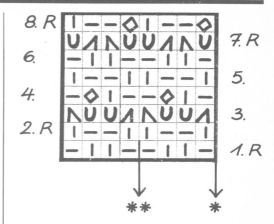

Nach dem Typenmuster arb. man in den Hinreihen fortlaufend von ∗ bis ∗∗ und in den Rückreihen fortlaufend von ∗∗ bis ∗.

1.–8. Reihe fortlaufend wiederholen.

Zeichenerklärung siehe Seite 348.

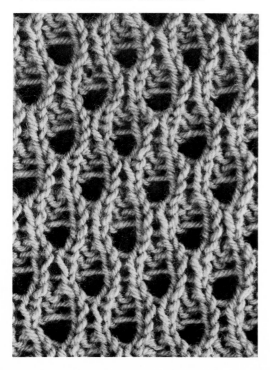

125

Maschenzahl durch 12 teilbar und 4 M (2 M und 2 Randmaschen).

1. Reihe: Randm., ⋆ 2 M li, 4 M verzopfen (die ersten 2 M auf Hilfsnd. nehmen und vor die Arbeit legen, die nächsten 2 M r str. und dann die 2 M von der Hilfsnd. r abstr.). Ab ⋆ wiederholen. Diese Reihe und alle folg. Hinreihen enden mit 2 M li, Randm.

2. Reihe: Randm., 2 M r, ⋆ 2 M li zus.str., 1 Umschl., 2 M li, 2 M r, 4 M li, 2 M r. Ab ⋆ wiederholen, Randm.

3. Reihe: Randm., ⋆ 2 M li, 4 M r, 2 M li, 2 M r zus.str., 1 Umschl., 2 M r. Ab ⋆ wiederholen.

4. Reihe wie 2. Reihe.

5. Reihe: Randm., ⋆ 2 M li, 4 M verzopfen (siehe 1. Reihe), 2 M li, 2 M r zus.str., 1 Umschl., 2 M r. Ab ⋆ wiederholen.

6. Reihe wie 2. Reihe.

7. Reihe wie 3. Reihe.

8. Reihe wie 2. Reihe.

9. Reihe wie 1. Reihe.

10. Reihe: Randm., 2 M r, ⋆ 4 M li, 2 M r, 2 M li zus.str., 1 Umschl., 2 M li, 2 M r. Ab ⋆ wiederholen.

11. Reihe: Randm., ⋆ 2 M li, 2 M r zus.str., 1 Umschl., 2 M r, 2 M li, 4 M r. Ab ⋆ wiederholen.

12. Reihe wie 10. Reihe.

13. Reihe: Randm., ⋆ 2 M li, 2 M r zus.str., 1 Umschl., 2 M r, 2 M li, 4 M verzopfen. Ab ⋆ wiederholen.

14. Reihe wie 10. Reihe.

15. Reihe wie 11. Reihe.

16. Reihe wie 10. Reihe.

1.–16. Reihe fortlaufend wiederholen.

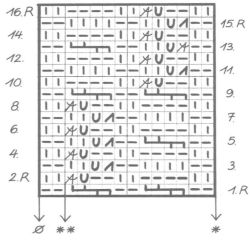

Nach dem Typenmuster arb. man in den Hinreihen fortlaufend von ⋆ bis ⋆⋆ und 1mal von ⋆⋆ bis ∅. In den Rückreihen 1mal von ∅ bis ⋆⋆ und fortlaufend von ⋆⋆ bis ⋆ str.
1.–16. Reihe fortlaufend wiederholen.
Zeichenerklärung siehe Seite 348.

126

Maschenzahl durch 10 teilbar und 3 M (1 M und 2 Randmaschen).

1. Reihe: Randm., ⋆ 1 M li, 2 M r zus.str., 2 Umschl., 1 M abh., 1 M r und die abgeh. M überz., 1 M li, die nächsten 4 M verzopfen (1. und 2. M. auf Hilfsnd. nehmen und vor die Arbeit legen, 3. und 4. M r str. und dann die beiden Hilfsnd.-M r str.). Ab ⋆ wiederholen. Die Reihe endet mit 1 M li, Randm.

2. Reihe: Randm., 1 M r, ⋆ 2 M li zus.str., 1 Umschl., 2 M li, 1 M r, 1 M li, aus den 2 Umschl. 1 M r und 1 M li str., 1 M li, 1 M r. Ab ⋆ wiederholen, Randm.

3. Reihe: Randm., ⋆ 1 M li, 4 M r, 1 M li, 2 M r zus.str., 1 Umschl., 2 M r. Ab ⋆ wiederholen. Die Reihe endet mit 1 M li, Randm.

4. Reihe: Randm., 1 M r, ⋆ 2 M li zus.str., 1 Umschl., 2 M li, 1 M r, 4 M li, 1 M r. Ab ⋆ wiederholen, Randm.

5. und 6. Reihe wie 3. und 4. Reihe.

1.–6. Reihe fortlaufend wiederholen.

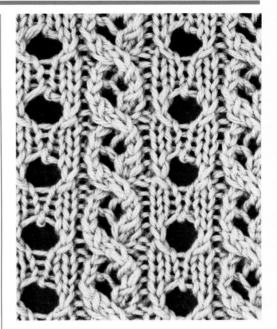

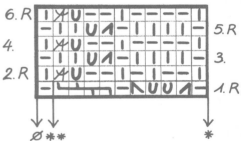

Nach dem Typenmuster arb. man in den Hinreihen fortlaufend von ⋆ bis ⋆⋆ und 1mal von ⋆⋆ bis ∅. In den Rückreihen 1mal von ∅ bis ⋆⋆ und fortlaufend von ⋆⋆ bis ⋆ str.

1.–6. Reihe fortlaufend wiederholen.

Zeichenerklärung siehe Seite 348.

127

Maschenzahl durch 8 teilbar und 7 M und 2 Randm. (die Maschenzahl ändert sich in jeder Reihe).

1. Reihe: Randm., ★ 7 M li, 1 M r, umschl. Ab ★ wiederholen. Die Reihe endet mit 7 M li, Randm.

2. Reihe: Randm., ★ 7 M r, umschl., 2 M li. Ab ★ wiederholen. Die Reihe endet mit 7 M r, Randm.

3. Reihe: Randm., ★ 7 M li, 3 M r, umschl. Ab ★ wiederholen. Die Reihe endet mit 7 M li, Randm.

4. Reihe: Randm., ★ 7 M r, umschl., 4 M li. Ab ★ wiederholen. Die Reihe endet mit 7 M r, Randm.

5. Reihe: Randm., ★ 7 M li, 5 M r, umschl. Ab ★ wiederholen. Die Reihe endet mit 7 M li, Randm.

6. Reihe: Randm., ★ 7 M r, 2 M li zus.str., 4 M li. Ab ★ wiederholen. Die Reihe endet mit 7 M r, Randm.

7. Reihe: Randm., ★ 7 M li, 3 M r, 2 M r zus.str. Ab ★ wiederholen. Die Reihe endet mit 7 M li, Randm.

8. Reihe: Randm., ★ 7 M r, 2 M li zus.str., 2 M li. Ab ★ wiederholen. Die Reihe endet mit 7 M r, Randm.

9. Reihe: Randm., ★ 7 M li, 1 M r, 2 M r zus.str. Ab ★ wiederholen. Die Reihe endet mit 7 M li, Randm.

10. Reihe: Randm., ★ 7 M r, 2 M li zus.str. Ab ★ wiederholen. Die Reihe endet mit 7 M r, Randm.

1.–10. R fortlaufend wiederholen.

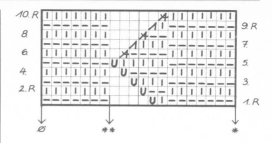

Nach dem Typenmuster arbeitet man in den Hinreihen fortlaufend von ★ bis ★★ und 1mal von ★★ bis ∅. In den Rückreihen strickt man 1mal von ∅ bis ★★, dann fortlaufend von ★★ bis ★.

Bis zur 5. Reihe vermehrt sich die Maschenzahl, bis zur 10. Reihe nimmt sie wieder ab.

Die leeren Kästchen im Typenmuster haben keine Bedeutung.

1.–10. Reihe fortlaufend wiederholen.

Zeichenerklärung siehe Seite 348.

128

Maschenzahl durch 8 teilbar und 3 M (1 M und 2 Randmaschen).
1. Reihe: Randm., 2 M r zus.str., ⋆ 2 M r, 1 M zun. (= Querglied auffassen und r verdr. abstr.), 1 M r, 1 M zun. (= Querglied auffassen und r verdr. abstr.), 2 M r, 3 M r verdr. zus.str. Ab ⋆ wiederholen. Die Reihe endet: 2 M r, 1 M zun., 1 M r, 1 M zun., 2 M r, 2 M r verdr. zus.str., Randm.
2. Reihe: links.
Diese beiden Reihen fortlaufend wiederholen.

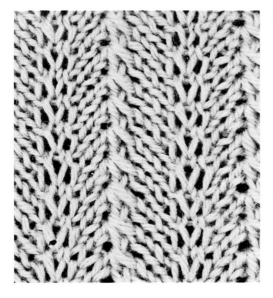

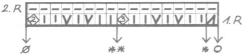

Nach dem Typenmuster in den Hinreihen bei ○ beg., fortlaufend von ⋆ bis ⋆⋆ str. und bei ∅ enden, in den Rückreihen alle M li str.
1. und 2. Reihe fortlaufend wiederholen.
Zeichenerklärung siehe Seite 348.

129

Maschenzahl durch 9 teilbar und 2 Randmaschen.
1. Reihe: Randm., 2 M r zus.str., 2 M r, ⋆ umschl., 1 M r; umschl., 2 M r, 1 M abh., 1 M r str. und die abgehobene M überziehen, 2 M r zus.str., 2 M r. Ab ⋆ wiederholen. Die Reihe endet: umschl., 1 M r, umschl., 2 M r, 1 M abh., 1 M r str. und die abgehobene M überziehen, Randm.
2. Reihe: alle M, auch die Umschl., li str.
1. und 2. Reihe fortlaufend wiederholen.

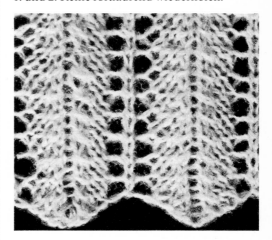

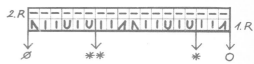

Nach dem Typenmuster in den Hinreihen bei ○ beginnen, fortlaufend von ⋆ bis ⋆⋆ str. und bei ∅ enden, in den Rückreihen alle M li str.
1. und 2. Reihe fortlaufend wiederholen.
Zeichenerklärung siehe Seite 348.

130

Maschenzahl durch 18 teilbar und 2 Randmaschen.

1. Reihe: Randm., ⋆ 3mal je 2 M r zus.str., 6mal je 1 M r und umschl., 3mal je 2 M r zus.str. Ab ⋆ wiederholen, Randm.
2. Reihe: alle M, auch die Umschl., li str.
3. und 4. Reihe: rechts.
1.–4. Reihe fortlaufend wiederholen.

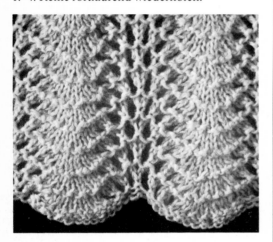

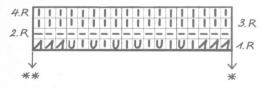

Nach dem Typenmuster in den Hinreihen fortlaufend von ⋆ bis ⋆⋆, in den Rückreihen fortlaufend von ⋆⋆ bis ⋆ str.
1.–4. Reihe fortlaufend wiederholen.

131

Maschenzahl durch 9 teilbar und 4 M (2 M und 2 Randmaschen).

1. Reihe: Randm., ⋆ 2 M li, 5 M r, 2 M r zus.str., 1 Umschl. Ab ⋆ wiederholen. Diese Reihe sowie alle folg. Hinreihen enden mit 2 M li, Randm.
2. Reihe und jede weitere Rückreihe: links.
3. Reihe: Randm., ⋆ 2 M li, 4 M r, 2 M r zus.str., 1 Umschl., 1 M r. Ab ⋆ wiederholen.
5. Reihe: Randm., ⋆ 2 M li, 3 M r, 2 M r zus.str., 1 Umschl., 2 M r. Ab ⋆ wiederholen.
7. Reihe: Randm., ⋆ 2 M li, 2 M r, 2 M r zus.str., 1 Umschl., 3 M r. Ab ⋆ wiederholen.
9. Reihe: Randm., ⋆ 2 M li, 1 M r, 2 M r zus.str., 1 Umschl., 4 M r. Ab ⋆ wiederholen.
11. Reihe: Randm., ⋆ 2 M li, 2 M r zus.str., 1 Umschl., 5 M r. Ab ⋆ wiederholen.
1.–12. Reihe fortlaufend wiederholen.

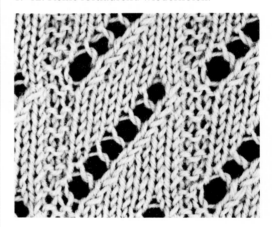

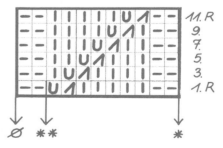

Nach dem Typenmuster arb. man in den Hinreihen fortlaufend von ⋆ bis ⋆⋆ und 1mal von ⋆⋆ bis ∅. In den Rückreihen alle M, auch die Umschläge, li str.
1.–12. Reihe fortlaufend wiederholen.
Zeichenerklärung siehe Seite 348.

132

Maschenzahl durch 11 teilbar und 1 M. (Die Maschenzahl ändert sich in jeder Reihe.)

1. Reihe: 1 M r, 1 Umschl., ★ 10 M r, 1 Umschl., 1 M r, 1 Umschl. Ab ★ wiederholen. Die Reihe endet: 10 M r, 1 Umschl., 1 M r.

2. Reihe und jede weitere Rückreihe: Alle M li str., auch die Umschl.

3. Reihe: 2 M r, 1 Umschl, ★ 10 M r, 1 Umschl., 3 M r, 1 Umschl. Ab ★ wiederholen. Die Reihe endet: 10 M r, 1 Umschl., 2 M r.

5. Reihe: 3 M r, 1 Umschl., ★ 10 M r, 1 Umschl., 5 M r, 1 Umschl. Ab ★ wiederholen. Die Reihe endet: 10 M r, 1 Umschl., 3 M r.

7. Reihe: 3 M r, ★ 6mal 2 M li zus.str., 5 M r. Ab ★ wiederholen. Die Reihe endet: 6mal 2 M li zus.str., 3 M r.

8. Reihe: Alle M li str.

1.–8. Reihe fortlaufend wiederholen.

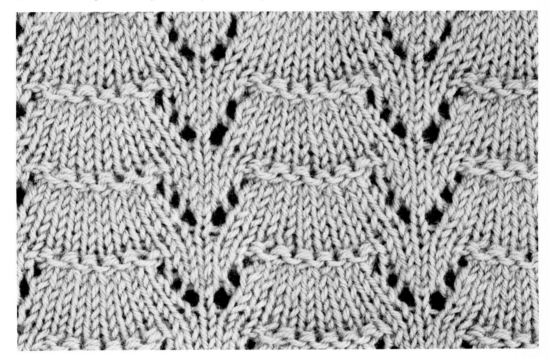

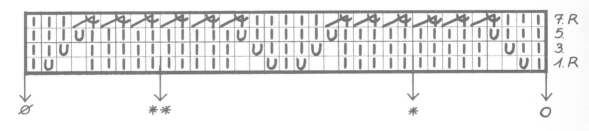

Nach dem Typenmuster arbeitet man in den Hinreihen 1mal von ○ bis ★, fortlaufend von ★ bis ★★ und 1mal von ★★ bis ∅. In den Rückreihen alle M, auch die Umschl., li str.

1.–8. Reihe fortlaufend wiederholen.

Zeichenerklärung siehe Seite 348.

133

Maschenzahl durch 9 teilbar und 2 Randmaschen.

1. Reihe: Randm., ∗ 7 M r, 1 Umschl., 1 M r abh., nächste M r str. und die abgeh. M überz. Ab ∗ wiederholen, Randm.

2. Reihe und jede weitere Rückreihe: alle M, auch die Umschl., li str.

3. Reihe: Randm., 8 M r, ∗ 1 Umschl., 1 M r abh., nächste M r str. und die abgeh. M überz., 7 M r. Ab ∗ wiederholen, die Reihe endet mit 1 M r, Randm.

5. Reihe: Randm., ∗ 1 Umschl., 1 M r abh., nächste M r str. und die abgeh. M überz., 7 M r. Ab ∗ wiederholen, Randm.

7. Reihe: Randm., 1 M r, dann weiter wie in 5. Reihe ab ∗ beschrieben, die Reihe endet: 1 Umschl., 1 M r abh., nächste M r str. und die abgeh. M überz., 6 M r, Randm.

9. Reihe: Randm., 2 M r, dann weiter wie in 5. Reihe ab ∗ beschrieben, die Reihe endet mit 1 Umschl., 2 M durch Überziehen zus.str., 5 M r, Randm.

11. Reihe: Randm., 3 M r, dann weiter wie in 5. Reihe ab ∗ beschrieben; die Reihe endet mit 1 Umschl., 2 M durch Überz. zus.str., 4 M r, Randm.

13. Reihe: Randm., 4 M r, dann weiter wie in 5. Reihe ab ∗ beschrieben; die Reihe endet mit 1 Umschl., 2 M durch Überz. zus.str., 3 M r, Randm.

15. Reihe: Randm., 5 M r, dann weiter wie in 5. Reihe ab ∗ beschrieben; die Reihe endet mit 1 Umschl., 2 M durch Überz. zus.str., 2 M r, Randm.

17. Reihe: Randm., 6 M r, dann weiter wie in 5. Reihe ab ∗ beschrieben; die R endet mit 1 Umschl., 2 M durch Überz. zus.str., 1 M r, Randm.

18. Reihe: alle M, auch die Umschl., li str.

1.–18. Reihe fortlaufend wiederholen.

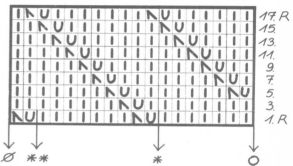

Nach dem Typenmuster strickt man in den Hinreihen 1mal von ○ bis ∗, fortlaufend von ∗ bis ∗∗ und 1mal von ∗∗ bis ∅. In den Rückreihen alle M, auch die Umschl., li str.

1.–18. Reihe fortlaufend wiederholen.

Zeichenerklärung siehe Seite 348.

134

Maschenzahl durch 8 teilbar und 2 Randmaschen.

1. Reihe: Randm., ⋆ 1 Umschl., 1 M abh., 1 M r und die abgeh. M überz., 6 M r. Ab ⋆ wiederholen, Randm.

2. Reihe und jede weitere Rückreihe links.

3. Reihe: Randm., 1 M r, ⋆ 1 Umschl., 1 M abh., 1 M r und die abgeh. M überz., 6 M r. Ab ⋆ wiederholen. Die Reihe endet: 1 Umschl., 1 M abh., 1 M r und die abgeh. M überz., 5 M r, Randm.

5. Reihe: Randm., 2 M r, ⋆ 1 Umschl., 1 M abh., 1 M r und die abgeh. M überz., 2 M r, aus folg. M 6 M herausstr., und zwar 1 r M, 1 r M, 1 r verdr. M, 1 r M, 1 r verdr. M; alle M nacheinander über die letzte Schlinge ziehen, 3 M r. Ab ⋆ wiederholen. Die Reihe endet: 1 Umschl., 1 M abh., 1 M r und die abgeh. M überz., 2 M r, aus folg. Masche 1 Noppe, wie zuvor beschrieben, 1 M r, Randm.

7. Reihe: Randm., 3 M r, ⋆ 1 Umschl., 1 M abh., 1 M r und die abgeh. M überz., 6 M r. Ab ⋆ wiederholen. Die Reihe endet: 1 Umschl., 1 M abh., 1 M r und die abgeh. M überz., 3 M r, Randm.

9. Reihe: Randm., 4 M r, ⋆ 1 Umschl., 1 M abh., 1 M r und die abgeh. M überz., 6 M r. Ab ⋆ wiederholen. Die Reihe endet: 1 Umschl., 1 M abh., 1 M r und die abgeh. M überz., 2 M r, Randm.

11. Reihe: Randm., 5 M r, ⋆ 1 Umschl., 1 M abh., 1 M r und die abgeh. M überz., 6 M r. Ab ⋆ wiederholen. Die Reihe endet: 1 Umschl., 1 M abh., 1 M r str. und die abgeh. M überz., 1 M r, Randm.

13. Reihe: Randm., ⋆ 2 M r, aus folg. M 6 M herausstr., und zwar 1 r M, 1 r verdr. M, 1 r M, 1 r verdr. M, 1 r M, 1 r verdr. M; alle M nacheinander über die letzte Schlinge ziehen, 3 M r, 1 Umschl., 1 M abh., 1 M r und die abgeh. M überz. Ab ⋆ wiederholen, Randm.

15. Reihe: Randm., 7 M r, ⋆ 1 Umschl., 1 M abh., 1 M r und die abgeh. M überz., 6 M r. Ab ⋆ wiederholen. Am Schluß der Nadel wird nach dem Umschl. die letzte M mit der Randm. abgeh. und dann mit dieser zus.gestr.

16. Reihe: links.

1.–16. Reihe fortlaufend wiederholen.

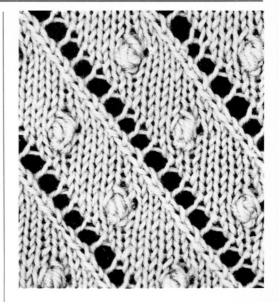

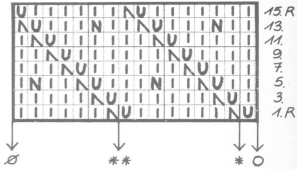

Nach dem Typenmuster arb. man in den Hinreihen 1mal von ○ bis ⋆, fortlaufend von ⋆ bis ⋆⋆ und 1mal von ⋆⋆ bis ∅. In den Rückreihen alle M, auch die Umschläge, li str.

1.–16. Reihe fortlaufend wiederholen.

Zeichenerklärung siehe Seite 348.

135

Maschenzahl durch 10 teilbar und 2 Randmaschen.

1. Reihe: Randm., ⋆ 1 Umschl., 2 M r zus.str., 8 M r. Ab ⋆ wiederholen, Randm.

2. Reihe und jede weitere Rückreihe: alle M, auch die Umschl., li str.

3. Reihe: Randm., ⋆ 1 M r, 1 Umschl., 2 M r zus.str., 5 M r, 1 M r abh., 1 M r str. und die abgeh. M überz., 1 Umschl. Ab ⋆ wiederholen, Randm.

5. Reihe: Randm., ⋆ 2 M r, 1 Umschl., 2 M r zus.str., 3 M r, 1 M r abh., 1 M r str. und die abgeh. M überz., 1 Umschl., 1 M r. Ab ⋆ wiederholen, Randm.

7. Reihe: Randm., ⋆ 3 M r, 1 Umschl., 2 M r zus.str., 1 M r, 1 M r abh., 1 M r str. und die abgeh. M überz., 1 Umschl., 2 M r. Ab ⋆ wiederholen, Randm.

9. Reihe: Randm., ⋆ 4 M r, 1 Umschl., 2 M zus. r abh., 1 M r str. und die abgeh. M überz., 1 Umschl., 3 M r. Ab ⋆ wiederholen, Randm.

11.–16. Reihe: »glatt rechts« (= Hinr. r, Rückr. li).

1.–16. Reihe fortlaufend wiederholen.

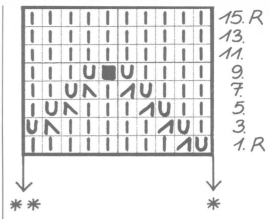

Nach dem Typenmuster arb. man in den Hinreihen fortlaufend von ⋆ bis ⋆⋆. In den Rückreihen alle M, auch die Umschläge, li str.

1.–16. Reihe fortlaufend wiederholen.

Zeichenerklärung siehe Seite 348.

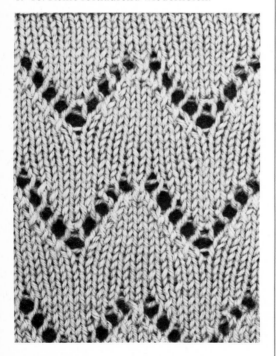

136

Maschenzahl durch 16 teilbar und 2 Randmaschen.

1. Reihe: Randm., 7 M r, ⋆ 1 Umschl., 2 M r zus.str., 14 M r. Ab ⋆ wiederholen. Die Reihe endet mit 1 Umschl., 2 M r zus.str., 7 M r, Randm.

2. Reihe und jede weitere Rückreihe: alle M, auch die Umschl., li str.

3. Reihe: Randm., 5 M r, ⋆ 1 Umschl., 2 M r zus.str., 2 M r, 1 Umschl., 2 M r zus.str., 10 M r. Ab ⋆ wiederholen. Die Reihe endet mit 1 Umschl., 2 M r zus.str., 2 M r, 1 Umschl., 2 M r zus.str., 5 M r, Randm.

5. Reihe: Randm., 3 M r, ⋆ 1 Umschl., 2 M r zus.str., 6 M r. Ab ⋆ wiederholen. Die Reihe endet mit 1 Umschl., 2 M r zus.str., 3 M r, Randm.

7. Reihe: Randm., 1 M r, ⋆ 1 Umschl., 2 M r zus.str., 10 M r, 1 Umschl., 2 M r zus.str., 2 M r. Ab ⋆ wiederholen. Die Reihe endet mit 1 Umschl., 2 M r zus.str., 10 M r, 1 Umschl., 2 M r zus.str., 1 M r, Randm.

9. Reihe: Randm., 15 M r, ⋆ 1 Umschl., 2 M r zus.str., 14 M r. Ab ⋆ wiederholen. Die Reihe endet mit 1 Umschl., 2 M r zus.str., 15 M r, Randm.

11. Reihe wie die 7. Reihe.

13. Reihe wie die 5. Reihe.

15. Reihe wie die 3. Reihe.

16. Reihe: alle M, auch die Umschl., li str.

1.–16. Reihe fortlaufend wiederholen.

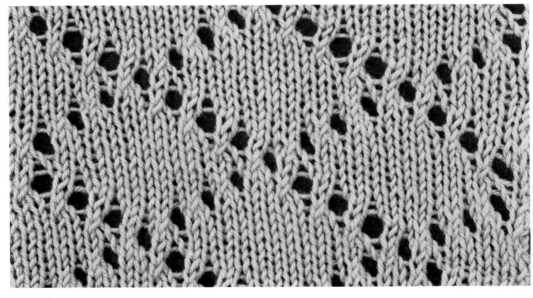

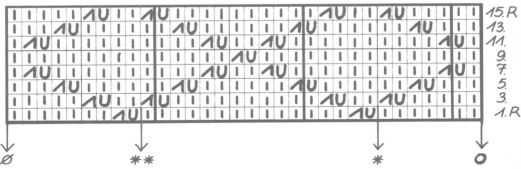

Nach dem Typenmuster arb. man in den Hinreihen 1mal von ○ bis ⋆, dann fortlaufend von ⋆ bis ⋆⋆ und 1mal von ⋆⋆ bis ⊘. In den Rückreihen alle M, auch die Umschläge, li str.
1.–16. Reihe fortlaufend wiederholen.
Zeichenerklärung siehe Seite 348.

137

Maschenzahl durch 10 teilbar und 5 M (3 M und 2 Randmaschen).

1. Reihe: Randm., 6 M r, ★ 1 Umschl., 2 M r zus.str., 8 M r. Ab ★ wiederholen. Die Reihe endet: 1 Umschl., 2 M r zus.str., 5 M r, Randm.

2. Reihe: li, auch die Umschl.

3. Reihe: Randm., 4 M r, ★ 2 M r zus.str., 1 Umschl., 1 M r, 1 Umschl., 1 M abh., 1 M r und die abgeh. M überz., 5 M r. Ab ★ wiederholen. Die Reihe endet: 2 M r zus.str., 1 Umschl., 1 M r, 1 Umschl., 1 M abh., 1 M r str. und die abgehobene M überz., 4 M r, Randm.

4. Reihe: li, auch die Umschl.

5. Reihe: Randm., ★ 3 M r, 2 M r zus.str., 1 Umschl., 3 M r, 1 Umschl., 1 M abh., 1 M r und die abgeh. M überz. Ab ★ wiederholen. Die Reihe endet: 3 M r, Randm.

6. Reihe: li, auch die Umschl.

7. Reihe: Randm., ★ 3 M li, 7 M r. Ab ★ wiederholen. Die Reihe endet: 3 M li, Randm.

8. Reihe: M str., wie sie erscheinen.

9. Reihe wie 7. Reihe.

10. Reihe: li.

1.–10. Reihe fortlaufend wiederholen.

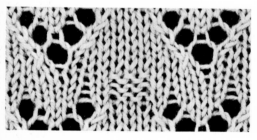

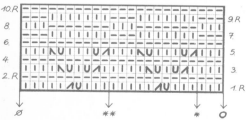

Nach dem Typenmuster arb. man in den Hinreihen 1mal von ○ bis ★, fortlaufend von ★ bis ★★ und 1mal von ★★ bis ∅. In den Rückreihen 1mal von ∅ bis ★★, fortlaufend von ★★ bis ★ und 1mal von ★ bis ○ str.

1.–10. Reihe fortlaufend wiederholen.

Zeichenerklärung siehe Seite 348.

138

Maschenzahl durch 6 teilbar und 6 M (4 M und 2 Randmaschen).

1. Reihe: Randm., ★ 4 M r, 2 M r zus.str., 1 Umschl. Ab ★ wiederholen. Die Reihe endet: 4 M r, Randm.

2. Reihe: Randm., 5 M li, ★ 1 Umschl., 2 M li zus.str., 4 M li. Ab ★ wiederholen. Die Reihe endet: 1 Umschl., 2 M li zus.str., 3 M li, Randm.

3. Reihe: Randm., 2 M r, ★ 2 M r zus.str., 1 Umschl., 4 M r. Ab ★ wiederholen. Die Reihe endet: 2 M r zus.str., 1 Umschl., Randm.

4. Reihe: Randm., ★ 4 M li, 2 M li zus.str., 1 Umschl. Ab ★ wiederholen. Die Reihe endet: 4 M li, Randm.

5. Reihe: Randm., 5 M r, ★ 1 Umschl., 1 M abh., 1 M r str. und die abgeh. M überziehen, 4 M r. Ab ★ wiederholen. Die Reihe endet: 1 Umschl., 1 M abh., 1 M r str. und die abgeh. M überziehen, 3 M r, Randm.

6. Reihe: Randm., 2 M li, ★ 2 M li zus.str., 1 Umschl., 4 M li. Ab ★ wiederholen. Die Reihe endet: 2 M li zus.str., 1 Umschl., Randm.

1.–6. Reihe fortlaufend wiederholen.

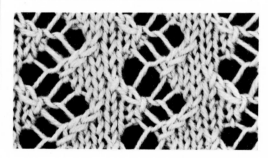

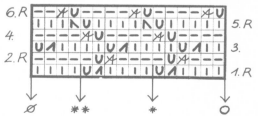

Nach dem Typenmuster arb. man in den Hinreihen 1mal von ○ bis ★, fortlaufend von ★ bis ★★ und 1mal von ★★ bis ∅. In den Rückreihen 1mal von ∅ bis ★★, fortlaufend von ★★ bis ★ und 1mal von ★ bis ○ str.

1.–6. Reihe fortlaufend wiederholen.

Zeichenerklärung siehe Seite 348.

139

Maschenzahl durch 11 teilbar und 2 Randmaschen.

1. Reihe: Randm., ⋆ 1 Umschl., 1 M abh., 1 M r str. und die abgeh. M überz., 1 Umschl., 1 M abh., 1 M r str. und die abgeh. M überz., 1 Umschl., 1 M abh., 1 M r str. und die abgeh. M überz., 1 Umschl., 1 M abh., 1 M r str. und die abgeh. M überz., 3 M r. Ab ⋆ wiederholen, Randm.

2. Reihe und jede weitere Rückreihe: alle M, auch die Umschl., li str.

3. Reihe: Randm., ⋆ 1 Umschl., 1 M abh., 1 M r str. und die abgeh. M überz., 9 M r. Ab ⋆ wiederholen, Randm.

5. Reihe wie die 3. Reihe.

7. Reihe: Randm., 1 Umschl., 1 M abh., 1 M r str. und die abgeh. M überz., ⋆ 3 M r, 1 Umschl., 1 M abh., 1 M r str. und die abgeh. M überz., 1 Umschl., 1 M abh., 1 M r str. und die abgeh. M überz., 1 Umschl., 1 M abh., 1 M r str. und die abgeh. M überz. Ab ⋆ wiederholen. Die Reihe endet mit 3 M r, 1 Umschl., 1 M abh., 1 M r str. und die abgeh. M überz., 1 Umschl., 1 M abh., 1 M r str. und die abgeh. M überz., 1 Umschl., 1 M abh., 1 M r str. und die abgeh. M überz., Randm.

9. Reihe: Randm., 5 M r, ⋆ 1 Umschl., 1 M abh., 1 M r str. und die abgeh. M überz., 9 M r. Ab ⋆ wiederholen. Die Reihe endet mit 1 Umschl., 1 M abh., 1 M r str. und die abgeh. M überz., 4 M r, Randm.

11. Reihe wie die 9. Reihe.

13. Reihe: Randm., 1 M r, 1 Umschl., 1 M abh., 1 M r str. und die abgeh. M überz., 1 Umschl., 1 M abh., 1 M r str. und die abgeh. M überz., 1 Umschl., 1 M abh., 1 M r str. und die abgeh. M überz., ⋆ 3 M r, 1 Umschl., 1 M abh., 1 M r str. und die abgeh. M überz., 1 Umschl., 1 M abh., 1 M r str. und die abgeh. M überz., 1 Umschl., 1 M abh., 1 M r str. und die abgeh. M überz. Ab ⋆ wiederholen. Die Reihe endet mit 4 M r, Randm.

15. Reihe: Randm., 10 M r, ⋆ 1 Umschl., 1 M abh., 1 M r str. und die abgeh. M überz., 9 M r. Ab ⋆ wiederholen. Die Reihe endet mit 1 Umschl., 1 M abh., 1 M r str. und die abgeh. M überz., 10 M r, Randm.

17. Reihe wie die 15. Reihe.

18. Reihe: alle M, auch die Umschl., li str.

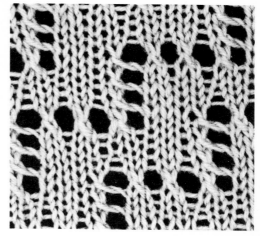

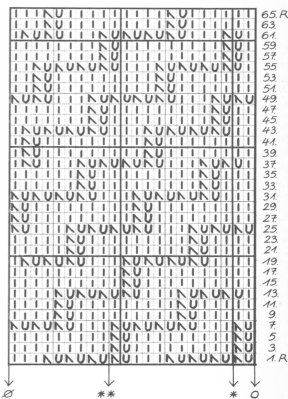

Nach Typenmuster in den Hinreihen bei ○ beginnen, fortlaufend von ⋆ bis ⋆⋆ str. und bei ⊘ enden. In den Rückreihen alle M, auch die Umschläge, li str.

1.–66. Reihe fortlaufend wiederholen.
Zeichenerklärung siehe Seite 348.

140

Maschenzahl durch 9 teilbar und 4 M (2 M und 2 Randmaschen).

1. Reihe: r.
2. Reihe: li.
3. Reihe: Randm., 3 M r, ∗ 1 M abh., 1 M r und die abgeh. M überz., 1 Umschl., 1 M r, 1 Umschl., 2 M r zus.str., 4 M r. Ab ∗ wiederholen. Die Reihe endet mit 1 M abh., 1 M r und die abgeh. M überz., 1 Umschl., 1 M r, 1 Umschl., 2 M r zus.str., 3 M r, Randm.
4. Reihe und jede weitere Rückreihe: alle M, auch die Umschl., li str.
5. Reihe: Randm., ∗ 2 M r, 1 M abh., 1 M r und die abgeh. M überz., 1 Umschl., 3 M r, 1 Umschl., 2 M r zus.str. Ab ∗ wiederholen. Die Reihe endet mit 2 M r, Randm.
7. Reihe: Randm., 4 M r, ∗ 1 Umschl., 2 M r zus.str., 7 M r. Ab ∗ wiederholen. Die Reihe endet mit 1 Umschl., 2 M r zus.str., 5 M r, Randm.
9. Reihe: Randm., 5 M r, ∗ 1 Umschl., 2 M r zus.str., 7 M r. Ab ∗ wiederholen. Die Reihe endet mit 1 Umschl., 2 M r zus.str., 4 M r, Randm.
11. Reihe: Randm., 6 M r, ∗ 1 Umschl., 2 M r zus.str., 7 M r. Ab ∗ wiederholen. Die Reihe endet mit 1 Umschl., 2 M r zus.str., 3 M r, Randm.
13. Reihe: Randm., ∗ 7 M r, 1 Umschl., 2 M r zus.str. Ab ∗ wiederholen. Die Reihe endet mit 2 M r, Randm.
14. Reihe: alle M, auch die Umschl., li str.
1.–14. Reihe fortlaufend wiederholen.

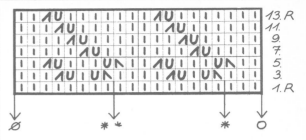

Nach dem Typenmuster strickt man in den Hinreihen 1mal von ○ bis ∗, dann fortlaufend von ∗ bis ∗∗ und 1mal von ∗∗ bis ∅. In den Rückreihen alle M, auch die Umschläge, li str.
1.–14. Reihe fortlaufend wiederholen.
Zeichenerklärung siehe Seite 348.

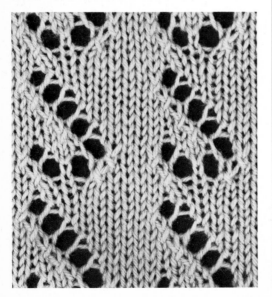

141

Maschenzahl durch 14 teilbar und 2 Randmaschen.

1. Reihe: Randm., ⋆ 8 M r, 3mal 2 M r verkreuzt abstr. (zuerst die 2. M r verdr. str., dabei muß die rechte Nd. hinter der ersten M vorbeigeführt und von hinten eingestochen werden – dann hochziehen und über die 1. M ziehen, dann erst die 1. M r str.). Ab ⋆ wiederholen, Randm.

2. Reihe: Randm., ⋆ 3mal 2 M li verkreuzt abstr. (wie in der 1. Reihe, nur li und die Nd. vor der ersten M vorbeiführen), 8 M li. Ab ⋆ wiederholen, Randm.

3. Reihe: Randm., 2 M r verkreuzt abstr., ⋆ 8 M r, 3mal 2 M r verkreuzt abstr. Ab ⋆ wiederholen. Die Reihe endet: 8 M r, 2mal 2 M r verkreuzt abstr., Randm.

4. Reihe: die verkreuzten M li verkreuzt abstr., die li M li str.

5. Reihe: Randm., 2mal 2 M r verkreuzt abstr., ⋆ 8 M r, 3mal 2 M r verkreuzt abstr. Ab ⋆ wieder-holen. Die Reihe endet: 8 M r, 2 M r verkreuzt abstr., Randm.

6. Reihe wie 4. Reihe.

7. Reihe: Randm., ⋆ 3mal 2 M r verkreuzt abstr., 8 M r. Ab ⋆ wiederholen, Randm.

8. Reihe wie 4. Reihe.

9. Reihe: Randm., 2 M r, ⋆ 3mal 2 M r verkreuzt abstr., 8 M r. Ab ⋆ wiederholen. Die Reihe endet: 3mal 2 M r verkreuzt abstr., 6 M r, Randm.

10. Reihe wie 4. Reihe.

11. Reihe: Randm., 4 M r, ⋆ 3mal 2 M r verkreuzt abstr., 8 M r. Ab ⋆ wiederholen. Die Reihe endet: 3mal 2 M r verkreuzt abstr., 4 M r, Randm.

12. Reihe wie 4. Reihe.

13. Reihe wie 9. Reihe.

14. Reihe wie 4. Reihe.

15. Reihe wie 7. Reihe.

16. Reihe wie 4. Reihe.

17. Reihe wie 5. Reihe.

18. Reihe wie 4. Reihe.

19. Reihe wie 3. Reihe.

20. Reihe wie 4. Reihe.

1.–20. Reihe fortlaufend wiederholen.

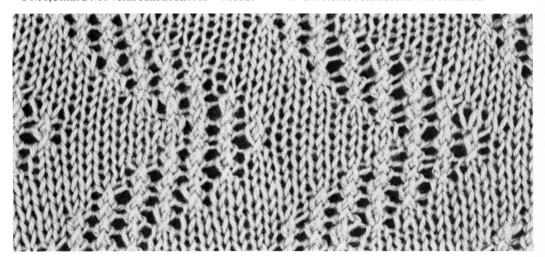

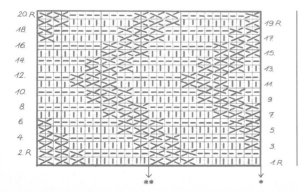

Nach dem Typenmuster in den Hinreihen fortlaufend von ⋆ bis ⋆⋆, in den Rückreihen fortlaufend von ⋆⋆ bis ⋆ str.

1.–20. Reihe fortlaufend wiederholen.

Zeichenerklärung siehe Seite 348.

142

Maschenzahl durch 14 teilbar und 9 M (7 M und 2 Randmaschen).
1. Reihe: Randm., ⋆ 8 M r, 1 Umschlag, 1 M abh., 2 M r, abgeh. M überz., 1 Umschl., 1 M abh., 2 M r, abgeh. M überz. Ab ⋆ wiederholen.

Die Reihe endet mit 7 M r, Randm.
2. Reihe: li.
3. Reihe: Randm., 7 M r, ⋆ 1 M abh., 2 M r, abgeh. M überz., 1 Umschl., 1 M abh., 2 M r und abgeh. M überz., 1 Umschl., 8 M r. Ab ⋆ wiederholen, Randm.
4. Reihe: li.
1.–4. Reihe fortlaufend wiederholen.

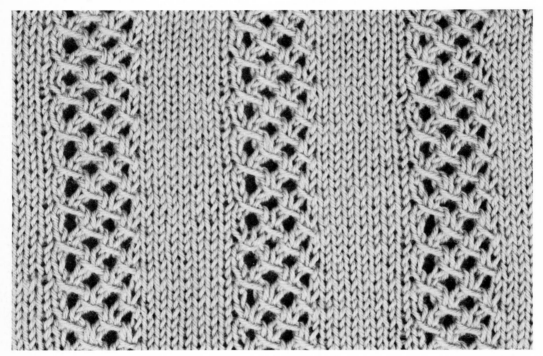

Nach dem Typenmuster str. man in den Hinreihen fortlaufend von ⋆ bis ⋆⋆ und 1mal von ⋆⋆ bis ∅. In den Rückreihen alle M, auch die Umschläge, li str.
1.–4. Reihe fortlaufend wiederholen.
Zeichenerklärung siehe Seite 348.

143

Maschenzahl durch 13 teilbar und 6 M (4 M und 2 Randmaschen).
1. Reihe: Randm., 3 M r, ⋆ 2 M r zus.str., 1 Umschl., 2 M r zus.str., 1 Umschl., 3 M r, 1 Umschl., 2 M r zus.str., 1 Umschl., 2 M r zus.-str., 2 M r. Ab ⋆ wiederholen und mit 1 M r, Randm. enden.
2. Reihe: li, auch die Umschl.
3. Reihe: Randm., ⋆ 4 M r, 2 M r zus.str., 1 Umschl., 2 M r zus.str., 1 Umschl., 1 M r, 1 Umschl., 2 M r zus.str., 1 Umschl., 2 M r zus.str. Ab ⋆ wiederholen. Die Reihe endet mit 4 M r, Randm.
4. Reihe: li, auch die Umschl.
1.–4. Reihe fortlaufend wiederholen.

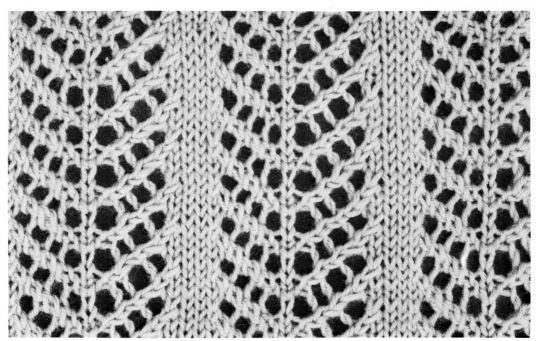

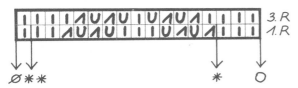

Nach dem Typenmuster str. man in den Hinreihen 1mal von ○ bis ⋆, fortlaufend von ⋆ bis ⋆⋆ und 1mal von ⋆⋆ bis ∅. In den Rückreihen alle M, auch die Umschläge, li str.
1.–4. Reihe fortlaufend wiederholen.
Zeichenerklärung siehe Seite 348.

144

Maschenzahl durch 11 teilbar und 4 M (2 M und 2 Randmaschen).

1. Reihe: Randm., 1 M r, ⋆ 1 Umschl., 1 M r, 1 M li, 1 M r, 2 M li, aus der nächsten M 5 M herausstr. (1 r, 1 li, 1 r, 1 li, 1 r), 2 M li, 1 M r, 1 M li, 1 M r. Ab ⋆ wiederholen. Die Reihe endet: 1 Umschl., 1 M r, Randm.

2. Reihe: M str., wie sie erscheinen. Umschl. r, die 1. und 5. der fünf zugenommenen M li, die 3 M dazwischen r.

3. Reihe: Randm., 1 M r, ⋆ 1 Umschl., in die beiden nächsten M einstechen, als wollte man sie rechts zus.str., sie jedoch nur auf die r Nadel und von dieser wieder auf die li Nadel heben, so daß jetzt die 2. M vorne ist. Nun werden diese beiden M mit der 3. M r verdr. zus.gestr., 1 M r, 2 M li, 1 M r, 1 M li, aus der nächsten M 3 M herausstr. (1 r, 1 li, 1 r), 1 M li, 1 M r, 2 M li, 1 M r, 2 M r zus.str. Ab ⋆ wiederholen. Die Reihe endet: 1 Umschl. 2 M r zus.str., Randm.

4. Reihe: M str., wie sie erscheinen, Umschl. und die 3 zugenommenen M r.

5. Reihe: Randm., 1 M r, ⋆ 1 Umschl., 3 M zus.str. wie in der 3. Reihe beschrieben, 2 M li, 1 M r, 5 M li, 1 M r, 2 M li, 2 M r zus.str. Ab ⋆ wiederholen. Die Reihe endet: 1 Umschl., 2 M r zus.str., Randm.

6. Reihe: M str., wie sie erscheinen, Umschl. r.

7. Reihe: Randm., 1 M r, ⋆ 1 Umschl., 3 M zus.str., wie in der 3. Reihe beschrieben, 1 M li, 1 M r, 2 M li, aus der nächsten M 5 M herausstr., 2 M li, 1 M r, 1 M li, 2 M r zus.str. Ab ⋆ wiederholen. Die Reihe endet: 1 Umschl., 2 M r zus.str. Randm.

8. Reihe wie 2. Reihe.

3.–8. Reihe fortlaufend wiederholen.

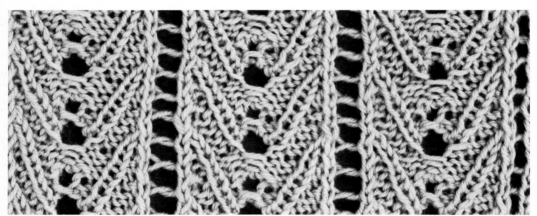

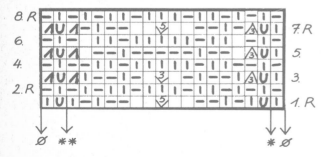

Nach dem Typenmuster in den Hinreihen bei ○ beginnen, fortlaufend von ⋆ bis ⋆⋆ str. und bei ∅ enden. In den Rückreihen bei ∅ beginnen, fortlaufend von ⋆⋆ bis ⋆ str., bei ○ enden. 3.–8. Reihe fortlaufend wiederholen. Zeichenerklärung siehe Seite 348.

145

Maschenzahl durch 18 teilbar und 3 M (1 M und 2 Randmaschen).

1. Reihe: Randm., 2 M r zus.str., 4 M r, 1 Umschl., 1 M r, ★ 6 M r, 1 Umschl., 4 M r, 1 M abheben, 2 M r zus.str. und die abgeh. M überziehen, 4 M r, 1 Umschl., 1 M r. Ab ★ wiederholen. Die Reihe endet: 6 M r, 1 Umschl., 4 M r, 1 M abh., 1 M r str. und die abgeh. M überz., Randm.

2. Reihe: Randm., 5 M li, 2 M r, 5 M li, ★ 2 M r, 9 M li, 2 M r, 5 M li. Ab ★ wiederholen. Die Reihe endet: 2 M r, 5 M li, Randm.

3. Reihe: Randm., 2 M r zus.str., 3 M r, 1 Umschl., 2 M r, ★ 7 M r, 1 Umschl., 3 M r, 1 M abh., 2 M r zus.str. und die abgeh. M überz., 3 M r, 1 Umschl., 2 M r. Ab ★ wiederholen. Die Reihe endet: 7 M r, 1 Umschl., 3 M r, 1 M abh., 1 M r str. und die abgeh. M überz., Randm.

4. Reihe: Randm., 4 M li, 3 M r, 5 M li, ★ 3 M r, 7 M li, 3 M r, 5 M li. Ab ★ wiederholen. Die Reihe endet: 3 M r, 5 M li, Randm.

5. Reihe: Randm., 2 M r zus.str., 2 M r, 1 Umschl., 3 M r, ★ 8 M r, 1 Umschl., 2 M r, 1 M abh., 2 M r zus.str. und die abgeh. M überz., 2 M r, 1 Umschl., 3 M r. Ab ★ wiederholen. Die Reihe endet: 8 M r, 1 Umschl., 2 M r, 1 M abh., 1 M r str. und die abgeh. M überz., Randm.

6. Reihe: Randm., 3 M li, 4 M r, 5 M li, ★ 4 M r, 5 M li, 4 M r, 5 M li. Ab ★ wiederholen. Die Reihe endet: 4 M r, 3 M li, Randm.

7. Reihe: Randm., 2 M r zus.str., 1 M r, 1 Umschl., 4 M r, ★ 9 M r, 1 Umschl., 1 M r, 1 M abh., 2 M r zus.str. und die abgeh. M überz., 1 M r, 1 Umschl., 4 M r. Ab ★ wiederholen. Die Reihe endet: 9 M r, 1 Umschl., 1 M r, 1 M abh., 1 M r str. und die abgeh. M überz., Randm.

8. Reihe: Randm., 2 M li, 5 M r, 5 M li, ★ 5 M r, 3 M li, 5 M r, 5 M li. Ab ★ wiederholen. Die Reihe endet: 5 M r, 2 M li, Randm.

9. Reihe: Randm., 2 M r zus.str., 1 Umschl., 5 M r, ★ 10 M r, 1 Umschl., 1 M abh., 2 M r zus.str. und die abgeh. M überz., 1 Umschl., 5 M r. Ab ★ wiederholen. Die Reihe endet: 10 M r, 1 Umschl., 1 M abh., 1 M r str. und die abgeh. M überz., Randm.

10. Reihe: Randm., 1 M li, 6 M r, 5 M li, ★ 6 M r, 1 M li, 6 M r, 5 M li. Ab ★ wiederholen. Die Reihe endet: 6 M r, 1 M li, Randm.

1.–10. Reihe fortlaufend wiederholen.

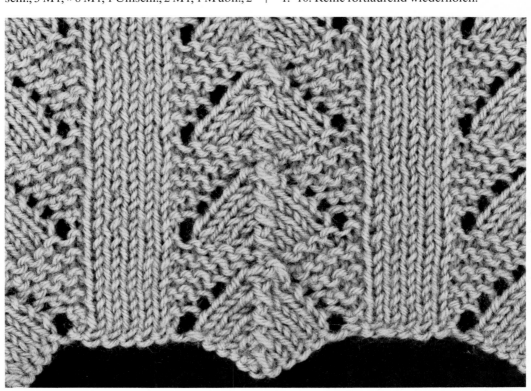

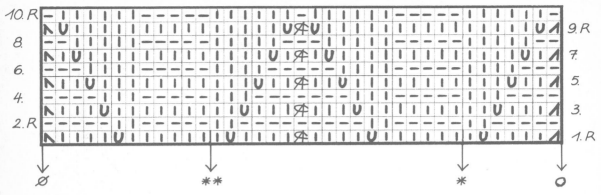

Nach dem Typenmuster arb. man in den Hinreihen 1mal von ○ bis ★, fortlaufend von ★ bis ★★ und 1mal von ★★ bis ∅. In den Rückreihen 1mal von ∅ bis ★★, fortlaufend von ★★ bis ★ und 1mal von ★ bis ○ str.
1.–10. Reihe fortlaufend wiederholen.
Zeichenerklärungen siehe Seite 348.

Typenmuster zu Muster 145.

146

Maschenzahl durch 6 teilbar und 2 Randmaschen.
1. Reihe: Randm., ★ 1 Umschl., 2 M r, 2 M r zus.str., 2 M r. Ab ★ wiederholen, Randm.
2. Reihe: Alle M li str., auch die Umschl.
3. Reihe: Randm., ★ 2 M r, 2 M r zus.str., 2 M r, 1 Umschl. Ab ★ wiederholen, Randm.
4. Reihe wie 2. Reihe.
1.–4. Reihe fortlaufend wiederholen.

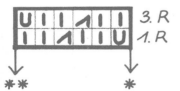

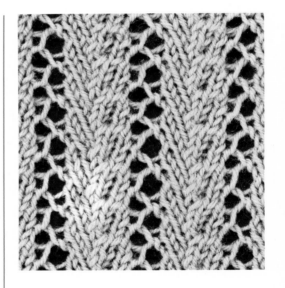

Nach dem Typenmuster arbeitet man in den Hinreihen fortlaufend von ★ bis ★★. In den Rückreihen alle M, auch die Umschl., li str.
1.–4. Reihe fortlaufend wiederholen.
Zeichenerklärung siehe Seite 348.

147

Maschenzahl durch 19 teilbar und 8 M (6 M und 2 Randmaschen).

1. Reihe: Randm., ⋆ 1 M r, 1 Umschl., 2 M r verdreht zus.str., 2 M r zus.str., 1 Umschl., 1 M r, 1 Umschl., 3 M li, 2 M r, 3 M r zus.str., 2 M r, 3 M li, 1 Umschl., ab ⋆ wdh., 1 M r, 1 Umschl., 2 M r verdr. zus.str., 2 M r zus.str., 1 Umschl., 1 M r, Randm.

2. Reihe: Randm., 6 M li, ⋆ den Umschl. der Vorreihe r verdr. str., 3 M r, 5 M li, 3 M r, den Umschl. der Vor-R r verdr. str., 6 M li, ab ⋆ wdh., Randm.

3. Reihe: Randm., ⋆ 1 M r, 1 Umschl., 2 M r verdr. zus.str., 2 M r zus.str., 1 Umschl., 1 M r, 1 Umschl., 4 M li, 1 M r, 3 M r zus.str., 1 M r, 4 M li, 1 Umschl., ab ⋆ wdh. 1 M r, 1 Umschl., 2 M r verdr. zus.str., 2 M r zus.str., 1 Umschl., 1 M r, Randm.

4. Reihe: Randm., 6 M li, ⋆ den Umschl. der Vor-R r verdr. str., 4 M r, 3 M li, 4 M r, den Umschl. der Vor-R r verdr. str., 6 M li, ab ⋆ wdh., Randm.

5. Reihe: Randm., ⋆ 1 M r, 1 Umschl., 2 M r verdr. zus.str., 2 M r zus.str., 1 Umschl., 1 M r, 1 Umschl., 5 M li, 3 M r zus.str., 5 M li, 1 Umschl., ab ⋆ wdh., 1 M r, 1 Umschl., 2 M r verdr. zus.str., 2 M r zus.str., 1 Umschl., 1 M r, Randm.

6. Reihe: Randm., 6 M li, ⋆ den Umschl. der Vor-R r verdr. str., 6 M li, ab ⋆ wdh., Randm.

1.–6. Reihe fortlaufend wiederholen.

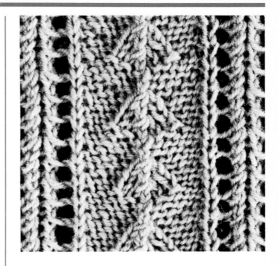

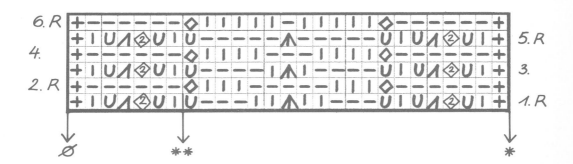

Nach dem Typenmuster arb. man in den Hinreihen fortlaufend von ⋆ bis ⋆⋆ und 1mal von ⋆⋆ bis ∅. In den Rückreihen 1mal von ∅ bis ⋆⋆, dann fortlaufend von ⋆⋆ bis ⋆ str.

1.–6. Reihe fortlaufend wiederholen.

Zeichenerklärung siehe Seite 348.

148

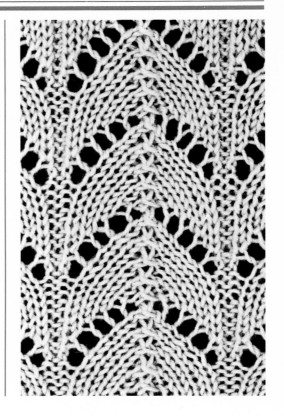

Maschenzahl durch 13 teilbar und 4 M (2 M und 2 Randmaschen).

1. Reihe: Randm., ⋆ 2 M li, 1 Umschl., 4 M r, 1 M abh., 2 M r zus.str., und die abgeh. M überz., 4 M r, 1 Umschl. Ab ⋆ wiederholen. Die Reihe endet: 2 M li, Randm.

2. Reihe und jede weitere Rückreihe: M str., wie sie erscheinen, Umschl. li.

3. Reihe: Randm., ⋆ 2 M li, 1 M r, 1 Umschl., 3 M r, 1 M abh., 2 M r zus.str. und die abgeh. M überz., 3 M r, 1 Umschl., 1 M r. Ab ⋆ wiederholen. Die Reihe endet: 2 M li, Randm.

5. Reihe: Randm., ⋆ 2 M li, 2 M r, 1 Umschl., 2 M r, 1 M abh., 2 M r zus.str. und die abgeh. M überz., 2 M r, 1 Umschl., 2 M r. Ab ⋆ wiederholen. Die Reihe endet: 2 M li, Randm.

7. Reihe: Randm., ⋆ 2 M li, 3 M r, 1 Umschl., 1 M r, 1 M abh., 2 M r zus.str. und die abgeh. M überz., 1 M r, 1 Umschl., 3 M r. Ab ⋆ wiederholen. Die Reihe endet: 2 M li, Randm.

9. Reihe: Randm., ⋆ 2 M li, 4 M r, 1 Umschl., 1 M abh., 2 M r zus.str. und die abgeh. M überz., 1 Umschl., 4 M r. Ab ⋆ wiederholen. Die Reihe endet: 2 M li, Randm.

1.–10. Reihe fortlaufend wiederholen.

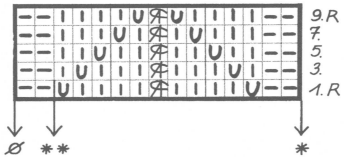

Nach dem Typenmuster arb. man in den Hinreihen fortlaufend von ⋆ bis ⋆⋆ und 1mal von ⋆⋆ bis ∅. In den Rückreihen die M str., wie sie erscheinen, Umschl. li str.

1.–10. Reihe fortlaufend wiederholen.

Zeichenerklärung siehe Seite 348.

149

Maschenzahl durch 16 teilbar und 4 M (2 M und 2 Randmaschen).

1. Reihe: Randm., ⋆ 2 M li, 3 M r, 2 M r zus.str., 1 M r, 1 Umschl., 2 M li, 1 Umschl., 1 M r, 1 M abh., 1 M r str. und die abgeh. M überziehen, 3 M r. Ab ⋆ wiederholen. Die Reihe endet mit 2 M li. Randm.

2. Reihe und alle folg. Rückreihen: 2 M r, 6 M li im Wechsel. Die Reihen enden mit 2 M r, Randm.

3. Reihe: Randm., ⋆ 2 M li, 2 M r, 2 M r zus.str., 1 M r, 1 Umschl., 1 M r, 2 M li, 1 M r, 1 Umschl., 1 M r, 1 M abh., 1 M r und die abgeh. M überz., 2 M r. Ab ⋆ wiederholen. Die Reihe endet mit 2 M li, Randm.

5. Reihe: Randm., ⋆ 2 M li, 1 M r, 2 M r zus.str., 1 M r, 1 Umschl., 2 M r, 2 M li, 2 M r, 1 Umschl., 1 M r, 1 M abh., 1 M r und die abgeh. M überz., 1 M r. Ab ⋆ wiederholen. Die Reihe endet mit 2 M li, Randm.

7. Reihe: Randm., ⋆ 2 M li, 2 M r zus.str., 1 M r, 1 Umschl., 3 M r, 2 M li, 3 M r, 1 Umschl., 1 M r, 1 M abh., 1 M r und die abgeh. M überz. Ab ⋆ wiederholen. Die Reihe endet mit 2 M li, Randm.

1.–8. Reihe fortlaufend wiederholen.

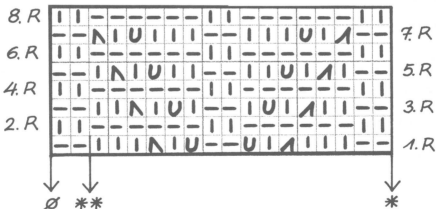

Nach dem Typenmuster arb. man in den Hinreihen fortlaufend von ⋆ bis ⋆⋆ und 1mal von ⋆⋆ bis ∅. In den Rückreihen 1mal von ∅ bis ⋆⋆, dann fortlaufend von ⋆⋆ bis ⋆ str.
1.–8. Reihe fortlaufend wiederholen.
Zeichenerklärung siehe Seite 348.

150

Maschenzahl durch 14 teilbar und 4 M (2 M und 2 Randmaschen)
1. Reihe: Randm., ★ 2 M li, 4 M r, 2 M r zus.str., 2 Umschl., 1 M abh., 1 M r str. und die abgehobene M überziehen, 4 M r. Ab ★ wiederholen. Die Reihe endet mit 2 M li, Randm.
2. Reihe: Randm., 2 M r, ★ 3 M li, 2 M li verdreht zus.-str., 2 Umschl., den doppelten Umschlag der Vorreihe li abh., (als 1 Umschl.), 2 M li zus.str., 3 M li, 2 M r. Ab ★ wiederholen, Randm.
3. Reihe: Randm., ★ 2 M li, 2 M r, 2 M r zus.str., 2 Umschl., die Umschl. der 1. und 2. Reihe li abh. (als 2 Umschl.), 1 M abh., 1 M r str. und die abgeh. M überziehen, 2 M r. Ab ★ wiederholen. Die Reihe endet mit 2 M li, Randm.
4. Reihe: Randm., 2 M r, ★ 1 M li, 2 M li verdreht zus.str., 2 Umschl., die Umschl. der Vorreihen (als 3 Umschl.) li abh., 2 M li zus.str., 1 M li, 2 M

r, Ab ★ wiederholen, Randm.
5. Reihe: Randm., ★ 2 M li, 2 M r zus.str., 2 Umschl., die Umschl. der Vorreihen (als 4 Umschl.) li abh., 1 M abh., 1 M r str. und die abgeh. M überziehen. Ab ★ wiederholen. Die Reihe endet mit 2 M li, Randm.
6. Reihe: Randm., 2 M r, ★ 1 M li, 4 Umschl., die Umschl. der Vorreihen (als 5 Umschl.) zus.str., indem man 1 li M und 1 r M herausstrickt, 4 Umschl., 1 M li, 2 M r. Ab ★ wiederholen, Randm.
7. Reihe: Randm., ★ 2 M li, 1 M r, aus den 4 Umschl. 4 M r verdr. str., 2 M r, 4 M verdr. aus den nächsten Umschl. 1 M r. Ab ★ wiederholen. Die Reihe endet mit 2 M li, Randm.
8. Reihe: Randm., 2 M r, ★ 12 M li, 2 M r. Ab ★ wiederholen, Randm.
9. Reihe: Randm., ★ 2 M li, 12 M r. Ab ★ wiederholen. Die Reihe endet mit 2 M li, Randm.
10. Reihe wie 8. Reihe.
1.–10. Reihe fortlaufend wiederholen.

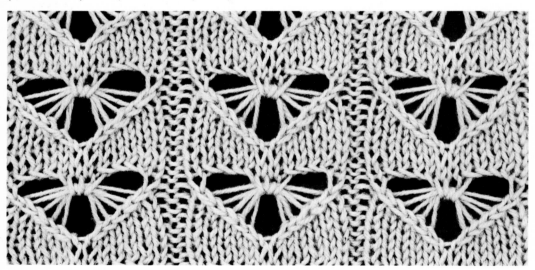

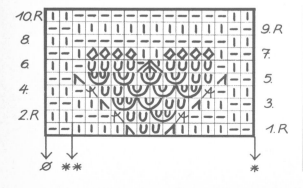

Nach dem Typenmuster arb. man in den Hinreihen fortlaufend von ★ bis ★★ und 1mal von ★★ bis ∅. In den Rückreihen str. man 1mal von ∅ bis ★★, dann fortlaufend von ★★ bis ★.
1.–10. Reihe fortlaufend wiederholen.
Zeichenerklärung siehe Seite 348.

151

11 Maschen breiter Durchbruchstreifen.
1. Reihe: 1 Umschl., 1 M r abh., 2 M r zus.str.
und die abgeh. M überz., 1 Umschl., 5 M r,
1 Umschl., 1 M r abh., 2 M r zus.str. und die abgeh. M überz., 1 Umschl.
2. Reihe und jede weitere Rückreihe: alle M,
auch die Umschl., li str.
3. Reihe wie die 1. Reihe.
5. Reihe: 3 M r, 1 Umschl., 1 M r abh., 1 M r str.
und die abgeh. M überz., 1 M r, 2 M r zus.str.,
1 Umschl., 3 M r.
7. Reihe: 1 Umschl., 1 M r abh., 2 M r zus.str.
und die abgeh. M überz., 1 Umschl., 1 M r,
1 Umschl., 1 M r abh., 2 M r zus.str. und die abgeh. M überz., 1 Umschl., 1 M r, 1 Umschl., 1 M r
abh., 2 M r zus.str. und die abgeh. M überz.,
1 Umschl.
8. Reihe: alle M, auch die Umschl., li str.
1.–8. Reihe fortlaufend wiederholen.
Zwischen die einzelnen Durchbruchstreifen
können »glatt r«, »glatt li« oder wie auf unserer
Abb. »kraus« gestrickte Streifen von beliebiger
Breite gearb. werden.

Man arb. in den Hinreihen nach dem Typenmuster. In den Rückreihen alle M li str., auch die
Umschläge.
1.–8. Reihe fortlaufend wiederholen.
Zeichenerklärung siehe Seite 348.

152

13 Maschen breiter Durchbruchstreifen.
1. Reihe: 1 M r, 1 Umschl., 1 M r, 1 Umschl., 1 M
abh., 1 M r und die abgeh. M überziehen, 5 M r,
2 M r zus.str., 1 Umschl., 1 M r, 1 Umschl., 1 M r.
2. Reihe und alle folg. Rückr.: Alle M, auch die
Umschl., li str.
3. Reihe: 1 M r, 1 Umschl., 3 M r, 1 Umschl., 1 M
abh., 1 M r und die abgeh. M überziehen, 3 M r,
2 M r zus. str., 1 Umschl., 3 M r, 1 Umschlag,
1 M r.
5. Reihe: 1 M r, 1 Umschl., 1 M abh., 1 M r und
die abgeh. M überziehen, 1 M r, 2 M r zus.str.,
1 Umschl., 1 M abh., 1 M r und die abgeh. M
überziehen, 1 M r, 2 M r zus.str., 1 Umschl., 1 M
abh., 1 M r und die abgeh. M überziehen, 1 M r,
2 M r zus.str., 1 Umschl., 1 M r.
7. Reihe: 1 M r, 1 Umschl., 1 M abh., 1 M r und
die abgeh. M überziehen, 1 M r, 2 M r zus.str.,
1 Umschl., 1 M abh., 2 M r zus.str. und die abgeh. M überziehen, 1 Umschl., 1 M abh., 1 M r
und die abgeh. M überziehen, 1 M r, 2 M r
zus.str., 1 Umschl., 1 M r.
9. Reihe: 1 M r, 1 Umschl., 1 M abh., 1 M r und
die abgeh. M überziehen, 1 M r, 2 M r zus.str.,
1 Umschl., 1 M r, 1 Umschl., 1 M abh., 1 M r und
die abgeh. M überziehen, 1 M r, 2 M r zus.str.,
1 Umschl., 1 M r.
11. Reihe wie 9. Reihe.
1.–12. Reihe fortlaufend wiederholen.

Man arb. in den Hinreihen nach dem Typenmuster. In den Rückreihen alle M, auch die Umschläge, li str. Die leeren Kästchen im Typenmuster haben keine Bedeutung.
1.–12. Reihe fortlaufend wiederholen.
Zeichenerklärung siehe Seite 348.

153

Maschenzahl durch 17 teilbar und 8 M (6 M und 2 Randmaschen).

1. Reihe: Randm., ⋆ 1 M li, 2 M r, 1 Umschl., 2 M r verdr. zus.str., 1 M li, 1 Umschl., 1 M r, 1 Umschl., 3 M r zus.str., 3 M r, 3 M r zus.str., 1 Umschl., 1 M r, 1 Umschl. Ab ⋆ wiederholen. Die Reihe endet: 1 M li, 2 M r, 1 Umschl, 2 M r verdr. zus.str., 1 M li, Randm.

2. Reihe: Randm., ⋆ 1 M r, 2 M li, 1 Umschl., 2 M r zus.str., 1 M r, 11 M li. Ab ⋆ wiederholen. Die Reihe endet: 1 M r, 2 M li, 1 Umschl., 2 M r zus.str., 1 M r, Randm.

3. Reihe: Randm., ⋆ 1 M li, 2 M r, 1 Umschl., 2 M r verdr. zus.str., 1 M li, 1 Umschl., 3 M r, 1 Umschl., 1 M abh., 1 M r und die abgeh. M überz., 1 M r, 2 M r zus.str., 1 Umschl., 3 M r, 1 Umschl. Ab ⋆ wiederholen. Die Reihe endet: 1 M li, 2 M r, 1 Umschl., 2 M r verdr. zus.str., 1 M li, Randm.

4. Reihe: Randm., ⋆ 1 M r, 2 M li, 1 Umschl., 2 M r zus.str., 1 M r, 13 M li. Ab ⋆ wiederholen. Die Reihe endet: 1 M r, 2 M li, 1 Umschl., 2 M r zus.str., 1 M r, Randm.

5. Reihe: Randm., ⋆ 1 M li, 2 M r, 1 Umschl., 2 M r verdr. zus.str., 1 M li, 1 Umschl., 1 M abh., 1 M r und die abgeh. M überz., 1 M r, 2 M r zus.str., 1 Umschl., 3 M r zus.str., 1 Umschl., 1 M abh., 1 M r str. und die abgeh. M überz., 1 M r, 2 M r zus.str., 1 Umschl.

Ab ⋆ wiederholen. Die Reihe endet: 1 M li, 2 M r, 1 Umschl., 2 M r verdr. zus.str., 1 M li, Randm.

6. Reihe wie 2. Reihe.

7. Reihe: Randm., ⋆ 1 M li, 2 M r, 1 Umschl., 2 M r verdr. zus.str., 1 M li, 1 Umschl., 1 M abh., 1 M r str. und die abgeh. M überz., 1 M r, 2 M r zus.str., 1 Umschl., 1 M r, 1 Umschl., 1 M abh., 1 M r und die abgeh. M überz., 1 M r, 2 M r zus.str., 1 Umschl. Ab ⋆ wiederholen. Die Reihe endet: 1 M li, 2 M r, 1 Umschl., 2 M r verdr. zus.str., 1 M li, Randm.

8. und 10. Reihe wie 2. Reihe.

9. Reihe wie 7. Reihe.

1.–10. Reihe fortlaufend wiederholen.

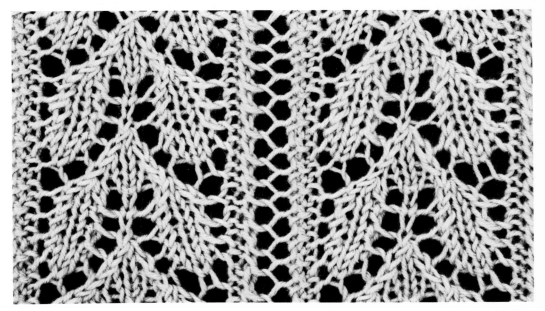

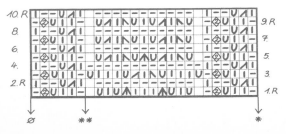

Nach dem Typenmuster arb. man in den Hinreihen fortlaufend von ⋆ bis ⋆⋆ und 1mal von ⋆⋆ bis ∅. In den Rückreihen str. man 1mal von ∅ bis ⋆⋆, dann fortlaufend von ⋆⋆ bis ⋆. Die leeren Kästchen im Typenmuster haben keine Bedeutung.

1.–10. Reihe fortlaufend wiederholen.

Zeichenerklärung siehe Seite 348.

154

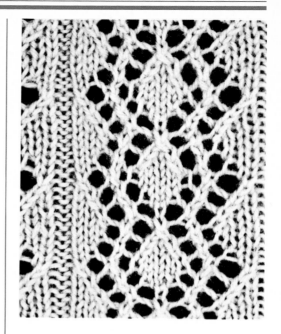

Maschenzahl durch 15 teilbar und 4 M (2 M und 2 Randmaschen).

1. Reihe: Randm., ⋆ 2 M li, 2 M r, 2 M r zus.str., 1 Umschl., 2 M r zus.str., 1 Umschl., 1 M r, 1 Umschl., 1 M abh., 1 M r str. und die abgeh. M überz., 1 Umschl., 1 M abh., 1 M r und die abgeh. M überz., 2 M r. Ab ⋆ wiederholen. Die Reihe endet mit 2 M li, Randm.

2. Reihe und jede weitere Rückreihe: Randm., 2 M r., ⋆ 13 M li, 2 M r. Ab ⋆ wiederholen, Randm.

3. Reihe: Randm., ⋆ 2 M li, 1 M r, 2 M r zus.str., 1 Umschl., 2 M r zus.str., 1 Umschl., 3 M r, 1 Umschl., 1 M abh., 1 M r und die abgeh. M überz., 1 Umschl., 1 M abh., 1 M r und die abgeh. M überz., 1 M r. Ab ⋆ wiederholen. Die Reihe endet mit 2 M li, Randm.

5. Reihe: Randm., ⋆ 2 M li, 2 M r zus.str., 1 Umschl., 2 M r zus.str., 1 Umschl., 5 M r, 1 Umschl., 1 M abh., 1 M r und die abgeh. M überz., 1 Umschl., 1 M abh., 1 M r und die abgeh. M überz. Ab ⋆ wiederholen. Die Reihe endet mit 2 M li, Randm.

7. Reihe: Randm., ⋆ 2 M li, 2 M r, 1 Umschl., 1 M abh., 1 M r und die abgeh. M überz., 1 Umschl., 1 M abh., 1 M r und die abgeh. M überz., 1 M r, 2 M r zus.str., 1 Umschl., 2 M r zus.str., 1 Umschl., 2 M r. Ab ⋆ wiederholen. Die Reihe endet mit 2 M li, Randm.

9. Reihe: Randm., ⋆ 2 M li, 3 M r, 1 Umschl., 1 M abh., 1 M r und die abgeh. M überz., 1 Umschl., 1 M abh., 2 M r zus.str. und die abgeh. M überz., 1 Umschl., 2 M r zus.str., 1 Umschl., 3 M r. Ab ⋆ wiederholen. Die Reihe endet mit 2 M li, Randm. 1.–10. Reihe fortlaufend wiederholen.

Nach dem Typenmuster arb. man in den Hinreihen fortlaufend von ⋆ bis ⋆⋆ und 1mal von ⋆⋆ bis ∅. In den Rückreihen die M str., wie sie erscheinen, Umschläge li str.
1.–10. Reihe fortlaufend wiederholen.
Zeichenerklärung siehe Seite 348.

155

Maschenzahl durch 6 teilbar und 3 M (1 M und 2 Randmaschen).
1. Reihe: Randm., 1 M r, 2 M r zus.str., ⋆ umschl., 1 M r, umschl., 1 M abh., 1 M r str. und die abgehobene M überziehen. 1 M r, 2 M r zus.str. Ab ⋆ wiederholen. Die Reihe endet: umschl., 1 M r, umschl., 1 M abh., 1 M r str. und die abgehobene M überziehen, 1 M r, Randm.
2. Reihe und jede weitere Rückreihe: alle M, auch die Umschl., li str.
3., 5., 7., 9. und 11. Reihe wie die 1. Reihe.
13. Reihe: Randm., ⋆ 1 M r, umschl., 1 M abh., 1 M r str. und die abgehobene M überziehen, 1 M r, 2 M r zus.str., umschl. Ab ⋆ wiederholen, 1 M r, Randm.
15., 17., 19., 21. und 23. Reihe wie die 13. Reihe.
1.–24. Reihe fortlaufend wiederholen.

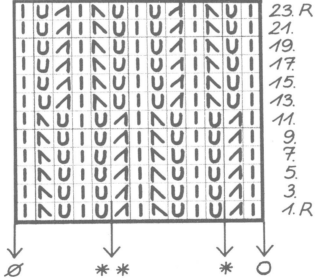

Nach dem Typenmuster arbeitet man in den Hinreihen 1mal von ○ bis ⋆, fortlaufend von ⋆ bis ⋆⋆ und 1mal von ⋆⋆ bis ∅. In den Rückreihen alle M, auch die Umschläge, li str.
1.–24. Reihe fortlaufend wiederholen.
Zeichenerklärung siehe Seite 348.

156

Maschenzahl durch 6 teilbar und 2 Randmaschen.

1. Reihe: Randm., ⋆ umschl., 1 M abh., 2 M r zus.str. und die abgehobene M überziehen, umschl., 3 M r. Ab ⋆ wiederholen, Randm.
2. Reihe: alle M, auch die Umschl., li str.
3. Reihe: Randm., ⋆ 3 M r, umschl., 1 M abh., 2 M r zus.str. und die abgehobene M überziehen, umschl. Ab ⋆ wiederholen, Randm.
4. Reihe: alle M, auch die Umschl., li str.
1.–4. Reihe fortlaufend wiederholen.

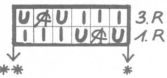

Man str. in den Hinreihen nach dem Typenmuster fortlaufend von ⋆ bis ⋆⋆. In den Rückreihen alle M, auch die Umschläge, li str.
1.–4. Reihe fortlaufend wiederholen.
Zeichenerklärung siehe Seite 348.

157

Maschenzahl durch 5 teilbar und 2 Randmaschen.

1. Reihe: rechts.
2. Reihe: links.
3. Reihe: Randm., ⋆ aus der folg. M 4 M herausstr., und zwar 1 r M, 1 li M, 1 r M, 1 li M, dann 4 M r. Ab ⋆ wiederholen, Randm.
4. Reihe: links.
5. Reihe: Randm., ⋆ 4 M r, die folg. 4 M r zus.str. Ab ⋆ wiederholen. Randm.
6. Reihe: links
7. Reihe: Randm., ⋆ 4 M r, aus der nächsten M 4 M herausstr., wie in der 3. Reihe beschrieben. Ab ⋆ wiederholen, Randm.
8. Reihe: links.
9. Reihe: Randm., ⋆ 4 M r zus.str., 4 M r. Ab ⋆ wiederholen, Randm.
10. Reihe: links.
3.–10. Reihe fortlaufend wiederholen.

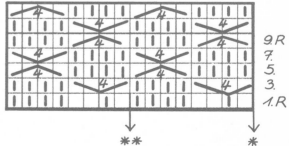

Nach dem Typenmuster in den Hinreihen fortlaufend von ⋆ bis ⋆⋆ arb., in den Rückreihen alle M links str.
3.–10. Reihe fortlaufend wiederholen.
Zeichenerklärung siehe Seite 348.

158

Maschenzahl durch 12 teilbar und 2 Randmaschen.

1. Reihe: Randm., ⋆ 4 M r, umschl., 1 M abh., 1 M r und die abgehobene M überziehen, umschl., 1 M abh., 1 M r und die abgehobene M überziehen. umschl., 1 M abh., 1 M r und die abgehobene M überziehen, umschl., 1 M abh., 1 M r und die abgehobene M überziehen. Ab ⋆ wiederholen, Randm.

2. Reihe und jede weitere Rückreihe: alle M, auch die Umschl., li str.

3. Reihe: Randm., 5 M r, ⋆ umschl., 1 M abh., 1 M r und die abgehobene M überziehen, umschl., 1 M abh., 1 M r und die abgehobene M überziehen, umschl., 1 M abh., 1 M r und die abgehobene M überziehen, 6 M r. Ab ⋆ wiederholen. Die Reihe endet: umschl., 1 M abh., 1 M r und die abgehobene M überziehen, umschl., 1 M abh., 1 M r und die abgeh. M überz., umschl., 1 M abh., 1 M r und die abgeh. M überz., 1 M r, Randm.

5. Reihe: Randm., 6 M r, ⋆ umschl., 1 M abh., 1 M r und die abgehobene M überziehen, umschl., 1 M abh., 1 M r und die abgehobene M überziehen, 8 M r. Ab ⋆ wiederholen. Die Reihe endet: umschl., 1 M abh., 1 M r und die abgeh. M überz., umschl., 1 M abh., 1 M r und die abgeh. M überz., 2 M r, Randm.

7. Reihe: Randm., 7 M r, ⋆ umschl., 1 M abh., 1 M r und die abgehobene M überziehen, 10 M r. Ab ⋆ wiederholen. Die Reihe endet: umschl., 1 M abh., 1 M r und die abgeh. M überz., 3 M r, Randm.

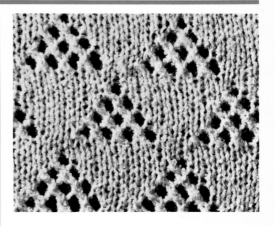

8. Reihe: alle M, auch die Umschl., li str.

9.–16. Reihe wie 1.–8. Reihe, jedoch das Muster versetzen. Die 9. Reihe beginnt also: Randm., dann 3mal 1 Umschl., 1 M abh., 1 M r und die abgeh. M überziehen, 4 M r usw.

1.–16. Reihe fortlaufend wiederholen.

Nach dem Typenmuster arb. man in den Hinreihen 1mal von ○ bis ⋆, fortlaufend von ⋆ bis ⋆⋆ und 1mal von ⋆⋆ bis ⊘. In den Rückreihen alle M, auch die Umschläge, li str.

1.–16. Reihe fortlaufend wiederholen.

Zeichenerklärung siehe Seite 348.

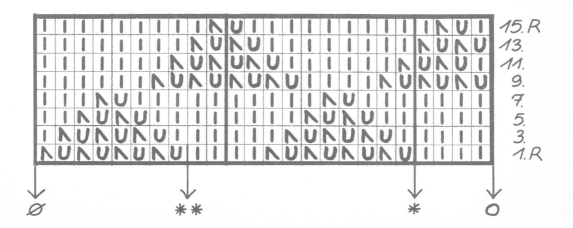

159

Maschenzahl durch 8 teilbar und 7 M (5 M und 2 Randmaschen).
1. Reihe: Randm., ⋆ 5 M r, 1 Umschl., 1 M abh., 2 M r zus.str. und die abgeh. M überziehen, 1 Umschl. Ab ⋆ wdh., 5 M r, Randm.
2. Reihe und alle folg. Rückr.: Alle M, auch die Umschläge, links str.
3. Reihe: Randm., ⋆ 1 Umschl., 1 M abh., 1 M r str. und die abgeh. M überziehen, 1 M r, 2 M r zus.str., 1 Umschl., 3 M r, ab ⋆ wdh., 1 Umschl., 1 M abh., 1 M r str. und die abgeh. M überziehen, 1 M r, 2 M r zus.str., 1 Umschl., Randm.
5. Reihe: Randm., 1 M r, ⋆ 1 M abh., 2 M r zus.str., 1 Umschl., 5 M r, ab ⋆ wdh., 1 Umschl., 1 M abh., 2 M r zus.str. und die abgeh. M überziehen, 1 Umschl., 1 M r, Randm.
7. Reihe: Randm., 4 M r, ⋆ 1 Umschl., 1 M abh., 1 M r str. und die abgeh. M überziehen, 1 M r, 2 M r zus.str., 1 Umschl., 3 M r, ab ⋆ wdh., 1 M r, Randm.
1.–8. Reihe fortlaufend wiederholen.

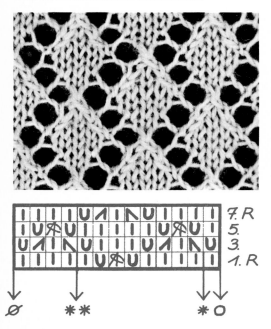

Nach dem Typenmuster arbeitet man in den Hinr. 1mal von ○ bis ⋆, fortlaufend von ⋆ bis ⋆⋆ und 1mal von ⋆⋆ bis ∅. In den Rückr. alle M, auch die Umschläge, li str.
1.–8. Reihe fortlaufend wiederholen.
Zeichenerklärung siehe Seite 348.

160

Maschenzahl durch 6 teilbar und 3 M (1 M und 2 Randmaschen).
1. Reihe: Randm., 2 M r zus.str., ⋆ 1 Umschl., 3 M r, 1 Umschl., 1 M abh., 2 M r zus.str. und die abgeh. M überziehen, ab ⋆ wdh., 1 Umschlag, 3 M r, 1 Umschl., 1 M abh., 1 M r str. und die abgeh. M überziehen, Randm.
2. Reihe und alle folg. Rückr.: Alle M, auch die Umschl., li str.
3. Reihe: Randm., ⋆ 1 M r, 1 Umschl., 1 M abh., 1 M r str. und die abgeh. M überziehen, 1 M r, 2 M r zus.str., 1 Umschl., ab ⋆ wdh., 1 M r, Randm.
5. Reihe: Randm., ⋆ 2 M r, 1 Umschl., 1 M abh., 2 M r zus.str. und die abgeh. M überziehen, 1 Umschl., 1 M r, ab ⋆ wdh., 1 M r, Randm.
7. Reihe: Randm., 1 M r, ⋆ 2 M r zus.str., 1 Umschl., 1 M r, 1 Umschl., 1 M abh., 1 M r str. und die abgeh. M überziehen, 1 M r, ab ⋆ wdh., Randm.
1.–8. Reihe fortlaufend wiederholen.

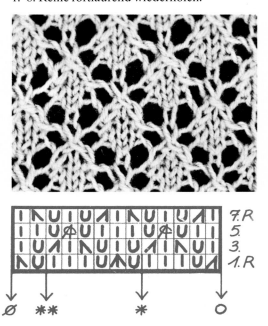

Man str. in den Hinreihen nach dem Typenmuster 1mal von ○ bis ⋆, fortlaufend von ⋆ bis ⋆⋆ und 1mal von ⋆⋆ bis ∅. In den Rückreihen alle M, auch die Umschläge, li str.
1.–8. Reihe fortlaufend wiederholen.
Zeichenerklärung siehe Seite 348.

161

Maschenzahl durch 8 teilbar und 2 Randmaschen.
1. Reihe: Randm., ∗ 1 Umschl., 2 M r verdr.
zus.str., 1 M r, 2 M r zus.str., 1 Umschl., 3 M r. Ab
∗ wiederholen, Randm.
2. Reihe sowie alle folg. Rückreihen: li, auch die
Umschl.
3. Reihe: Randm., 4 M r, ∗ 1 Umschl., 2 M r
verdr. zus.str., 1 M r, 2 M r zus.str., 1 Umschl.,
3 M r. Ab ∗ wiederholen. Die Reihe endet:
1 Umschl., 2 M r verdr. zus.str., 2 M r, Randm.
5. Reihe: Randm., ∗ 5 M r, 1 Umschl., 1 M abh.,
2 M r zus.str. und die abgeh. M überz., 1 Umschl.
Ab ∗ wiederholen, Randm.
7. Reihe: Randm., ∗ 2 M r zus.str., 1 Umschl.,
1 M r, 1 Umschl., 2 M r verdr. zus.str., 3 M r. Ab ∗
wiederholen, Randm.
9. Reihe: Randm. und die 1. M zus.str., ∗
1 Umschl., 3 M r, 1 Umschl., 2 M r verdr. zus.str.,
1 M r, 2 M r zus.str. Ab ∗ wiederholen. Die Reihe
endet: 1 Umschl., 3 M r, 1 Umschl., 2 M r verdr.
zus.str., 2 M r, Randm.
11. Reihe: Randm., ∗ 1 Umschl., 2 M r verdr.
zus.str., 1 M r, 2 M r zus.str., 1 Umschl., 3 M r. Ab
∗ wiederholen, Randm.
13. Reihe: Randm., 1 M r, ∗ 1 Umschl., 1 M abh.,
2 M r zus.str., und die abgeh. M überz.,
1 Umschl., 5 M r. Ab ∗ wiederholen. Die Reihe
endet: 1 Umschl., 1 M abh., 2 M r zus.str. und
die abgeh. M überz., 1 Umschl., 4 M r. Randm.
15. Reihe: Randm., 4 M r, ∗ 2 M r zus.str.,
1 Umschl., 1 M r, 1 Umschl., 2 M r verdr. zus.str.,
3 M r. Ab ∗ wiederholen. Die Reihe endet: 2 M r
zus.str., 1 Umschl., 2 M r, Randm.
1.–16. Reihe fortlaufend wiederholen.

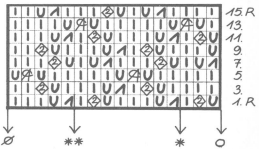

Nach dem Typenmuster arb. man in den Hinreihen 1mal von ○ bis ∗, fortlaufend von ∗ bis ∗∗
und 1mal von ∗∗ bis ∅. In den Rückreihen alle
M, auch die Umschläge, li str.
1.–16. Reihe fortlaufend wiederholen.
Zeichenerklärung siehe Seite 348.

162

Maschenzahl durch 8 teilbar und 2 Randmaschen.

1. Reihe: Randm., ⋆ 1 M r, 2 M r zus.str., 1 Umschl., 1 M r, 1 Umschl., 2 M r zus.str., 1 Umschl., 2 M r zus.str. Ab ⋆ wiederholen, Randm.

2. Reihe sowie alle folg. Rückreihen: li, auch die Umschl.

3. Reihe: Randm., 3 M r. ⋆ 1 Umschl., 2 M r zus.str., 1 Umschl., 2 M r zus.str., 4 M r. Ab ⋆ wiederholen. Die Reihe endet: 1 Umschl., 2 M r zus.str., 1 Umschl., 2 M r zus.str., 1 M r, Randm.

5. Reihe: Randm., ⋆ 1 Umschl., 2 M r zus.str., 2 M r. Ab ⋆ wiederholen, Randm.

7. Reihe: Randm., ⋆ 1 M r, 1 Umschl., 2 M r zus.str., 3 M r, 2 M r zus.str., 1 Umschl. Ab ⋆ wiederholen, Randm.

9. Reihe: Randm., ⋆ 1 Umschl., 2 M r zus.str., 1 Umschl., 2 M r zus.str., 1 M r, 2 M r zus.str., 1 Umschl., 1 M r. Ab ⋆ wiederholen, Randm.

11. Reihe: Randm., 1 M r, ⋆ 1 Umschl., 2 M r zus.str., 4 M r, 1 Umschl., 2 M r zus.str. Ab ⋆ wiederholen. Die Reihe endet: 1 Umschl., 2 M r zus.str., 5 M r, Randm.

13. Reihe wie 5. Reihe.

15. Reihe: Randm., 2 M r, ⋆ 2 M r zus.str., 1 Umschl., 1 M r, 1 Umschl., 2 M r zus.str., 3 M r. Ab ⋆ wiederholen. Die Reihe endet: 2 M r zus.str., 1 Umschl., 1 M r, 1 Umschl., 2 M r zus.str., 1 M r, Randm.

16. Reihe: li, auch die Umschl.

1.–16. Reihe fortlaufend wiederholen.

Nach dem Typenmuster arb. man in den Hinreihen 1mal von ○ bis ⋆, fortlaufend von ⋆ bis ⋆⋆ und 1mal von ⋆⋆ bis ∅. In den Rückreihen alle M, auch die Umschläge, li str.

1.–16. Reihe fortlaufend wiederholen.

Zeichenerklärung siehe Seite 348.

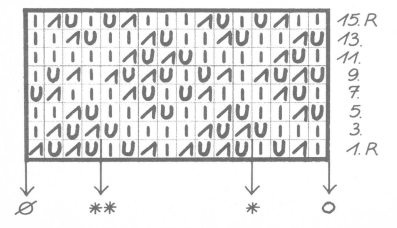

163

Maschenzahl durch 6 teilbar und 6 M (4 M und 2 Randmaschen).

1. Reihe: Randm., 2 M r, ★ 1 Umschl., 2 M r zus.str., 1 M r, 1 Umschl., 1 M abh., die abgeh. M überziehen, 1 M r. Ab ★ wiederholen. Die Reihe endet: 1 Umschl., 2 M r zus.str., Randm.

2. Reihe und jede weitere Rückr.: Alle M, auch die Umschl., li str.

3. Reihe: Randm., 3 M r, ★ 2 M r zus.str., 1 Umschl., 1 M r, 1 Umschl., 1 M abh., 1 M r, die abgeh. M überziehen, 1 M r. Ab ★ wiederholen. Die Reihe endet: 1 M r, Randm.

5. Reihe: Randm., 1 M r, ★ 1 Umschl., 1 M abh., 2 M r zus.str., die abgeh. M überziehen, 1 Umschl., 3 M r. Ab ★ wiederholen. Die Reihe endet: 1 Umschl., 2 M r zus.str., 1 M r, Randm.

7. Reihe: Randm., 2 M r, ★ 1 Umschl., 1 M abh., 1 M r, die abgeh. M überziehen, 1 M r, 1 Umschlag, 1 M r, 1 Umschl., 2 M r zus.str., 1 M r. Ab ★ wiederholen. Die Reihe endet: 1 Umschl., 1 M abh., 1 M r, die abgeh. M überziehen, Randm.

9. Reihe: Randm., ★ 2 M r zus.str., 1 Umschl., 1 M r, 1 Umschl., 1 M abh., 1 M r, die abgeh. M überziehen, 1 M r. Ab ★ wiederholen. Die Reihe endet: 2 M r zus.str., 1 Umschl., 2 M r, Randm.

11. Reihe: Randm., 4 M r, ★ 1 Umschl., 1 M abh., 2 M r zus.str., die abgeh. M überziehen, 1 Umschl., 3 M r. Ab ★ wiederholen, Randm.

1.–12. Reihe fortlaufend wiederholen.

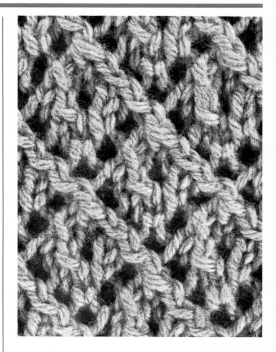

Nach dem Typenmuster arb. man in den Hinreihen 1mal von ○ bis ★, fortlaufend von ★ bis ★★ und 1mal von ★★ bis ⊘. In den Rückreihen die ersten und die letzten je 5 M rechts, die übrigen M, auch die Umschläge, li str.

1.–12. Reihe fortlaufend wiederholen.

Zeichenerklärung siehe Seite 348.

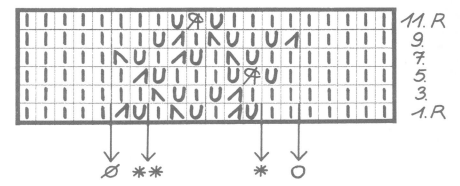

164

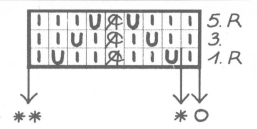

Maschenzahl durch 8 teilbar und 3 M (1 M und 2 Randmaschen).

1. Reihe: Randm., 1 M r, ★ 1 Umschl., 2 M r, 1 M abh., 2 M r zus.str. und die abgeh. M überziehen, 2 M r, 1 Umschl., 1 M r. Ab ★ wdh., Randm.

2. Reihe und jede weitere Rückr.: Alle M, auch die Umschl., li str.

3. Reihe: Randm., 1 M r, ★ 1 M r, 1 Umschl., 1 M r, 1 M abh., 2 M r zus.str. und die abgeh. M überziehen, 1 M r, 1 Umschl., 2 M r, Ab ★ wdh., Randm.

5. Reihe: Randm., 1 M r, ★ 2 M r, 1 Umschl., 1 M abh., 2 M r zus.str. und die abgeh. M überziehen, 1 Umschl., 3 M r. Ab ★ wdh., Randm.

1.–6. Reihe fortlaufend wiederholen.

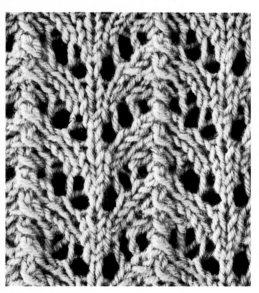

Nach dem Typenmuster arbeitet man in den Hinreihen 1mal von ○ bis ★, dann fortlaufend von ★ bis ★★. In den Rückreihen alle M, auch die Umschläge, li str.

1.–6. Reihe fortlaufend wiederholen.

Zeichenerklärung siehe Seite 348.

165

Maschenzahl durch 8 teilbar und 2 Randmaschen.

1. Reihe: Randm., 2 M r, ⋆ 1 Umschl., 1 M r verdr., 1 Umschl., 2 M r verdr. zus.str., 5 M r. Ab ⋆ wiederholen. Die Reihe endet: 1 Umschl., 1 M r verdr., 1 Umschl., 2 M r verdr. zus.str., 3 M r, Randm.

2. Reihe: Randm., 2 M li, ⋆ 2 M li verdr. zus.str., 7 M li. Ab ⋆ wiederholen. Die Reihe endet: 2 M li verdr. zus.str., 5 M li, Randm.

3. Reihe: Randm., 2 M r, ⋆ 1 Umschl., 1 M r verdr., 1 Umschl., 2 M r, 2 M r verdr. zus.str., 3 M r. Ab ⋆ wiederholen. Die Reihe endet: 1 Umschl., 1 M r verdr., 1 Umschl., 2 M r, 2 M r verdr. zus.str., 1 M r, Randm.

4. Reihe: Randm., ⋆ 2 M li verdr. zus.str., 7 M li, Ab ⋆ wiederholen. Randm.

5. Reihe: Randm., 2 M r, 1 M r verdr., 1 Umschl., ⋆ 4 M r, 2 M r verdr. zus.str., 1 M r, 1 Umschl., 1 M r verdr., 1 Umschl., Ab ⋆ wiederholen. Die Reihe endet: 5 M r, Randm.

6. Reihe: Randm., 8 M li, ⋆ 2 M li verdr. zus.str., 7 M li. Ab ⋆ wiederholen. Die Reihe endet: 2 M li verdr. zus.str., 8 M li, Randm.

7. Reihe: Randm., 7 M r, ⋆ 2 M r zus.str., 1 Umschl., 1 M r verdr., 1 Umschl., 5 M r. Ab ⋆ wiederholen. Die Reihe endet: 2 M r zus.str., 1 Umschl., 1 M r verdr., 1 Umschl., 7 M r, Randm.

8. Reihe: Randm., 10 M li, ⋆ 2 M li zus.str., 7 M li. Ab ⋆ wiederholen. Die Reihe endet: 2 M li zus.str., 6 M li, Randm.

9. Reihe: Randm., 5 M r, ⋆ 2 M r zus.str., 2 M r, 1 Umschl., 1 M r verdr., 1 Umschl., 3 M r. Ab ⋆ wiederholen. Die Reihe endet: 2 M r zus.str., 1 Umschl., 2 M r, Randm.

10. Reihe: Randm., 3 M li, ⋆ 2 M li zus.str., 7 M li. Ab ⋆ wiederholen. Die Reihe endet: 2 M li zus.str., 4 M li, Randm.

11. Reihe: Randm., 2 M r, 1 Umschl., 1 M r, ⋆ 2 M r zus.str., 4 M r, 1 Umschl., 1 M r verdr., 1 Umschl., 1 M r, Ab ⋆ wiederholen. Die Reihe endet: 2 M r zus.str., 1 Umschl., 3 M r, Randm.

12. Reihe: Randm., 4 M li, ⋆ 2 M li zus.str., 7 M li. Ab ⋆ wiederholen. Die Reihe endet: 2 M li zus.str., 3 M li, Randm.

1.–12. Reihe fortlaufend wiederholen.

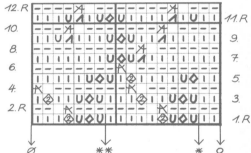

Nach dem Typenmuster arbeitet man in den Hinreihen 1mal von ○ bis ⋆, fortlaufend von ⋆ bis ⋆⋆ und 1mal von ⋆⋆ bis ∅. In den Rückreihen 1mal von ∅ bis ⋆⋆, fortlaufend von ⋆⋆ bis ⋆ und 1mal von ⋆ bis ○ str.

Die leeren Kästchen im Typenmuster haben keine Bedeutung.

1.–12. Reihe fortlaufend wiederholen.

Zeichenerklärung siehe Seite 348.

166

Maschenzahl durch 11 teilbar und 9 M und 2 Randmaschen.

1. Reihe: Randm., 1 M r, 1 Umschl., 2 M r, 1 M abh., 2 M r zus.str., und die abgeh. M überziehen, ⋆ 5 M r, 1 Umschl., 1 M r, 1 Umschl., 2 M r, 1 M abh., 2 M r zus.str. und die abgeh. M überziehen. Ab ⋆ wiederholen. Die Reihe endet: 3 M r, 1 Umschl., Randm.

2. Reihe und jede weitere Rückr.: Alle M, auch die Umschl., li str.

3. Reihe: Randm., 2 M r, 1 Umschl., 1 M r, 1 M abh., 2 M r zus.str. und die abgeh. M überziehen, ⋆ 4 M r, 1 Umschl., 3 M r, 1 Umschl., 1 M r, 1 M abh., 2 M r zus.str. und die abgeh. M überziehen. Ab ⋆ wiederholen. Die Reihe endet: 3 M r, 1 Umschl., Randm.

5. Reihe: Randm., 3 M r, 1 Umschl., 1 M abh., 2 M r zus.str. und die abgeh. M überziehen, ⋆ 3 M r, 1 Umschlag, 5 M r, 1 Umschl., 1 M abh., 2 M r zus.str. und die abgeh. M überziehen. Ab ⋆ wiederholen. Die Reihe endet: 3 M r, 1 Umschl., Randm.

7. Reihe: Randm., 1 Umschl., 3 M r, 1 M abh., 2 M r zus.str. und die abgeh. M überziehen, ⋆ 2 M r, 1 Umschlag, 1 M r, 1 Umschl., 5 M r, 1 M abh., 2 M r zus.str. und die abgeh. M überziehen. Ab ⋆ wiederholen. Die Reihe endet: 2 M r, 1 Umschl., 1 M r, Randm.

9. Reihe: Randm., 1 Umschl., 3 M r, 1 M abh., 2 M r zus.str. und die abgeh. M überziehen, ⋆ 1 M r, 1 Umschl., 3 M r, 1 Umschl., 4 M r, 1 M abh., 2 M r zus.str. und die abgeh. M überziehen. Ab ⋆ wiederholen. Die Reihe endet: 1 M r, 1 Umschl., 2 M r, Randm.

11. Reihe: Randm., 1 Umschl., 3 M r, 1 M abh., 2 M r zus.str. und die abgehob. M überziehen, ⋆ 1 Umschl., 5 M r, 1 Umschl., 3 M r, 1 M abh., 2 M r zus.str. und die abgeh. M überziehen. Ab ⋆ wiederholen. Die Reihe endet: 1 Umschl., 3 M r, Randm.

1.–11. Reihe fortlaufend wiederholen.

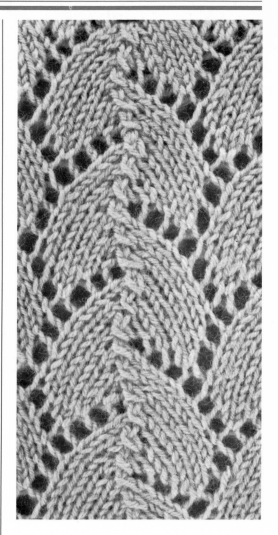

Nach dem Typenmuster in den Hinreihen 1mal von ○ bis ⋆, fortlaufend von ⋆ bis ⋆⋆ str. und bei ∅ enden. In den Rückreihen alle M, auch die Umschläge, li str.

1.–11. Reihe fortlaufend wiederholen.

Zeichenerklärung siehe Seite 348.

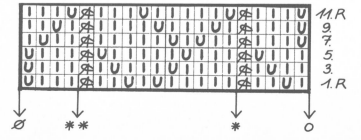

167

Maschenzahl durch 9 teilbar und 2 Randmaschen.

1. Reihe: Randm., ⋆ 1 Umschl., 1 M abh., 1 M r und die abgeh. M überz., 7 M r. Ab ⋆ wiederholen, Randm.

2. Reihe sowie alle folg. Rückreihen: li, auch die Umschl.

3. Reihe: Randm., ⋆ 1 Umschl., 1 M r, 1 M abh., 1 M r und die abgeh. M überz., 6 M r. Ab ⋆ wiederholen, Randm.

5. Reihe: Randm., ⋆ 1 Umschl., 2 M r, 1 M abh., 1 M r und die abgeh. M überz., 5 M r. Ab ⋆ wiederholen. Randm.

7. Reihe: Randm., ⋆ 1 Umschl., 3 M r, 1 M abh., 1 M r und die abgeh. M überz., 4 M r. Ab ⋆ wiederholen, Randm.

9. Reihe: Randm., ⋆ 1 Umschl., 4 M r, 1 M abh., 1 M r und die abgeh. M überz., 3 M r. Ab ⋆ wiederholen, Randm.

11. Reihe: Randm., ⋆ 1 Umschl., 5 M r, 1 M abh., 1 M r und die abgeh. M überz., 2 M r. Ab ⋆ wiederholen, Randm.

13. Reihe: Randm., ⋆ 1 Umschl., 6 M r, 1 M abh., 1 M r und die abgeh. M überz., 1 M r. Ab ⋆ wiederholen, Randm.

15. Reihe: Randm., ⋆ 1 Umschl., 2 M r, 1 M abh., 1 M r und die abgeh. M überz., 1 Umschl., 3 M r, 1 M abh., 1 M r und die abgeh. M überz. Ab ⋆ wiederholen, Randm.

17. Reihe: Randm., ⋆ 2 M r, 1 M abh., 1 M r und die abgeh. M überz., 1 M r, 1 Umschl., 4 M r. Ab ⋆ wiederholen, Randm.

19. Reihe: Randm., ⋆ 1 M r, 1 M abh., 1 M r und die abgeh. M überz., 2 M r, 1 Umschl., 4 M r. Ab ⋆ wiederholen, Randm.

21. Reihe: Randm., ⋆ 1 M abh., 1 M r und die abgeh. M überz., 3 M r, 1 Umschl., 4 M r. Ab ⋆ wiederholen, Randm.

23. Reihe: Randm., 1 M abh., 1 M r und die abgeh. M überz., 3 M r, 1 Umschl., 3 M r, 1 M abh., 1 M r und die abgeh. M überz., ⋆ 4 M r, 1 Umschl., 3 M r, 1 M abh., 1 M r und die abgeh. M überz. Ab ⋆ wiederholen. Am Ende der Nadel darf nicht abgenommen werden. Die Reihe endet: 4 M r, 1 Umschl., 4 M r, Randm.

25. Reihe: Randm., 1 M abh., 1 M r und die abgeh. M überz., 3 M r, 1 Umschl., 2 M r, 1 M abh., 1 M r und die abgeh. M überz., 1 M r, ⋆ 4 M r, 1 Umschl., 2 M r, 1 M abh., 1 M r und die abgeh. M überz., 1 M r, Ab ⋆ wiederholen. Die Reihe endet: 4 M r, 1 Umschl., 4 M r, Randm.

27. Reihe: Randm., 1 M abh., 1 M r und die abgeh. M überz., 3 M r, 1 Umschl., 1 M r, 1 M abh., 1 M r und die abgeh. M überz., 2 M r, ⋆ 4 M r, 1 Umschl., 1 M r, 1 M abh., 1 M r und die abgeh. M überz., 2 M r. Ab ⋆ wiederholen. Die Reihe endet: 4 M r, 1 Umschl., 4 M r, Randm.

29. Reihe: Randm., 1 M r, 1 M abh., 1 M r und die abgeh. M überz., 2 M r, 1 Umschl., 1 M abh., 1 M r und die abgeh. M überz., 3 M r. ⋆ 1 Umschl., 1 M abh., 1 M r und die abgeh. M überz., 2 M r, 1 Umschl., 1 M abh., 1 M r und die abgeh. M überz., 3 M r. Ab ⋆ wiederholen. Die Reihe endet: 1 Umschl., 1 M abh., 1 M r str. und die abgeh. M überz., 2 M r, 1 Umschlag, 4 M r, Randm.

30. Reihe: li, auch die Umschl.

3.–30. Reihe fortlaufend wiederholen.

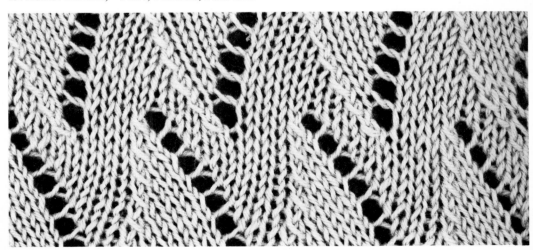

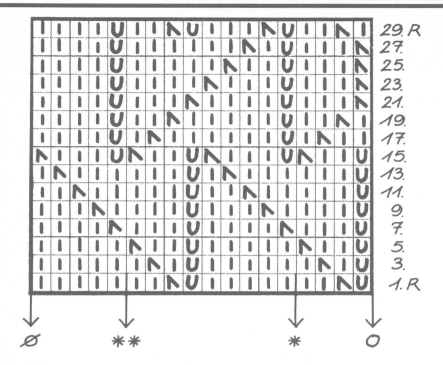

		29. R
		27.
		25.
		23.
		21.
		19.
		17.
		15.
		13.
		11.
		9.
		7.
		5.
		3.
		1. R

∅   ⋆⋆   ⋆   O

Nach dem Typenmuster arbeitet man in den
Hinreihen 1mal von O bis ⋆, fortlaufend von ⋆
bis ⋆⋆ und 1mal von ⋆⋆ bis ∅. In den Rückreihen alle M, auch die Umschläge, li str.
3.–30. Reihe fortlaufend wiederholen.
Zeichenerklärung siehe Seite 348.

168

Maschenzahl durch 12 teilbar und 2 Randmaschen.

1. Reihe: Randm., ⋆ 1 M r, 1 Umschl., 1 M abh., 1 M r und die abgeh. M überz., 7 M r, 2 M r zus.str., 1 Umschl. Ab ⋆ wiederholen, Randm.

2. Reihe und alle folg. Rückreihen: li, auch die Umschläge.

3. Reihe: Randm., ⋆2 M r, 1 Umschl., 1 M abh., 1 M r und die abgeh. M überz., 5 M r, 2 M r zus.str., 1 Umschl., 1 M r. Ab ⋆ wiederholen, Randm.

5. Reihe: Randm., ⋆ 3 M r, 1 Umschl., 1 M abh., 1 M r und die abgeh. M überz., 3 M r, 2 M r zus.str., 1 Umschl., 2 M r. Ab ⋆ wiederholen, Randm.

7. Reihe: Randm., ⋆ 1 M r, 2 M r zus.str., 1 Umschl., 1 M r, 1 Umschl., 1 M abh., 1 M r und die abgeh. M überz., 1 M r, 2 M r zus.str., 1 Umschl., 1 M r, 1 Umschl., 1 M abh., 1 M r und die abgeh. M überz. Ab ⋆ wiederholen. Randm.

9. Reihe: Randm., 2 M r zus.str., ⋆ 1 Umschl., 3 M r, 1 Umschl., 1 M abh., 2 M r zus.str. und die abgeh. M überz., 1 Umschl., 3 M r, 1 Umschl., 1 M abh., 2 M r zus.str., und die abgeh. M überz. Ab ⋆ wiederholen. Die Reihe endet: 1 Umschl., 3 M r, 1 Umschl., 1 M abh., 2 M r zus.str. und die abgeh. M überz., 1 Umschl., 4 M r, Randm.

11. Reihe: Randm., ⋆ 4 M r, 2 M r zus.str., 1 Umschl., 1 M r, 1 Umschl., 1 M abh., 1 M r und die abgeh. M überz., 3 M r. Ab ⋆ wiederholen, Randm.

13. Reihe: Randm., ⋆ 3 M r, 2 M r zus.str., 1 Umschl., 3 M r, 1 Umschl., 1 M abh., 1 M r und die abgeh. M überz., 2 M r. Ab ⋆ wiederholen, , Randm.

15. Reihe: Randm., ⋆ 2 M r, 2 M r zus.str., 1 Umschl., 5 M r, 1 Umschl., 1 M abh., 1 M r und die abgeh. M überz., 1 M r. Ab ⋆ wiederholen, Randm.

17. Reihe wie 7. Reihe.

19. Reihe wie 9. Reihe.

1.–20. Reihe fortlaufend wiederholen.

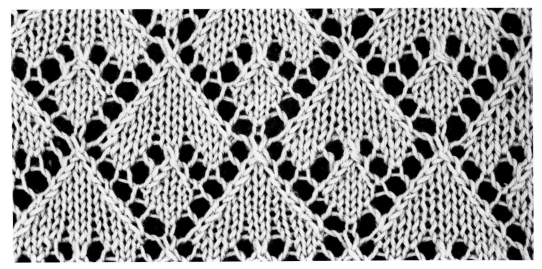

Nach dem Typenmuster arb. man in den Hinreihen 1mal von ○ bis ⋆, fortlaufend von ⋆ bis ⋆⋆ und 1mal von ⋆⋆ bis ∅. In den Rückreihen alle M, auch die Umschläge, li str.

1.–20. Reihe fortlaufend wiederholen.

Zeichenerklärung siehe Seite 348.

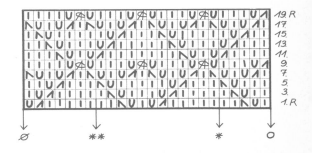

169

Maschenzahl durch 7 teilbar und 5 M (3 M und 2 Randmaschen).

1. Reihe: Randm., ★ 5 M r, 1 Umschl., 1 M abh., 1 M r str. und die abgeh. M überz. Ab ★ wiederholen. Die Reihe endet: 3 M r, Randm.

2. Reihe und alle folg. Rückreihen: li, auch die Umschl.

3. Reihe: Randm., 3 M r, ★ 2 M r zus.str., 1 Umschl., 1 M r, 1 Umschl., 1 M abh., 1 M r str. und die abgeh. M überz., 2 M r. Ab ★ wiederholen, Randm.

5. Reihe: Randm., 2 M r, ★ 2 M r zus.str., 1 Umschl., 3 M r, 1 Umschl., 1 M abh., 1 M r str. und die abgeh. M überz. Ab ★ wiederholen. Die Reihe endet: 1 M r, Randm.

7. Reihe: Randm., 1 M r, ★ 2 M r zus.str., 1 Umschl., 2 M r, 2 M r zus.str., 1 M r, 1 Umschl. Ab ★ wiederholen. Die Reihe endet: 2 M r, Randm.

9. Reihe: Randm., 2 M r, ★ 1 Umschl., 1 M abh., 1 M r str. und die abgeh. M überz., 2 M r, 2 M r zus.str., 1 Umschl., 1 M r. Ab ★ wiederholen. Die Reihe endet: 1 M r, Randm.

11. Reihe wie 9. Reihe.

1.–12. Reihe fortlaufend wiederholen.

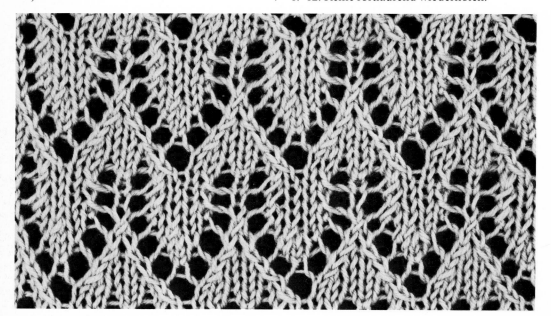

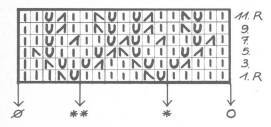

Nach dem Typenmuster arbeitet man in den Hinreihen 1mal von ○ bis ★, fortlaufend von ★ bis ★★ und 1mal von ★★ bis ∅. In den Rückreihen alle M, auch die Umschläge, li str.

1.–12. Reihe fortlaufend wiederholen.

Zeichenerklärung siehe Seite 348.

170

Maschenzahl durch 10 teilbar und 2 Randmaschen.
1. Reihe: Randm., 3 M r, ⋆ umschl., 1 M abh., 2
M r zus.str. und die abgehobene M überziehen,
umschl., 7 M r. Ab ⋆ wiederholen. Die Reihe endet: umschl., 1 M abh., 2 M r zus.str. und die abgeh. M überz., umschl., 4 M r, Randm.
2. Reihe und jede weitere Rückreihe: alle M,
auch die Umschl., li str.
3. Reihe: Randm., 2 M r zus.str., 2 M r, ⋆
umschl., 1 M r, umschl., 2 M r, 1 M abh., 1 M r
und die abgehobene M überziehen, 1 M r, 2 M r
zus.str., 2 M r. Ab ⋆ wiederholen. Die Reihe endet: umschl., 1 M r, umschl., 2 M r, 1 M abh., 1 M
r str. und die abgehobene M überz., 1 M r,
Randm.
5. Reihe: Randm., ⋆ 2 M r zus.str., 1 M r,
umschl., 3 M r, umschl., 1 M r, 1 M abh., 1 M r
und die abgehobene M überziehen, 1 M r. Ab ⋆
wiederholen, Randm.
7. Reihe: Randm., 2 M r zus.str., ⋆ umschl., 5 M
r, umschl., 1 M abh., 1 M r und die abgehobene
M überziehen, 1 M r, 2 M r zus.str. Ab ⋆ wiederholen. Die Reihe endet: umschl., 5 M r, umschl.,
1 M abh., 1 M r und die abgeh. M überz., 1 M r,
Randm.
9. Reihe: Randm., 1 M r, umschl., ⋆ 7 M r,
umschl., 1 M abh., 2 M r zus.str. und die abgeh.
M überziehen, umschl. Ab ⋆ wiederholen. Die
Reihe endet: 7 M r, umschl., 1 M abh., 1 M r str.
und die abgeh. M überz., Randm.
11. Reihe: Randm., 1 M r, ⋆ umschl., 2 M r, 1 M
abh., 1 M r und die abgehobene M überziehen,
1 M r, 2 M r zus.str., 2 M r. umschl. 1 M r. Ab ⋆
wiederholen, Randm.
13. Reihe: Randm., 2 M r zus.str., ⋆ umschl., 1 M
r, 1 M abh., 1 M r und die abgehobene M überziehen, 1 M r, 2 M r zus.str., 1 M r, umschl., 3 M r.
Ab ⋆ wiederholen. Die Reihe endet: umschl.,
1 M r, 1 M abh., 1 M r und die abgeh. M überz.,
1 M r, 2 M r zus.str., 1 M r, umschl., 2 M r,
Randm.
15. Reihe: Randm., 2 M r, ⋆ umschl., 1 M abh.,
1 M r und die abgehobene M überziehen, 1 M r,
2 M r zus.str., umschl., 5 M r. Ab ⋆ wiederholen.
Die Reihe endet: umschl., 1 M abh., 1 M r und
die abgeh. M überz., 1 M r, 2 M r zus.str.,
umschl., 3 M r, Randm.
16. Reihe: alle M, auch die Umschl., li str.
1.–16. Reihe fortlaufend wiederholen.

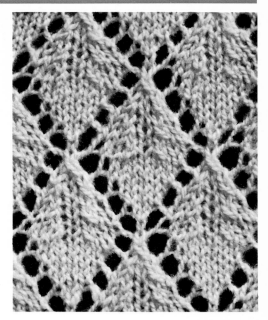

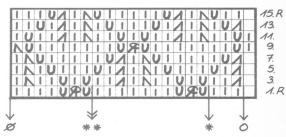

Nach dem Typenmuster str. man in den Hinreihen 1mal von ○ bis ⋆, fortlaufend von ⋆ bis ⋆⋆
und 1mal von ⋆⋆ bis ∅. In den Rückreihen alle
M, auch die Umschläge, li str. In 9. und 11. Reihe ist 1 M mehr vorhanden, diese wird in 13.
Reihe wieder abgenommen.
1.–16. Reihe fortlaufend wiederholen.
Zeichenerklärung siehe Seite 348.

171

Maschenzahl durch 14 teilbar.

1. Reihe: Randm., ⋆ 4 M r verdr., 2 M r zus.str., 2 Umschl., 1 M abh., 1 M r und die abgeh. M überz., 4 M r verdr., 2 M r. Ab ⋆ wiederholen. Die Reihe endet: 4 M r verdr., 2 M r zus.str., 2 Umschl., 1 M abh., 1 M r str. und die abgeh. M überz., 4 M r verdr., Randm.

2. Reihe: Randm., 3 M li, ⋆ 2 M li verdr. zus.str., 2 Umschl., die Umschl. der 1. R von der Nadel lassen, 2 M li zus.str., 8 M li. Ab ⋆ wiederholen. Die Reihe endet: 2 M li verdr. zus.str., 2 Umschl., die Umschl. der 1. R von der Nd. lassen, 2 M li zus.str., 3 M li, Randm.

3. Reihe: Randm., 2 M r, ⋆ 2 M r zus.str., 2 Umschl., die Umschl. der 2. R herunterlassen, 1 M abh., 1 M r und die abgeh. M überz., 6 M r. Ab ⋆ wiederholen. Die Reihe endet: 2 M r zus.-str., 2 Umschl., die Umschl. der 2. R herunterlassen, 1 M abh., 1 M r und die abgeh. M überz., 2 M r, Randm.

4. Reihe: Randm., 1 M li, ⋆ 2 M li verdr. zus.str., 2 Umschl., die Umschl. der 3. Reihe herunterlassen, 2 M li zus.str., 4 M li. Ab ⋆ wiederholen. Die Reihe endet: 2 M li verdr. zus.str., 2 Umschl., die Umschl. der 3. Reihe herunterlassen, 2 M li zus.str., 1 M li. Randm.

5. Reihe: Randm., ⋆ 2 M r zus.str., 2 Umschl., die Umschl. der 4. Reihe herunterlassen, 1 M abh., 1 M r und die abgeh. M überz., 2 M r. Ab ⋆ wiederholen. Die Reihe endet: 2 M r zus.str., 2 Umschl., die Umschl. der 4. R herunterlassen, 1 M abh., 1 M r und die abgeh. M überz., Randm.

6. Reihe: Randm., 1 M li, ⋆ 4 Umschl., die Umschl. der 5. R herunterlassen, die 5 Fäden der Vorreihen zus.str., zuerst li, dann r, 4 Umschl., 4 M li. Ab ⋆ wiederholen. Die Reihe endet: 4 Umschl., die Umschl. der 5. R herunterlassen, die 5 Fäden der Vorreihe zuerst li, dann r zus.str., 4 Umschl., 1 M li, Randm.

7. Reihe: Randm., 1 M r, ⋆ aus den Umschl. 4 M r verdr. str., 2 M r, 4 M r verdr., 2 M r zus.str., 2 Umschl., 1 M abh., 1 M r und die abgeh. M überz. Ab ⋆ wiederholen. Die Reihe endet: 4 M r verdr. str., 2 M r, 4 M r verdr., 1 M r, Randm.

8. Reihe: Randm., 2 Umschl., ⋆ 2 M li zus.str., 8 M li, 2 M li verdr. zus.str., 2 Umschl. und die Umschl. der 7. R herunterlassen. Ab ⋆ wiederholen. Die Reihe endet: 2 M li zus.str., 8 M li, 2 M li verdr. zus.str., 2 Umschl., Randm.

9. Reihe: Randm., ⋆ 2 Umschl., die Umschl. der 8. R herunterlassen, 1 M abh., 1 M r und die abgeh. M überz., 6 M r, 2 M r zus.str. Ab ⋆ wiederholen. Die Reihe endet: 2 Umschl., die Umschl. der 8. Reihe fallen lassen, Randm.

10. Reihe: Randm., ⋆ 2 Umschl., die Umschl. der 9. Reihe herunterlassen, 2 M li zus.str., 4 M li, 2 M li verdr. zus.str., Ab ⋆ wiederholen. Die Reihe endet: 2 Umschl., die Umschl. der 9. Reihe fallen lassen, Randm.

11. Reihe: Randm., ⋆ 2 Umschl., die Umschl. der 10. Reihe herunterlassen, 1 M abh., 1 M r und die abgeh. M überz., 2 M r, 2 M r zus.str. Ab ⋆ wiederholen. Die Reihe endet: 2 Umschl., die Umschl. der 10. Reihe fallen lassen, Randm.

12. Reihe: Randm., ⋆ die Umschl. der 11. Reihe herunterlassen, die 5 Fäden der Vorreihen zus.str., zuerst li, dann r, 4 Umschl., 4 M li, 4 Umschl. Ab ⋆ wiederholen. Die Reihe endet: die 5 Fäden der Vorreihen zus.str., zuerst li, dann r, Randm.

1.–12. Reihe fortlaufend wiederholen, jedoch beginnen die folgenden Mustersätze:

1. Reihe: Die Randm. mit den 2 ersten M zus.str., dann wie 1. Reihe. Am Schluß der Nadel werden die beiden letzten M wieder mit der Randm. abgeh. und dann mit ihr zus.gestr.

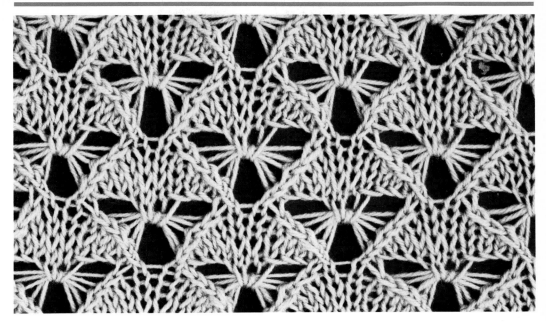

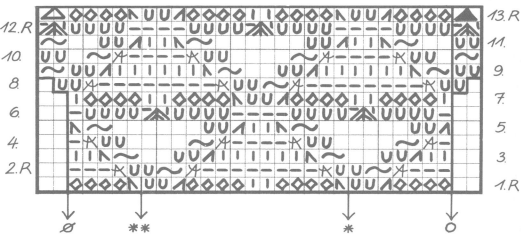

Nach dem Typenmuster arbeitet man in den Hinreihen 1mal von ○ bis ⋆, fortlaufend von ⋆ bis ⋆⋆ und 1mal von ⋆⋆ bis ∅. In den Rückreihen str. man 1mal von ∅ bis ⋆⋆, fortlaufend von ⋆⋆ bis ⋆ und 1mal von ⋆ bis ○.

Die leeren Kästchen im Typenmuster haben keine Bedeutung.

2.–13. Reihe fortlaufend wiederholen.

Zeichenerklärung siehe Seite 348.

172

Maschenzahl durch 10 teilbar und 5 M (3 M und 2 Randmaschen).

1. Reihe: Randm., 4 M li, ⋆ 2 M r zus.str., 1 Umschl., 1 M r, 1 Umschl., 1 M abh., 1 M r und die abgeh. M überz., 5 M li. Ab ⋆ wiederholen. Die Reihe endet: 2 M r zus.str., 1 Umschl., 1 M r, 1 Umschl., 1 M abh., 1 M r und die abgeh. M überz., 4 M li, Randm.

2. Reihe sowie alle folg. Rückreihen: M str., wie sie erscheinen, Umschl. li.

3. Reihe: Randm., 3 M li, ⋆ 2 M r zus.str., 1 Umschl., 3 M r, 1 Umschl., 1 M abh., 1 M r und die abgeh. M überz., 3 M li. Ab ⋆ wiederholen, Randm.

5. Reihe: Randm., 2 M li, ⋆ 2 M r zus.str., 1 Umschl., 5 M r, 1 Umschl., 1 M abh., 1 M r und die abgeh. M überz., 1 M li. Ab ⋆ wiederholen. Die Reihe endet: 1 M li, Randm.

7. Reihe: Randm., ⋆ 1 Umschl., 1 M abh., 2 M r zus.str. und die abgeh. M überz., 1 Umschl., 7 M r. Ab ⋆ wiederholen. Die Reihe endet: 1 Umschl., 1 M abh., 2 M r zus.str. und die abgeh. M überz., 1 Umschl., Randm.

9. Reihe: Randm., 2 M r, ⋆ 1 Umschl., 1 M abh., 1 M r und die abgeh. M überz., 5 M li, 2 M r zus.str., 1 Umschl., 1 M r. Ab ⋆ wiederholen. Die Reihe endet: 1 M r, Randm.

11. Reihe: Randm., 3 M r, ⋆ 1 Umschl., 1 M abh., 1 M r und die abgeh. M überz., 3 M li, 2 M r zus.str., 1 Umschl., 3 M r. Ab ⋆ wiederholen, Randm.

13. Reihe: Randm., 4 M r, ⋆ 1 Umschl., 1 M abh., 1 M r und die abgeh. M überz., 1 M li, 2 M r zus.str., 1 Umschl., 5 M r. Ab ⋆ wiederholen. Die Reihe endet: 1 Umschl., 1 M abh., 1 M r und die abgeh. M überz., 1 M li, 2 M r zus.str., 1 Umschl., 4 M r, Randm.

15. Reihe: Randm., 5 M r, ⋆ 1 Umschl., 1 M abh., 2 M r zus.str. und die abgeh. M überz., 1 Umschl., 7 M r. Ab ⋆ wiederholen. Die Reihe endet: 1 Umschl., 1 M abh., 2 M r zus.str. und die abgeh. M überz., 1 Umschl., 5 M r, Randm.

1.–16. Reihe fortlaufend wiederholen.

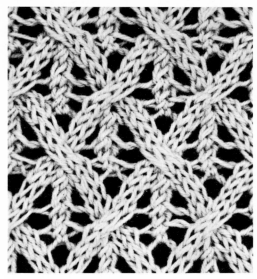

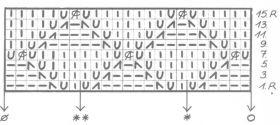

Nach dem Typenmuster arb. man in den Hinreihen 1mal von ○ bis ⋆, fortlaufend von ⋆ bis ⋆⋆ und 1mal von ⋆⋆ bis ∅. In den Rückreihen die M str., wie erscheinen, Umschläge li.

1.–16. Reihe fortlaufend wiederholen.

Zeichenerklärung siehe Seite 348.

173

Maschenzahl durch 12 teilbar und 2 Randmaschen.

1. Reihe: rechts.

2. Reihe und jede weitere Rückreihe: alle M, auch die Umschl., li str.

3. Reihe: Randm., ⋆ 1 M r, 1 Umschl., 1 M abh., 1 M r und die abgehobene M überziehen, 7 M r, 2 M r zus.str., 1 Umschl. Ab ⋆ wiederholen, Randm.

5. Reihe: Randm., ⋆ 1 M r, 1 Umschl., 1 M r, 1 M abh., 1 M r str. und die abgehobene M überziehen, 5 M r, 2 M r zus.str., 1 M r, 1 Umschl. Ab ⋆ wiederholen, Randm.

7. Reihe: Randm., ⋆ 1 M r, 1 Umschl., 2 M r, 1 M abh., 1 M r str. und die abgehobene M überziehen, 3 M r, 2 M r zus.str., 2 M r, 1 Umschl. Ab ⋆ wiederholen, Randm.

9. Reihe: Randm., ⋆ 1 M r, 1 Umschl., 3 M r, 1 M abh., 1 M r und die abgehobene M überziehen, 1 M r, 2 M r zus.str., 3 M r, 1 Umschl. Ab ⋆ wiederholen, Randm.

11. Reihe: Randm., ⋆ 1 M r, 1 Umschl., 4 M r, 1 M abh., 2 M r zus.str. und die abgehobene M überziehen, 4 M r, 1 Umschl. Ab ⋆ wiederholen, Randm.

13. Reihe: Randm., 4 M r, 2 M r zus.str., ⋆ 1 Umschl., 1 M r, 1 Umschl., 1 M abh., 1 M r str., und die abgehobene M überziehen, 7 M r, 2 M r zus.str. Ab ⋆ wiederholen. Die Reihe endet: 1 Umschl., 1 M r, 1 Umschl., 1 M abh., 1 M r str. und die abgehobene M überziehen, 3 M r, Randm.

15. Reihe: Randm., 3 M r, 2 M r zus.str., 1 M r, ⋆ 1 Umschl., 1 M r, 1 Umschl., 1 M r, 1 M abh., 1 M r str. und die abgehobene M überziehen, 5 M r, 2 M r zus.str., 1 M r. Ab ⋆ wiederholen. Die Reihe endet: 1 Umschl., 1 M r, 1 Umschl., 1 M r, 1 M abh., 1 M r str. und die abgehobene M überziehen, 2 M r, Randm.

17. Reihe: Randm., 2 M r, 2 M r zus.str., 2 M r, ⋆ 1 Umschl., 1 M r, 1 Umschl., 2 M r, 1 M abh., 1 M r str. und die abgehobene M überziehen, 3 M r, 2 M r zus.str., 2 M r. Ab ⋆ wiederholen. Die Reihe endet: 1 Umschl., 1 M r, 1 Umschl., 2 M r, 1 M abh., 1 M r str. und die abgehobene M überziehen, 1 M r, Randm.

19. Reihe: Randm., 1 M r, 2 M r zus.str., 3 M r, ⋆ 1 Umschl., 1 M r, 1 Umschl., 3 M r, 1 M abh., 1 M r str. und die abgehobene M überziehen, 1 M r, 2 M r zus.str., 3 M r. Ab ⋆ wiederholen. Die Reihe endet: 1 Umschl., 1 M r, 1 Umschl., 3 M r, 1 M

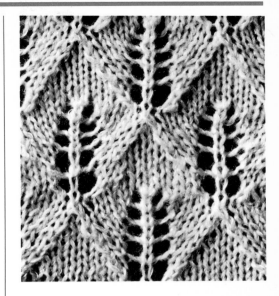

abh., 1 M r str. und die abgehobene M überziehen, Randm.

21. Reihe: Randm., 2 M r zus.str., 4 M r, ⋆ 1 Umschl., 1 M r, 1 Umschl., 4 M r, 1 M abh., 2 M r zus.str. und die abgehobene M überziehen, 4 M r. Ab ⋆ wiederholen. Die Reihe endet: 1 Umschl., 1 M r, 1 Umschl., 4 M r, die letzte M mit der Randm. abheben und in folg. Reihe li zus.str.

3.–22. Reihe fortlaufend wiederholen.

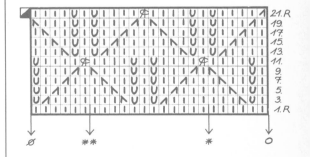

Nach dem Typenmuster arb. man in den Hinreihen 1mal von ○ bis ⋆, fortlaufend von ⋆ bis ⋆⋆ und 1mal von ⋆⋆ bis ∅. In den Rückreihen alle M, auch die Umschläge, li str.

3.–22. Reihe fortlaufend wiederholen.

Zeichenerklärung siehe Seite 348.

174

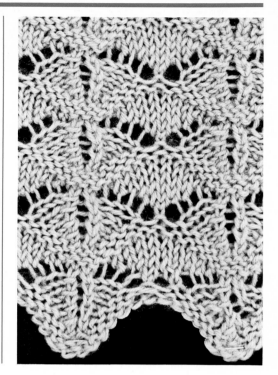

Maschenzahl durch 13 teilbar und 2 Randmaschen.

1. Reihe: links.

2. Reihe: rechts.

3. Reihe: Randm., ⋆ 2 M r zus.str., 4 M r, 1 Umschl., 1 M r, 1 Umschl., 4 M r, 2 M r zus.str. Ab ⋆ wiederholen, Randm.

4. Reihe: Randm., ⋆ 2 M li zus.str., 3 M li, 1 Umschl., 3 M li, 1 Umschl., 3 M li, 2 M li zus.-str. Ab ⋆ wiederholen, Randm.

5. Reihe: Randm., ⋆ 2 M r zus.str., 2 M r, 1 Umschl., 5 M r, 1 Umschl., 2 M r, 2 M r zus.str. Ab ⋆ wiederholen, Randm.

6. Reihe: Randm., ⋆ 2 M li zus.str., 1 M li, 1 Umschl., 7 M li, 1 Umschl., 1 M li, 2 M li zus.-str. Ab ⋆ wiederholen, Randm.

7. Reihe: Randm., ⋆ 2 M r zus.str., 1 Umschl., 9 M r, 1 Umschl., 2 M r zus.str. Ab ⋆ wiederholen, Randm.

8. Reihe: links, auch die Umschl.

1.–8. Reihe fortlaufend wiederholen.

Der Anschlagrand dieses Musters bildet keine gerade, sondern eine gezackte Linie.

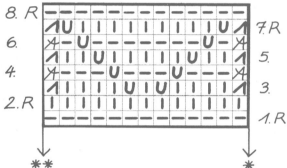

Nach dem Typenmuster arb. man in den Hinreihen fortlaufend von ⋆ bis ⋆⋆.

In den Rückreihen fortlaufend von ⋆⋆ bis ⋆ str.

Die 1.–8. Reihe fortlaufend wiederholen.

Zeichenerklärung siehe Seite 348.

175

Das Muster erscheint auf der linken Seite. Maschenzahl durch 14 teilbar und 2 Randmaschen.

1. Reihe: Randm., ⋆ 2 M r, 1 Umschl., 1 M r, 1 Umschl., 2 M r, 2 M li, 1 M r, 3 M r zus.str., 1 M r, 2 M li. Ab ⋆ wiederholen, Randm.

2. Reihe und jede weitere Rückreihe: M str., wie sie erscheinen, die Umschl. li.

3. Reihe: Randm., ⋆ 2 M r, 1 M li, 1 Umschl., 1 M r, 1 Umschl., 1 M li, 2 M r, 2 M li, 3 M r zus.str., 2 M li. Ab ⋆ wiederholen, Randm.

5. Reihe: Randm., ⋆ 2 M r, 2 M li, 1 Umschl., 1 M r, 1 Umschl., 2 M li, 2 M r, 1 M li, 3 M r zus.str., 1 M li. Ab ⋆ wiederholen, Randm.

7. Reihe: Randm., ⋆ 2 M r, 2 M li, 1 M r, 1 Umschl., 1 M r, 1 Umschl., 1 M r, 2 M li, 2 M r, 3 M r zus.str. Ab ⋆ wiederholen, Randm.

9. Reihe: Randm., ⋆ 2 M r, 2 M li, 1 M r, 3 M r zus.str., 1 M r, 2 M li, 2 M r, 1 Umschl., 1 M r, 1 Umschl. Ab ⋆ wiederholen, Randm.

11. Reihe: Randm., ⋆ 2 M r, 2 M li, 3 M r zus.str., 2 M li, 2 M r, 1 M li, 1 Umschl., 1 M r, 1 Umschl., 1 M li. Ab ⋆ wiederholen, Randm.

13. Reihe: Randm., ⋆ 2 M r, 1 M li, 3 M r zus.str., 1 M li, 2 M r, 2 M li, 1 Umschl., 1 M r, 1 Umschl., 2 M li. Ab ⋆ wiederholen, Randm.

15. Reihe: Randm., ⋆ 2 M r, 3 M r zus.str., 2 M r, 2 M li, 1 M r, 1 Umschl., 1 M r, 1 Umschl., 1 M r, 2 M li. Ab ⋆ wiederholen, Randm.

1.–16. Reihe fortlaufend wiederholen.

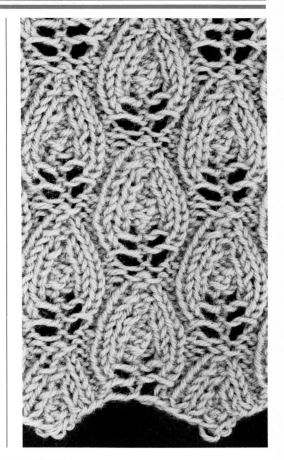

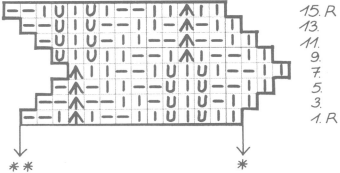

Nach dem Typenmuster arb. man in den Hinreihen fortlaufend von ⋆ bis ⋆⋆. In den Rückreihen die M str., wie sie erscheinen, Umschläge li str.
1.–16. Reihe fortlaufend wiederholen.
Zeichenerklärung siehe Seite 348.

176

Maschenzahl durch 14 teilbar und 2 Randmaschen.

1. Reihe: Randm., ⋆ 2 M r, 1 Umschl., 1 M r, 1 Umschl., 2 M r, 3 M li, 3 M li zus.str., 3 M li. Ab ⋆ wiederholen, Randm.

2. Reihe und jede weitere Rückreihe: M str., wie sie erscheinen, Umschl. li.

3. Reihe: Randm., ⋆ 2 M r, 1 Umschl., 3 M r, 1 Umschl., 2 M r, 2 M li, 3 M li zus.str., 2 M li. Ab ⋆ wiederholen. Randm.

5. Reihe: Randm., ⋆ 2 M r, 1 Umschl., 5 M r, 1 Umschl., 2 M r, 1 M li, 3 M li zus.str., 1 M li. Ab ⋆ wiederholen, Randm.

7. Reihe: Randm., ⋆ 2 M r, 1 Umschl., 7 M r, 1 Umschl., 2 M r, 3 M li zus.str. Ab ⋆ wiederholen. Randm.

9. Reihe: Randm., ⋆ 2 M r, 3 M li, 3 M li zus.str., 3 M li, 2 M r, 1 Umschl., 1 M r, 1 Umschl. Ab ⋆ wiederholen. Randm.

11. Reihe: Randm., ⋆ 2 M r, 2 M li, 3 M li zus.str., 2 M li, 2 M r, 1 Umschl., 3 M r, 1 Umschl. Ab ⋆ wiederholen, Randm.

13. Reihe: Randm., ⋆ 2 M r, 1 M li, 3 M li zus.str., 1 M li, 2 M r, 1 Umschl., 5 M r, 1 Umschl. Ab ⋆ wiederholen, Randm.

15. Reihe: Randm., ⋆ 2 M r, 3 M li zus.str., 2 M r, 1 Umschl., 7 M r, 1 Umschl. Ab ⋆ wiederholen, Randm.

1.–16. Reihe fortlaufend wiederholen.

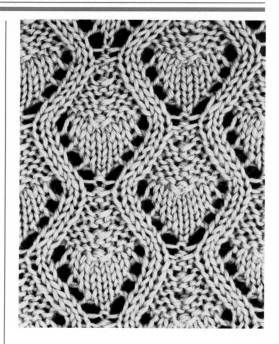

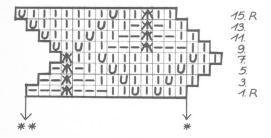

Nach dem Typenmuster arb. man in den Hinreihen von ⋆ bis ⋆⋆. In den Rückreihen die M str., wie sie erscheinen, Umschläge li str.

1.–16. Reihe fortlaufend wiederholen.

Zeichenerklärung siehe Seite 348.

177

Maschenzahl durch 12 teilbar und 2 Randmaschen.

1. Reihe: Randm., ⋆ 1 M li, 2 M r zus.str., 3 M r, 1 Umschl., 1 M r, 1 Umschl., 3 M r, 2 M r verdr. zus.str. Ab ⋆ wiederholen, Randm.

2. Reihe: Randm., ⋆ 2 M li zus.str., 2 M li, 1 Umschl., 3 M li, 1 Umschl, 2 M li, 2 M li zus.str., 1 M r, Ab ⋆ wiederholen, Randm.

3. Reihe: Randm., ⋆ 1 M li, 2 M r zus.str., 1 M r, 1 Umschl., 5 M r, 1 Umschl., 1 M r, 2 M r verdr. zus.str. Ab ⋆ wiederholen, Randm.

4. Reihe: Randm., ⋆ 2 M li zus.str., 1 Umschl., 7 M li, 1 Umschl., 2 M li zus.str., 1 M r. Ab ⋆ wiederholen, Randm.

5. Reihe: Randm., 2 M r zus.str., ⋆ 1 Umschl., 9 M r, 1 Umschl., 3 M r zus.str. Ab ⋆ wiederholen. Die Reihe endet: 1 Umschl., 9 M r, 1 Umschl., die letzte M mit der Randm. zus.str.

6. Reihe: Randm., ⋆ 1 Umschl., 3 M li, 2 M li zus.str., 1 M r, 2 M li zus.str., 3 M li, 1 Umschl., 1 M li. Ab ⋆ wiederholen, Randm.

7. Reihe: Randm., 2 M r, ⋆ 1 Umschl., 2 M r, 2 M r verdr. zus.str., 1 M li, 2 M r zus.str., 2 M r, 1 Umschl., 3 M r. Ab ⋆ wiederholen. Die Reihe endet: 1 Umschl., 2 M r, 2 M r verdr. zus.str., 1 M li, 2 M r zus.str., 2 M r, 1 Umschl., 1 M r, Randm.

8. Reihe: Randm., 2 M li, ⋆ 1 Umschl., 1 M li, 2 M li zus.str., 1 M r, 2 M li zus.str., 1 M li, 1 Umschl., 5 M li. Ab ⋆ wiederholen. Die Reihe endet: 1 Umschl., 1 M li, 2 M li zus.str., 1 M r, 2 M li zus.str., 1 M li, 1 Umschl., 3 M li, Randm.

9. Reihe: Randm., 4 M r, ⋆ 1 Umschl., 2 M r verdr. zus.str., 1 M li, 2 M r zus.str., 1 Umschl., 7 M r. Ab ⋆ wiederholen. Die Reihe endet: 1 Umschl., 2 M r verdr. zus.str., 1 M li, 2 M r zus.str., 1 Umschl., 3 M r, Randm.

10. Reihe: Randm., 4 M li, ⋆ 1 Umschl., 3 M li zus.str., 1 Umschl., 9 M li. Ab ⋆ wiederholen. Die Reihe endet: 1 Umschl., 3 M li zus.str., 1 Umschl, 5 M li, Randm.

1.–10. Reihe fortlaufend wiederholen.

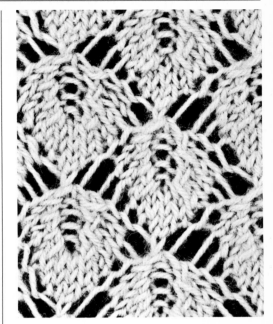

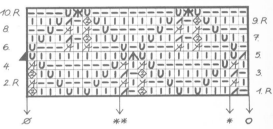

Nach dem Typenmuster arbeitet man in den Hinreihen 1mal von ○ bis ⋆, fortlaufend von ⋆ bis ⋆⋆ und 1mal von ⋆⋆ bis ∅. In den Rückreihen 1 mal von ∅ bis ⋆⋆, fortlaufend von ⋆⋆ bis ⋆ und 1mal von ⋆ bis ○ str.

1.–10. Reihe fortlaufend wiederholen.
Zeichenerklärung siehe Seite 348.

178

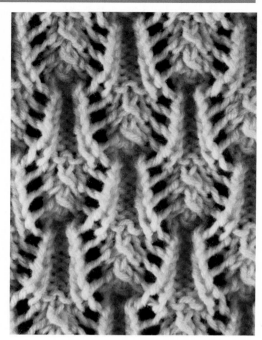

Maschenzahl durch 10 teilbar und 9 M (7 M und 2 Randmaschen).

1. Reihe: Randm., ★ 1 M r, 1 Umschl., 1 M r, 1 M abh., 2 M r zus.str. und die abgeh. M überziehen, 1 M r, 1 Umschl., 1 M r, 3 M li. Ab ★ wiederholen. Die Reihe endet mit 1 M r, 1 Umschl., 1 M r, 1 M abh., 2 M r zus.str. und die abgeh. M überziehen, 1 M r, 1 Umschl., 1 M r, Randm.

2. Reihe und jede weitere Rückr.: M str., wie sie erscheinen, Umschl. li str.

3., 5. und 7. Reihe wie 1. Reihe arb.

9. Reihe: Randm., 1 M r, ★ 1 M r, 3 M li, 1 M r, 1 Umschl. 1 M r, 1 M abh., 2 M r zus.str. und die abgeh. M überziehen, 1 M r, 1 Umschl. Ab ★ wiederholen. Die Reihe endet mit 1 M r, 3 M li, 2 M r, Randm.

11., 13. und 15. Reihe wie 9. Reihe arb.

16. Reihe: M str., wie sie erscheinen, Umschl. li str.

1.–16. Reihe fortlaufend wiederholen.

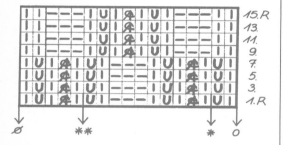

Nach dem Typenmuster arb. man in den Hinreihen 1mal von ○ bis ★, fortlaufend von ★ bis ★★ und 1mal von ★★ bis ∅. In den Rückreihen die M str., wie sie erscheinen, Umschläge li str. 1.–16. Reihe fortlaufend wiederholen.
Zeichenerklärung siehe Seite 348.

179

Maschenzahl durch 7 teilbar und 6 M (4 M und 2 Randmaschen).

1. Reihe: Randm., ⋆ folgende 2 M auf Hilfsnd. nehmen und hinter die Arbeit legen, 2 M r, Hilfsnd.-M r, 1 Umschl., 3 M r zus.str., 1 Umschl. Ab ⋆ wiederholen. Die Reihe endet: 2 M auf Hilfsnd. nehmen und hinter die Arbeit legen, 2 M r, Hilfsnd.-M r, Randm.

2. Reihe und jede weitere Rückreihe: alle M, auch die Umschl., li str.

3. Reihe: Randm., ⋆ 2 M r, 1 Umschl., 2 M r, 1 Umschl., 3 M r zus.str., 1 Umschl. Ab ⋆ wiederholen. Die Reihe endet: 2 M r, 1 Umschl., 2 M r, Randm.

5. Reihe: Randm., ⋆ 2 M r, 1 Umschl., 1 M r, 1 Umschl., 2 M r, 3 M r zus.str. Ab ⋆ wiederholen. Die Reihe endet: 2 M r, 1 Umschl., 1 M r, 1 Umschl., 2 M r, Randm.

7. Reihe: Randm., 2 M r, ⋆ 1 Umschl., 3 M r zus.str. 1 Umschl., folgende 2 M auf Hilfsnd. nehmen und vor die Arbeit legen, die nächsten 2 M r zus.str., 1 M r, dann die Hilfsnd.-M r str. Ab ⋆ wiederholen. Die Reihe endet: 1 Umschl., 3 M r zus.str., 1 Umschl., 2 M r, Randm.

9. Reihe: Randm., ⋆ 2 M r, 1 Umschl., 3 M r zus.str., 1 Umschl., 2 M r, 1 Umschl., Ab ⋆ wiederholen. Die Reihe endet: 2 M r, 1 Umschl., 3 M r zus.str., 1 Umschl., 2 M r, Randm.

11. Reihe: Randm., ⋆ 2 M r, 3 M r zus.str., 2 M r, 1 Umschl., 1 M r, 1 Umschl. Ab ⋆ wiederholen. Die Reihe endet: 2 M r, 3 M r zus.str., 2 M r, Randm.

13. Reihe: Randm., ⋆ folgende 3 M auf Hilfsnd. nehmen und hinter die Arbeit legen, 2 M r, dann die beiden ersten Hilfsnd.-M r zus.str., 3. Hilfsnd.-M r, 1 Umschl., 3 M r zus.str., 1 Umschl. Ab ⋆ wiederholen. Die Reihe endet: 5 M verkreuzen, wie zu Beginn der Reihe beschrieben, Randm.

14. Reihe: links.

3.–14. Reihe fortlaufend wiederholen.

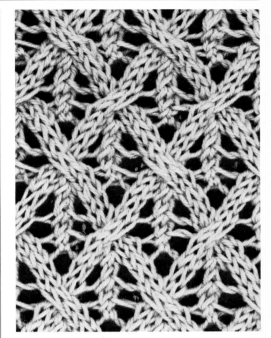

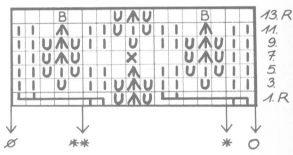

Nach dem Typenmuster arb. man in den Hinreihen 1mal von ○ bis ⋆, fortlaufend von ⋆ bis ⋆⋆ und 1mal von ⋆⋆ bis ∅. In den Rückreihen alle M, auch die Umschläge, li str. Die leeren Kästchen im Typenmuster haben keine Bedeutung. 3.–14. Reihe fortlaufend wiederholen. Zeichenerklärung siehe Seite 348.

Spitzenränder

180

Maschenzahl durch 6 teilbar und 2 Randmaschen.

1. Reihe: rechts.
2. Reihe: Randm., ∗ 2 M r zus.str., 1 Umschl., ab ∗ wiederholen, Randm.
3. Reihe: rechts, dabei die Umschläge der Vorreihe fallenlassen.
4. Reihe: Aus jeder M 1 M r und 1 M li herausstr.
5.–7. Reihe wie 2.–4. Reihe arb.
8. Reihe: rechts.
9. Reihe: rechts.
10. Reihe: rechts.
11. Reihe: Randm., ∗ 1 M r, 2 M r zus.str., aus folg. M 15 M herausstr. (= 1 M r, ∗ 1 Umschl., 1 M r, ab ∗ noch 6mal wdh.), folg. 2 M r zus.str., 1 M r, ab ∗ fortlaufend wiederholen.
12. Reihe: rechts.
13. Reihe: Alle M abk., dabei jeweils die letzte M eines Bogens mit folg. r M und der ersten M des folg. Bogens zus. abk.

181

13 Maschen anschlagen. 1. und 2. Reihe: rechts str.

3. Reihe: Randm., 6 M r, ∗ 1 Umschl., 1 M r, ab ∗ 3mal wdh., 1 M r, aus letzter M für die Noppe 5 r M herausstr., und zwar abwechselnd 1mal aus vorderem, 1mal aus hinterem Maschenglied, Arbeit wenden.
4. Reihe: Die ersten 5 M r str. und wieder auf die linke Nd. nehmen, dann die ersten 3 M davon r zus.str., folg. 2 M r zus.str. und die erste M auf rechter Nd. über die zweite ziehen (= Noppe), 2 M r, ∗ 1 Umschl., den Umschl. der Vorreihe mit folg. M r zus.str., ab ∗ 3mal wdh., 5 M r, Randm.
5. Reihe: Randm., 6 M r, ∗ 1 Umschl., den Umschl. der Vorreihe mit folg. M r zus.str., ab ∗ wdh., 1 M r, aus letzter M 5 M herausstr., wie in 1. R beschrieben.
6. Reihe wie 4. Reihe
7.–24. Reihe wie 5. und 6. Reihe.
25. Reihe: Randm., 6 M r, ∗ den Umschl. der Vorreihe mit folg. M r zus.str., ab ∗ 3mal wdh., 1 M r, Randm.
26. Reihe: rechts str., dabei den Fd. sehr fest spannen.
27. und 28. Reihe wie 26. Reihe.
3.–28. Reihe fortlaufend wiederholen.

182

10 Maschen anschlagen.

1.–4. Reihe: »kraus« = Hin- und Rückreihen r str.

5. Reihe: Randm., 2 M r, 1 Umschl. 1 M r, 1 Umschlag, 1 M r, ⋆ 1 M zun. = Querglied auffassen und r verdr. abstr., 1 M r, 1 Umschl., 1 M r, 1 Umschl., 2 M r, Randm.

6. Reihe und jede weitere Rückreihe: Alle M, auch die Umschläge, rechts str.

7. Reihe: Randm., 2 M r, 1 Umschl., 3 M r zus.str., 1 Umschl., 2 M r, weiter wie in 5. Reihe ab ⋆.

9. Reihe: Randm., 2 M r, 1 Umschl., 3 M r zus.str., 1 Umschl., 3 M r, weiter wie in 5. Reihe ab ⋆.

11. Reihe: Randm., 2 M r, 1 Umschl., 3 M r zus.str., 1 Umschl., 4 M r, weiter wie in 5. Reihe ab ⋆.

13. Reihe: Randm., 2 M r, 1 Umschl., 3 M r zus.str., 1 Umschl. 5 M r, weiter wie in 5. Reihe ab ⋆.

15. Reihe: Randm., 2 M r, 1 Umschl., 3 M r zus.str., 1 Umschl., 6 M r, weiter wie in 5. Reihe ab ⋆.

17. Reihe: Randm., 2 M r, 1 Umschl., 3 M r zus.str., 1 Umschl., 7 M r, weiter wie in 5. Reihe ab ⋆.

19. Reihe: Randm., 2 M r, 1 Umschl., 3 M r zus.str., 1 Umschl., 6 M r, 1 Umschl., 1 M r, 1 Umschl., 1 M r, weiter wie in 5. Reihe ab ⋆.

21. Reihe: Randm., 2 M r, 1 Umschl., 3 M r zus.str., 1 Umschl., 6 M r, 1 Umschl., 3 M r zus.str., 1 Umschlag, 2 M r, weiter wie in 5. Reihe ab ⋆.

23. Reihe: Randm., 2 M r, 1 Umschl., 3 M r zus.str., 1 Umschl., 6 M r, 1 Umschl., 3 M r zus.str., 1 Umschlag, 3 M r, weiter wie in 5. Reihe ab ⋆.

25. Reihe: Die ersten 9 M abk., 2 M r, 1 Umschl., 3 M r zus.str., 1 Umschl., 4 M r, weiter wie in 5. Reihe ab ⋆.

27. Reihe: Randm., 2 M r, 1 Umschl., 3 M r zus.str., 1 Umschl., 5 M r, weiter wie in 5. Reihe ab ⋆.

29. Reihe: Randm., 2 M r, 1 Umschl., 3 M r zus.str., 1 Umschl., 6 M r, weiter wie in 5. Reihe ab ⋆.

31. Reihe: Randm., 2 M r, 1 Umschl., 3 M r zus.str., 1 Umschl., 7 M r, weiter wie in 5. Reihe ab ⋆.

19.–32. Reihe fortlaufend wiederholen.

183

17 Maschen anschlagen.

1. Reihe: 3 M r, 1 Umschl., 2 M li zus.str., 1 Umschlag, 2 M li zus.str., 10 M r.

2. Reihe: 12 M r, 1 Umschl., 2 M li zus.str., 1 Umschlag, 2 M li zus.str., 1 M r.

3. Reihe: 3 M r, 1 Umschl., 2 M li zus.str., 1 Umschlag, 2 M li zus.str., 6 M r, 2 M r zus.str., 2 Umschl., 1 M r, aus folg. M 1 r M und 1 r verdr. M herausstr.

4. Reihe: 4 M r, 1 M li, 9 M r, 1 Umschl., 2 M li zus.str., 1 Umschl., 2 M li zus.str., 1 M r.

5. Reihe: 3 M r, 1 Umschl., 2 M li zus.str., 1 Umschlag, 2 M li zus.str., 4 M r, 2 M r zus.str., 2 Umschl., 2mal 2 M r zus.str., 2 Umschläge, 1 M r, aus folg. M 1 r M und 1 r verdr. M herausstr.

6. Reihe: 4 M r, 1 M li, 3 M r, 1 M li, 7 M r, 1 Umschl., 2 M li zus.str., 1 Umschl., 2 M li zus.str., 1 M r.

7. Reihe: 3 M r, 1 Umschl., 2 M li zus.str., 1 Umschlag, 2 M li zus.str., 2 M r, 2 M r zus.str., 2 Umschl., 2mal 2 M r zus.str., 2 Umschläge, 2mal 2 M r zus.str., 2 Umschl., aus folg. M 1 r M und 1 r verdr. M herausstr.

8. Reihe: 4 M r, 1 M li, 3 M r, 1 M li, 3 M r, 1 M li, 5 M r, 1 Umschl., 2 M li zus.str., 1 Umschl., 2 M li zus.str., 1 M r.

9. Reihe: 3 M r, 1 Umschl., 2 M li zus.str., 1 Umschlag, 2 M li zus.str., 2 M r zus.str., ★ 2 Umschläge, 2mal 2 M r zus.str., ab ★ noch 2mal wdh., 2 Umschl., 2 M r zus.str.

10. Reihe: 2 M r, ★ 1 M li, 3 M r, ab ★ noch 3mal wdh., 1 Umschl., 2 M li zus.str., 1 Umschl., 2 M li zus.str., 1 M r.

11. Reihe: 3 M r, 1 Umschl., 2 M li zus.str., 1 Umschl., 2 M li zus.str., 2 M r, 2 M r zus.str., ★ 2 Umschl., 2mal 2 M r zus.str., ab ★ noch 2mal wdh.

12. Reihe: 2 M r zus.str., 1 M r, 1 M li, 3 M r, 1 M li, 3 M r, 1 M li, 5 M r, 1 Umschl., 2 M li zus.str., 1 Umschl., 2 M li zus.str., 1 M r.

13. Reihe: 3 M r, 1 Umschl., 2 M li zus.str., 1 Umschl., 2 M li zus.str., 4 M r, 2 M r zus.str., 2 Umschl., 2mal 2 M r zus.str., 2 Umschläge, 2mal 2 M r zus.str.

14. Reihe: 2 M r zus.str., 1 M r, 1 M li, 3 M r, 1 M li, 7 M r, 1 Umschl., 2 M li zus.str., 1 Umschl., 2 M li zus.str., 1 M r.

15. Reihe: 3 M r, 1 Umschl., 2 M li zus.str., 1 Umschlag, 2 M li zus.str., 6 M r, 2 M r zus.str., 2 Umschl., 2mal 2 M r zus.str.

16. Reihe: 2 M r zus.str., 1 M r, 1 M li, 9 M r, 1 Umschl., 2 M li zus.str., 1 Umschl., 2 M li zus.str., 1 M r.

1.–16. Reihe fortlaufend wiederholen.

184

8 M anschlagen.

1. Reihe: 5 M r, 1 Umschl., 1 M r, 1 Umschl., 2 M r.

2. Reihe: 6 M li, aus folg. Masche 1 r M und 1 r verdr. M herausstr., 3 M r.

3. Reihe: 4 M r, 1 M li, 2 M r, 1 Umschl., 1 M r, 1 Umschl., 3 M r.

4. Reihe: 8 M li, aus folg. Masche 1 r M und 1 r verdr. M herausstr., 4 M r.

5. Reihe: 4 M r, 2 M li, 3 M r, 1 Umschl., 1 M r, 1 Umschl., 4 M r.

6. Reihe: 10 M li, aus folg. Masche 1 r M und 1 r verdr. M herausstr., 5 M r.

7. Reihe: 4 M r, 3 M li, 4 M r, 1 Umschl., 1 M r, 1 Umschl., 5 M r.

8. Reihe: 12 M li, aus folg. Masche 1 r M und 1 r verdr. M herausstr., 6 M r.

9. Reihe: 4 M r, 4 M li, 1 M abh., 1 M r str. und die abgeh. M überziehen, 7 M r, 2 M r zus.str., 1 M r.

10. Reihe: 10 M li, aus folg. Masche 1 r M und 1 r verdr. M herausstr., 7 M r.

11. Reihe: 4 M r, 5 M li, 1 M abh., 1 M r str. und die abgeh. M überziehen, 5 M r, 2 M r zus.str., 1 M r.

12. Reihe: 8 M li, aus folg. Masche 1 r M und 1 r verdr. M herausstr., 2 M r, 1 M li, 5 M r.

13. Reihe: 4 M r, 1 M li, 1 M r, 4 M li, 1 M abh., 1 M r str. und die abgeh. M überziehen, 3 M r, 2 M r zus.str., 1 M r.

14. Reihe: 6 M li, aus folg. Masche 1 r M und 1 r verdr. M herausstr., 3 M r, 1 M li, 5 M r.

15. Reihe: 4 M r, 1 M li, 1 M r, 5 M li, 1 M abh., 1 M r str. und die abgeh. M überziehen, 1 M r, 2 M r zus.str., 1 M r.

16. Reihe: 4 M li, aus folg. Masche 1 r M und 1 r verdr. M herausstr., 4 M r, 1 M li, 5 M r.

17. Reihe: 4 M r, 1 M li, 1 M r, 6 M li, 1 M abh., 2 M r zus.str. und die abgeh. M überziehen, 1 M r.

18. Reihe: 6 M abk., 4 M li, 4 M r.

1.–18. Reihe fortlaufend wiederholen.

In den Hinr. von ★ bis ★★ und in den Rückreihen von ★★ bis ★ str.

1.–18. Reihe fortlaufend wiederholen.

Mehrfarbige Muster

185   Perlmuster zweifarbig

Das Muster erscheint auf der linken Seite.
Gerade Maschenzahl.
1. Reihe (I. Farbe): rechts.
2. Reihe (II. Farbe): Randm., ⋆ 1 M r, folg. Masche li abh. (der Faden liegt hinter der M). Ab ⋆ wiederholen, Randm.
3. Reihe (II. Farbe): die gestr. M der Vorreihe r str. und die abgeh. M der Vorreihe wieder li abh., der Faden liegt jedoch vor den Maschen.
4. Reihe (I. Farbe): die M in I. Farbe r verdr. str., übrige M li abh. (der Faden liegt hinter den M).
5. Reihe (I. Farbe) wie die 3. Reihe.
6. Reihe (II. Farbe): die M in II. Farbe r str., übrige M li abh. (der Faden liegt hinter den M).
3.–6. Reihe fortlaufend wiederholen.

186

Gerade Maschenzahl.
1. Reihe (I. Farbe): rechts.
2. Reihe (I. Farbe): links.
3. Reihe (II. Farbe): Randm., ⋆ 1 M r, 1 M li abh. (Faden hinter der M). Ab ⋆ wiederholen, Randm.
4. Reihe (II. Farbe): Randm., ⋆ 1 M li abh. (Faden vor der M), 1 M r, Ab ⋆ wiederholen, Randm.
5. Reihe (I. Farbe): rechts.
6. Reihe (I. Farbe): links.
7. Reihe (II. Farbe): Randm., ⋆ 1 M li abh. (Faden hinter der M), 1 M r. Ab ⋆ wiederholen, Randm.
8. Reihe (II. Farbe): Randm., ⋆ 1 M r, 1 M li abh. (Faden vor der M). Ab ⋆ wiederholen, Randm.
1.–8. Reihe fortlaufend wiederholen.

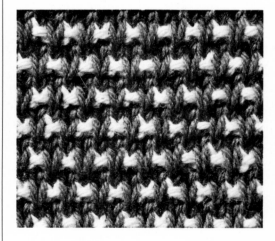

187

Gerade Maschenzahl.

1. und 2. Reihe (I. Farbe): »kraus« (Hinr. und Rückr. r).

3. Reihe (II. Farbe): Randm., * 1 M r, folg. M li abh. (Faden hinter der M). Ab * wiederholen, Randm.

4. Reihe (II. Farbe). Randm., * die abgeh. M der Vorreihe wieder li abh. (Faden vor der M). 1 M r. Ab * wiederholen, Randm.

5. und 6. Reihe (I. Farbe): »kraus«.

7. Reihe (II. Farbe): Randm., * folg. M li abh. (Faden hinter der M). 1 M r. Ab * wiederholen, Randm.

8. Reihe (II. Farbe): Randm., * 1 M r, die abgeh. M der Vorreihe wieder li abh. (Faden vor der M). Ab * wiederholen, Randm.

1.–8. Reihe fortlaufend wiederholen.

188

Gerade Maschenzahl.

1. Reihe (I. Farbe): Randm., * 1 M r, 1 Umschl., folg. M li abh. Ab * wiederholen, Randm.

2. Reihe (I. Farbe): Randm., * die abgeh. M der Vorreihe mit dem Umschl. r zus.str., 1 M li, Ab * wiederholen, Randm.

3. Reihe (II. Farbe) wie die 1. Reihe.

4. Reihe (II. Farbe) wie die 2. Reihe.

1.–4. Reihe fortlaufend wiederholen.

189

Gerade Maschenzahl (Stricknadeln ohne Köpfe verwenden).

1. Reihe (Hinreihe, II. Farbe): Randm., * 1 M r, 1 M li abh. (Faden vor der M). Ab * wiederholen, Randm.

2. Reihe (Hinreihe, I. Farbe): rechts.

3. Reihe (Rückreihe, II. Farbe): Randm., * 1 M li, 1 M li abh. (Faden hinter der M). Ab * wiederholen, Randm.

4. Reihe (Rückreihe, I. Farbe): links. 1.–4. Reihe fortlaufend wiederholen.

190   Zweifarbiger Sternstich

Maschenzahl durch 3 teilbar.
1. Reihe (I. Farbe): Randm., 1 M r, ★ 1 M r abh., umschl., 1 M r abh., 1 M r und die erste der abgehobenen M über die 3 folgenden M ziehen. Ab ★ wiederholen, Randm.
2. Reihe (I. Farbe): links.
3. Reihe (II. Farbe): Randm., 3 M r, ★ 1 M r abh., umschl., 1 M r abh., 1 M r und die erste der abgehobenen M über die 3 folgenden M ziehen. Ab ★ wiederholen. Die Reihe endet mit 1 M r, Randm.
4. Reihe (II. Farbe): links.
1.–4. Reihe fortlaufend wiederholen.

191   Gestricktes Tweedmuster

Gerade Maschenzahl.
Das zweifarbige Tweedmuster wird in der Runde rechts gestrickt. Bei hin- und hergehenden Reihen, also bei offener Arbeit, strickt man die Hinreihen rechts und die Rückreihen links. Für den Anschlag benützt man nur eine der beiden Farben. Ab der 1. Reihe strickt man abwechselnd 1 Masche hell und 1 Masche dunkel. Man wickelt beide Farben zugleich auf den Finger, da sich bei jeder 2. Masche die Fadenlänge ausgleicht. Bei der 2. Reihe und den folgenden Reihen strickt man die dunklen Maschen der Vorreihe hell und die hellen Maschen der Vorreihe dunkel.

192

Maschenzahl durch 4 teilbar und 1 M.

1. und 2. Reihe (I. Farbe): »kraus«.

3. Reihe (II. Farbe): Randm., ⋆ 3 M r, 1 M li abh. (der Faden liegt hinter der M). Ab ⋆ wiederholen. Die Reihe endet mit 3 M r, Randm.

4. Reihe (II. Farbe): Randm., ⋆ 3 M r, 1 M li abh. (der Faden liegt vor der M). Ab ⋆ wiederholen. Die Reihe endet mit 3 M r, Randm.

5. Reihe (I. Farbe): Randm., 1 M r, ⋆ 1 M li abh. (der Faden liegt hinter der M), 3 M r. Ab ⋆ wiederholen.Die Reihe endet mit 1 M li abh., 1 M r, Randm.

6. Reihe (I. Farbe): Randm., 1 M r, ⋆ 1 M li abh. (der Faden liegt vor der M), 3 M r. Ab ⋆ wiederholen. Die Reihe endet mit 1 M li abh., 1 M r, Randm.

3.–6. Reihe fortlaufend wiederholen.

193

Maschenzahl durch 4 teilbar und 3 M.

Bei offener Arbeit werden 2 M mehr angeschlagen für die Randm.; alle Hinreihen r str., alle Rückreihen li.

Bei geschlossener Arbeit durchweg r str.

1.–4. Reihe: hell.

5.–8. Reihe: dunkel.

9. Reihe (hell): ⋆ 3 M r, die 4. M läßt man über alle dunklen Reihen hinunter, nimmt die 1. helle M und die 4 dunklen Fäden auf die Nadel und str. sie als 1 M r zus. Ab ⋆ wiederholen. Die Reihe endet mit 3 M r.

10.–12. Reihe: hell.

13. Reihe (dunkel): 1 M r, ⋆ die nächste M läßt man über alle hellen Reihen hinunter, nimmt die 1. dunkle und die 4 hellen Fäden auf die Nadel und strickt sie als 1 M r zus., 3 M r. Ab ⋆ wiederholen. Die Reihe endet: die nächste M über alle hellen Reihen hinunterlassen, die 1. dunkle M und die 4 hellen Fäden auf die Nadel nehmen und als 1 M r zus.str., 1 M r.

14.–16. Reihe: dunkel.

9.–16. Reihe fortlaufend wiederholen.

Das Muster ist zweiseitig verwendbar.

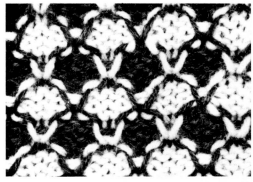

194

Maschenzahl durch 4 teilbar und 3 M (1 M und 2 Randmaschen).

1. und 2. Reihe (I. Farbe): »glatt rechts« (Hinr. r, Rückr. li).

3. Reihe (II. Farbe): Randm., ⋆ 1 M r, 3 M li abh. (Fd. vor den M), 1 Umschl., dabei den Fd. von hinten nach vorn über die Nd. legen. Ab ⋆ wiederholen. Die Reihe endet: 1 M r, Randm.

4. Reihe (II. Farbe) Randm., 1 M li, ⋆ den Umschl. der Vorreihe fallen lassen, 3 M li, 1 M li abh. (Fd. vor der M). Ab ⋆ wiederholen, Randm.

5. und 6. Reihe (I. Farbe): »glatt rechts«.

7. Reihe (II. Farbe): Randm., 2 M r, ⋆ 1 M mit dem waagrechtliegenden Fd. r zus.str., 3 M li abh. (Fd. vor den M), 1 Umschl., dabei den Fd. von hinten nach vorn über die Nd. legen. Ab ⋆ wiederholen. Die Reihe endet: 1 M mit dem waagrechtliegenden Fd. r zus.str., 2 M r, Randm.

8. Reihe (II. Farbe): Randm., 2 M li, ⋆ 1 M li abh. (Fd. vor der M), den Umschl. der Vorreihe fallen lassen, 3 M li. Ab ⋆ wiederholen. Die Reihe endet: 1 M li abh. (Fd. vor der M), 2 M li, Randm.

9. und 10. Reihe (I. Farbe): »glatt rechts«.

11. Reihe (II. Farbe): Randm., 1 M r, ⋆ 3 M li abh. (Fd. vor den M), 1 Umschl. (wie zuvor), 1 M mit dem waagrechtliegenden Fd. r zus.str., Ab ⋆ wiederholen. Die Reihe endet: 3 M li abh. (Fd. vor den M), 1 Umschl., 1 M r, Randm.

4.–11. Reihe fortlaufend wiederholen.

195

Beliebige Maschenzahl.

1. Reihe (II. Farbe): Randm., ⋆ 1 M r, 1 M li, 1 M li abh. (Faden hinter der M). 1 M li. Ab ⋆ wiederholen, Randm.

2. Reihe (II. Farbe): M str. wie sie erscheinen, die abgeh. M wieder li abh., dabei liegt der Faden vor der M.

3. Reihe (I. Farbe): Randm., ⋆ 1 M li abh. (Faden hinter der M), 1 M li, 1 M r, 1 M li. Ab ⋆ wiederholen, Randm.

4. Reihe (I. Farbe) wie 2. Reihe.

1.–4. Reihe fortlaufend wiederholen.

196

Maschenzahl durch 5 teilbar und 1 M.
1. Reihe (I. Farbe): rechts.
2. Reihe (I. Farbe): links.
3. Reihe (II. Farbe): Randm., ⋆ 4 M r, 1 M li abh. (der Faden liegt hinter der M). Ab ⋆ wiederholen. Die Reihe endet mit 4 M r, Randm.
4. Reihe (II. Farbe): Randm., ⋆ 4 M li, 1 M li abh. (der Faden liegt vor der M). Ab ⋆ wiederholen. Die Reihe endet mit 4 M li, Randm.
1.–4. Reihe fortlaufend wiederholen.

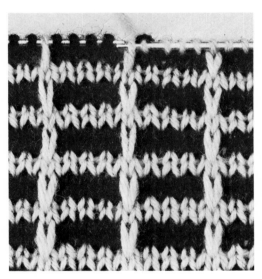

197

Maschenzahl durch 8 teilbar und 2 Randmaschen.
1.–4. Reihe (I. Farbe): »glatt r«.
5. Reihe (II. Farbe): Randm., ⋆ 7 M r, 1 M li abh. (der Faden liegt hinter der M). Ab ⋆ wiederholen, Randm.
6. Reihe (II. Farbe): Randm., ⋆ 1 M li abh. (der Faden liegt vor der M), 7 M li. Ab ⋆ wiederholen, Randm.
7. und 8. Reihe (II. Farbe) wie 5. und 6. Reihe.
9. Reihe (III. Farbe): Randm., 3 M r, ⋆ 1 M li abh. (der Faden liegt hinter der M), 7 M r. Ab ⋆ wiederholen. Die Reihe endet: 1 M li abh. (Faden hinten), 4 M r, Randm.
10. Reihe (III. Farbe): Randm., 3 M li, ⋆ 1 M li abh. (der Faden liegt vor der M), 7 M li. Ab ⋆ wiederholen. Die Reihe endet: 1 M li abh. (Faden vor der M), 4 M li, Randm.
11. und 12. Reihe (III. Farbe) wie 9. und 10. Reihe.
5.–12. Reihe fortlaufend wiederholen (wieder mit I. Farbe beginnen).

198

Maschenzahl durch 6 teilbar und 5 M (3 M und 2 Randmaschen).

1. Reihe (I. Farbe): Randm., ⋆ 1 M r, 1 M li abh., (Faden hinter der M), 1 M r, 3 M li abh. (Faden hinter der M). Ab ⋆ wiederholen. Die Reihe endet: 1 M r, 1 M li abh., 1 M r, Randm.

2. Reihe (I. Farbe): Randm., ⋆ 3 M li, 3 M li abh. (Faden vor den M). Ab ⋆ wiederholen. Die Reihe endet: 3 M li, Randm.

3. Reihe (II. Farbe): Randm., ⋆ 3 M li abh. (Faden hinter den M), 1 M r, 1 M li abh. (Faden hinter der M), 1 M r. Ab ⋆ wiederholen. Die Reihe endet: 3 M li abh. (Faden hinten), Randm.

4. Reihe (II. Farbe): Randm., ⋆ 3 M li abh. (Faden vor den M), 3 M li. Ab ⋆ wiederholen. Die Reihe endet: 3 M li abh. (Faden vorn), Randm.

1.–4. Reihe fortlaufend wiederholen.

199

Maschenzahl durch 5 teilbar und 2 Randmaschen.

1. Reihe (I. Farbe): Randm., ⋆ 1 M r, 2 M r, dabei den Fd. jedoch 3mal um die Nd. schlingen (für je eine lange M), 1 M r, 1 M li abh. (Fd. hinter der Arbeit). Ab ⋆ wiederholen, Randm.

2. Reihe (II. Farbe): Randm., ⋆ 1 M li, 4 M li abh. (Fd. vor der Arbeit – die Schlingen lösen sich auf und ergeben lange M). Ab ⋆ wiederholen, Randm.

3. Reihe (II. Farbe): Randm., ⋆ 1 M r, 2 M li abh., (Fd. hinter der Arbeit), 2 M r. Ab ⋆ wiederholen, Randm.

4. Reihe (II. Farbe): Randm., 2 M li, ⋆ 2 M li abh. (Fd. vor der Arbeit), 3 M li. Ab ⋆ wiederholen. Die Reihe endet: 2 M li abh. (Fd. vor der Arbeit), 1 M li, Randm.

5. Reihe (II. Farbe) wie 3. Reihe.

6. Reihe (II. Farbe): Randm., ⋆ 1 M li, 4 M li abh., (Fd. vor der Arbeit). Ab ⋆ wiederholen, Randm.

7. Reihe (II. Farbe): Randm., ⋆ 4 M li abh. (Fd. hinter der Arbeit), 1 M r. Ab ⋆ wiederholen, Randm.

8. Reihe (I. Farbe): Randm., ⋆ 1 M li abh. (Fd. vor der Arbeit), 1 M li, die folg. 2 M über die 1. M ziehen und li abstr., die 1. M li str., 1 M li. Ab ⋆ wiederholen, Randm.

9. und 10. Reihe (I. Farbe): »glatt rechts«.

1.–10. Reihe fortlaufend wiederholen.

Intarsientechnik

Die Intarsientechnik wird bei Strickstücken angewandt, die verschieden geformte Farbfelder erhalten sollen. Sie werden nach Zählmuster gearbeitet, die auf Karopapier bzw. Millimeterpapier gezeichnet sind, wobei 1 Quadrat 1 M entspricht. In den Hinreihen das Zählmuster von rechts nach links, in den Rückreihen von links nach rechts lesen. Es muß mit zwei oder mehreren Knäueln unterschiedlicher Farbe gearbeitet werden. Beim Farbwechsel die Fäden auf der Arbeitsrückseite stets verkreuzen, was zur Vermeidung unsauberer Übergänge sehr sorgfältig ausgeführt werden sollte.

201

Hier ist der Farbwechsel schräg aufwärts gearbeitet und die Verschlingung beider Farben nicht notwendig. Wird jedoch nur bei jeder 2. Reihe die Farbe um 1 Masche abgeschrägt, so müssen in der Reihe, in der nicht abgeschrägt wird, die Fäden einmal umschlungen werden.

200

Bei diesem Farbwechsel ist folgendes zu beachten: Wurde die letzte Masche hell gestrickt und folgt die nächste Masche dunkel, so legt man den hellen Arbeitsfaden über den dunklen Faden und arbeitet dunkel weiter. Somit umschlingt der helle Faden den dunklen Faden, und die Verbindung ist hergestellt.

202

Für einen Diagonalstreifen beginnt man mit einem Anschlag von 2 M und nimmt am Anfang jeder Reihe 1 M zu. Dies geschieht, indem man zwischen den beiden ersten Maschen ein Querglied auf die Nadel hebt und als neue Masche abstrickt. Die Strickart nebenstehender Abbildung ist »glatt r«, d.h. Hinreihen rechts, Rückreihen links. Strickt man nach dieser Art einen Pullover oder dgl., so beginnt man an der im Tragen rechten oder linken unteren Ecke. Hat man durch das gleichmäßige Zunehmen die untere Breite erreicht, so wird an der Seitennaht bis zum Armausschnitt weiterhin je 1 Masche zugenommen, während an der gegenüberliegenden Kante je 1 Masche abgenommen wird. Die weitere Arbeit richtet sich nach dem Schnittmuster. Endet die Arbeit, z.B. bei einer Kissenplatte, Taschenüberzug usw., oben mit gerader Kante, so wird, nachdem an der Seitennaht die gewünschte Höhe erreicht ist, am Anfang jeder Reihe 1 Masche abgenommen, bis alle Maschen aufgebraucht sind.

Strick- oder Maschenstich

Kleine Flächen mit Intarsienmustern, Norwegermuster und andere mehrfarbige Muster lassen sich auch durch das Aufsticken im Maschenstich erzielen.

Ein Aufsticken ist vor allem immer dann angebracht, wenn es sich um weitläufige Muster handelt, bei denen die Arbeit mit mehreren Knäueln schwieriger ist und auch beim Stricken auf der Rückseite zu lange Überbrückungsfäden stehenbleiben.

Der Maschenstich kann nach jeder Zählmustervorlage gearbeitet werden. Der Stickfaden sollte dabei nicht dünner als der verstrickte Faden sein. Die gestrickte Rechtsmasche wird wie folgt überstrickt: am Fuß der Masche ausstechen, unter der oben darüberliegenden Masche durchfahren, wieder am Fuß der Masche bei der Ausstichstelle einstechen und Faden nach hinten durchziehen.

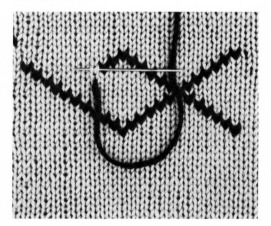

Norwegertechnik

Bei diesen Mustern wird „glatt rechts" = Hinr. r, Rückr. li gestr. und innerhalb einer Reihe die Farbe vielfach gewechselt. Der Faden der zweiten Farbe läuft dabei auf der Rückseite der Arbeit als loser Spannfaden mit. Um eine gleichmäßige Spannung und ein gutes Maschenbild zu erhalten, sollten die Fäden stets um den gleichen Finger gewickelt werden, also z. B. die erste Farbe = Grundfarbe um den Zeigefinger, die zweite Farbe = Schmuckfarbe um den Mittelfinger. Die Randmaschen werden stets mit beiden Fäden gestrickt. Eine große Hilfe beim Arbeiten von Norwegermustern ist der INOX-Strickfingerhut. Dieser Fadenführer, eine Metallspirale mit 2 Ösen, wird über den Zeigefinger gezogen, wobei die Ösen nach unten zeigen müssen. Die Wollfäden werden durch die Ösen geführt, laufen parallel und gleichmäßig stramm, so daß man sie besser verstricken kann. Die Muster werden nach Zählmustern gestrickt, die auf Karopapier gezeichnet sind. Ein Quadrat = 1 Masche. Die Muster können mit verschiedenen Zeichen = Typen gezeichnet sein, wovon jedes Zeichen für eine andere Farbe steht. Bei offener Arbeit wird das Typen- oder Zählmuster in den Hinreihen von rechts nach links, in den Rückreihen von links nach rechts gelesen; beim Rundstricken wird jede Typenmuster-R bzw. -Rd. von rechts nach links gelesen. Der Mustersatz (Rapport) wird, wenn nicht anders angegeben, in Breite und Höhe fortlaufend wiederholt.

203

Man arbeitet »glatt rechts« nach dem Typenmuster, in den Hinreihen fortlaufend von ⋆ bis ⋆⋆, in den Rückreihen fortlaufend von ⋆⋆ bis ⋆.
1.–8. Reihe fortlaufend wiederholen.
Zeichenerklärung:
☐ = I. Farbe
× = II. Farbe
1 Mustersatz = 4 Maschen

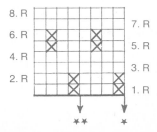

204

Man arbeitet »glatt rechts« nach dem Typenmuster in den Hinreihen fortlaufend von ★ bis
★★ und 1mal von ★★ bis ∅, in den Rückreihen
1mal von ∅ bis ★★ und fortlaufend von ★★ bis ★.
1.–12. Reihe fortlaufend wiederholen.
Zeichenerklärung:
□ = I. Farbe
× = II. Farbe
1 Mustersatz = 10 Maschen

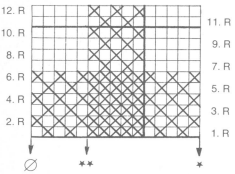

205

Man arbeitet nach dem Typenmuster »glatt
rechts«, in den Hinreihen fortlaufend von ★ bis
★★ und 1mal von ★★ bis ∅, in den Rückreihen
1mal von ∅ bis ★★ und fortlaufend von ★★ bis ★.
1.–8. Reihe fortlaufend wiederholen.
Zeichenerklärung:
□ = I. Farbe
× = II. Farbe
1 Mustersatz = 8 Maschen

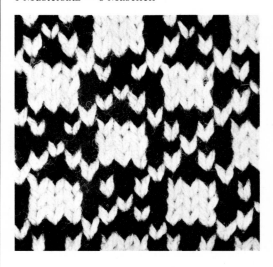

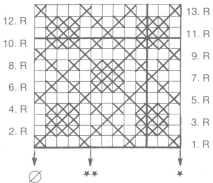

206

Man strickt nach dem Typenmuster »glatt rechts«, und zwar in den Hinreihen fortlaufend von ∗ bis ∗∗, in den Rückreihen fortlaufend von ∗∗ bis ∗.
1.–6. Reihe fortlaufend wiederholen.
Zeichenerklärung:
□ = Grundfarbe
× = Schmuckfarbe
1 Mustersatz = 6 Maschen

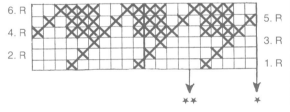

207

Man arb. nach dem Typenmuster »glatt rechts«, in den Hinreihen fortlaufend von ∗ bis ∗∗, in den Rückreihen fortlaufend von ∗∗ bis ∗.
Zeichenerklärung:
□ = I. Farbe
× = II. Farbe
1 Mustersatz = 14 Maschen

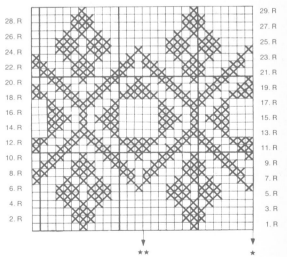

208

Man arbeitet nach dem Typenmuster »glatt
rechts«, in den Hinreihen fortlaufend von ★ bis
★★, in den Rückreihen fortlaufend von ★★ bis ★.
Zeichenerklärung:
□ = I. Farbe
× = II. Farbe
1 Mustersatz = 12 Maschen

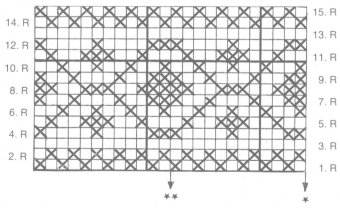

209

Man strickt »glatt rechts« nach dem Typenmuster (in den Hinreihen fortlaufend von ★ bis ★★,
in den Rückreihen fortlaufend von ★★ bis ★).
Zeichenerklärung:
□ = Grundfarbe
× = Schmuckfarbe
1 Mustersatz = 13 Maschen

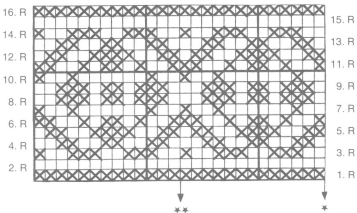

210

Man arbeitet »glatt rechts« nach dem Typen-
muster (in den Hinreihen fortlaufend von ★ bis
★★, in den Rückreihen fortlaufend von ★★ bis ★).
Zeichenerklärung:
□ = Grundfarbe
× = I. Schmuckfarbe
● = II. Schmuckfarbe
1 Mustersatz = 14 Maschen
Das Muster kann beliebig mit 1 oder
2 Schmuckfarben gearb. werden.

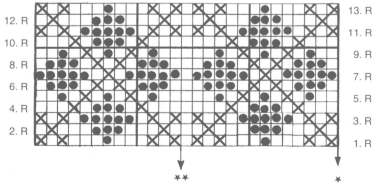

211

Man arbeitet »glatt rechts« nach dem Typenmuster (in den Hinreihen fortlaufend von ★ bis
★★, in den Rückreihen fortlaufend von ★★ bis ★).
Zeichenerklärung:
□ = Grundfarbe
× = Schmuckfarbe
1 Mustersatz = 10 Maschen

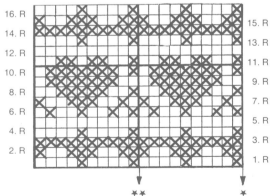

212

Man arbeitet nach dem Typenmuster »glatt
rechts«, in den Hinreihen fortlaufend von ★ bis
★★, in den Rückreihen fortlaufend von ★★ bis ★.
Zeichenerklärung:
□ = I. Farbe
× = II. Farbe
1 Mustersatz = 28 Maschen

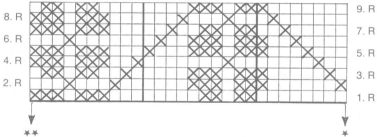

213

Man arbeitet »glatt rechts« nach dem Typenmuster (in den Hinreihen fortlaufend von ★ bis
★★, in den Rückreihen fortlaufend von ★★ bis ★).
Zeichenerklärung:
□ = Grundfarbe
× = Schmuckfarbe
1 Mustersatz = 50 Maschen

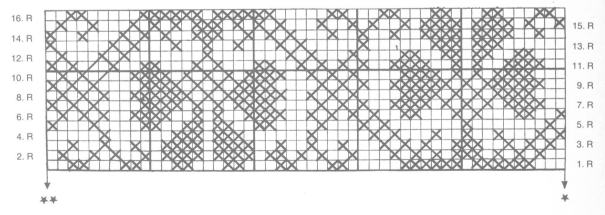

214

Man str. nach dem Typenmuster »glatt rechts‹
in den Hinreihen fortlaufend von ★ bis ★★, i
den Rückreihen fortlaufend von ★★ bis ★.
Zeichenerklärung:
□ = I. Farbe
× = II. Farbe
1 Mustersatz = 10 Maschen

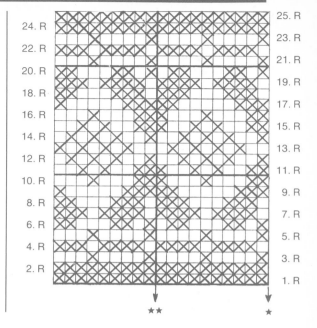

215

Man str. nach dem Typenmuster »glatt rechts«,
in den Hinreihen fortlaufend von ★ bis ★★, in
den Rückreihen fortlaufend von ★★ bis ★.
Zeichenerklärung:
□ = I. Farbe
× = II. Farbe
1 Mustersatz = 20 Maschen

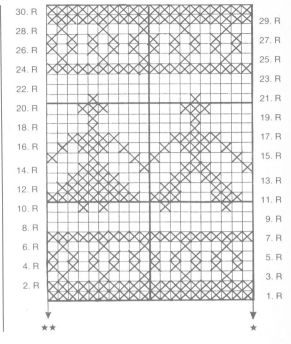

216

Man str. nach dem Typenmuster »glatt rechts«, in den Hinreihen fortlaufend von ★ bis ★★ und 1mal von ★ bis ∅, in den Rückreihen 1mal von ∅ bis ★, fortlaufend von ★★ bis ★.

Zeichenerklärung:
□ = I. Farbe
× = II. Farbe
1 Mustersatz = 32 Maschen.

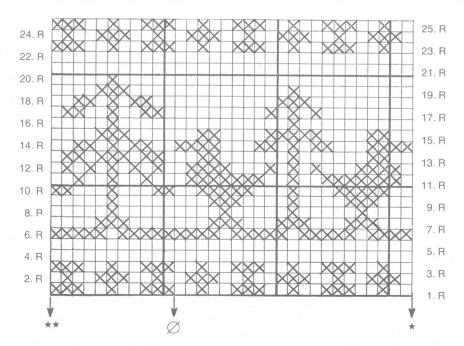

Stricken auf der Handstrickmaschine

Was leistet eine Handstrickmaschine – und was nicht?

Der wesentliche Vorteil einer Handstrickmaschine ist ihre hohe Geschwindigkeit. Wieviel schneller sie als Handstricken ist, kann nicht pauschal gesagt werden. Dies hängt von verschiedenen Faktoren ab: persönliche Geschicklichkeit, Formgebung und Muster des Strickstückes, zu verarbeitendes Material etc.

Was eine Strickmaschine nicht kann, ist zaubern. Man muß sich also darüber im klaren sein, daß es keine selbsttätige Maschine ist: trotz hilfreicher Zusatzgeräte wie zum Beispiel Mustergerät oder Schnitteingabegerät, die die Strickarbeit wesentlich erleichtern, muß sie von Hand bedient werden. Und nur richtig bedient, kann sie das hervorbringen, was gewünscht wird; das bedeutet, Korrektur muß genauso wie beim Handstricken manuell erfolgen. Ansonsten kann man mit einer Handstrickmaschine Strickstücke wie beim Handstricken fertigen – mit Ausnahme von einigen Mustern, die nicht oder nur sehr schwer herzustellen sind.

Unterschied zwischen Handstricken und Maschinenstricken

Das Stricken mit der Strickmaschine unterscheidet sich vom Handstricken lediglich durch die Handhabung des Strickgeräts.

Wie beim Handstricken werden Maschen dadurch gebildet, indem der Faden durch die vorhandene Anschlagschlinge gezogen wird. Bei der Formgebung wird die Maschenzahl verringert oder vermehrt. Soll abgenommen werden, werden zwei Maschen zusammengestrickt; beim Zunehmen zusätzlich eine oder mehrere neue Maschen zugeschlagen.

Lochmuster entstehen, indem man Maschen zusammenstrickt; das Stricken von mehrfarbigen Mustern ist ebenso möglich. Aufgetrennt werden kann Gestrick, das auf der Strickmaschine entstand, ebenso wie Handgestricktes.

Ist eine Handstrickmaschine rentabel?

Diese Frage muß von der ideellen und der materiellen Seite aus gesehen werden. Wer Spaß – und vielleicht auch Bestätigung – an Selbstgeschaffenem hat und sich auch gerne individuell kleidet, für denjenigen ist eine Strickmaschine immer interessant. Einfach deshalb, weil mit der Maschine ein Vielfaches von dem gestrickt werden kann, was von Hand möglich ist.

Materiell gesehen, macht sich eine Strickmaschine auch bei geringerer Benutzung bezahlt. Allein durch die Strickgeschwindigkeit bietet sich die Möglichkeit, nicht nur für den eigenen Bedarf, sondern auch für den Bedarf an Geschenken zu stricken. Der wirtschaftliche Nutzen macht sich mit der Größe einer Familie und der Vorliebe für Selbstgestricktes bemerkbar.

Ist die Bedienung schwierig?

Prinzipiell kann das Maschinenstricken von jedem erlernt werden. Ob aber das Lernen schwer- oder leichtfällt, hängt ganz von der individuellen Veranlagung des einzelnen ab. Auf jeden Fall sollte man vor dem Kauf folgende Punkte überprüfen: Läßt sich das Gerät einfach bedienen? Wird eine ausreichende Anlernung auf der Maschine gewährleistet? Wird eine ausführliche und gut verständliche Bedienungsanleitung mitgeliefert? Genügen die Strickmöglichkeiten den eigenen Ansprüchen? Verfügt die Herstellfirma auch über einen gut ausgebauten Beratungs- und Kundendienst?

Welche Garnarten kann man verarbeiten?

Mit einer guten Handstrickmaschine lassen sich alle handelsüblichen Garne wie beispielsweise Wolle, Baumwolle, Chemiefasern, Metallfäden (Lurex) etc. verarbeiten. Ausnahmen sind Garne, die sehr dick (etwa ab Handstricknadel Stärke 5 – für dickere Garne gibt es Spezialmaschinen), sehr noppig, geflammt oder sehr haarig (z. B. Mohair) sind.

Diese Materialien lassen sich auf einer Universalmaschine nur sehr schwer oder gar nicht verstricken. Hierfür gibt es die »Grobstricker«, die aber nicht für dünne Gestricke geeignet sind. Interessanterweise können auch mehrere Garne miteinander verstrickt werden, um z. B. Glitzer-Effekte mit Lurexfäden zu erzielen. Wie beim Handstricken läßt sich auch auf der Maschine ein gutes elastisches Wollgarn mittlerer Stärke (Handstricknadeln 2½–3) am besten verarbeiten.

Grundsätzlich gilt – je besser das Material, um so schöner das Gestrick und um so leichter die Arbeit. Für Anfänger ist zu empfehlen, die ersten Strickstücke mit einem guten elastischen Garn mittlerer Stärke herzustellen.

Wie erlernt man die Bedienung einer Handstrickmaschine?

Beim Kauf einer Handstrickmaschine wird üblicherweise auch der Anspruch auf Anlernung miterworben. Ebenso sind der Maschine sehr ausführliche Bedienungsanleitungen mitgegeben. Nach erfolgter Anlernung, die über geschulte Fachkräfte der Herstellfirmen geschieht, kann man mit einem Autofahrer verglichen werden, der gerade seinen Führerschein gemacht hat, aber noch lange nicht ein routinierter Autofahrer ist. Erst durch Übung können die erworbenen Kenntnisse ausgebaut werden. Dies trifft auch auf das Stricken auf der Handstrickmaschine zu. Auch hier gilt: Übung macht den Meister. Sicher geht der erste Pullover nicht so schnell und reibungslos von der Maschine wie der fünfte und die folgenden. Am Anfang ist es sehr wichtig, die erlernten Arbeitsgänge zu wiederholen, damit man die Maschine Schritt für Schritt kennenlernt. Dabei sollte man auftretende Schwierigkeiten und Fragen notieren und bei Gelegenheit mit der Beratungsstelle der Herstellfirma besprechen. Am besten bringt man dazu sein gefertigtes Strickstück mit, läßt es beurteilen und bespricht zusammen die aufgetretenen Fehler und Schwierigkeiten. Für technisch weniger Begabte tritt bei den ersten Arbeiten vielleicht einmal der sogenannte »tote Punkt« auf. Wenn es einfach nicht klappen will, verliert man leicht die Geduld. Dies ist eine Erscheinung, die nicht typisch für die Strickmaschine ist, sondern die

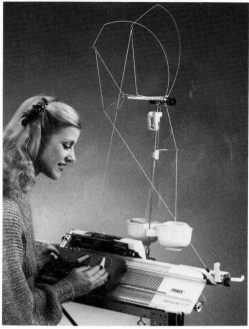

Foto: Pfaff

man schon als Kind kennengelernt hat und die bei allem, was neu ist, wieder auftaucht.

Hier lohnt sich Geduld bestimmt, und es kommt wohl kaum vor, daß dieser tote Punkt nicht überwunden wird und über die Freude an den ersten fertigen Stücken vergessen wird.

Verschiedene Strickmaschinentypen und ihre technischen Merkmale

Man unterscheidet grundsätzlich zwei Typen: Einbettgeräte und Doppelbettmaschinen. Beide arbeiten mit sogenannten Zungennadeln. Die Zahl der vorhandenen Nadeln bestimmt die Zahl der Maschen, die gestrickt werden können, und damit auch die mögliche Strickbreite. Bei den auf dem Markt befindlichen Strickmaschinen schwankt die Zahl der Nadeln zwischen 160 und 200. Das Verhältnis Maschenzahl und Strickbreite hängt von der Stärke des Materials ab. 20 Maschen aus einer kräftigeren Wolle ergeben ein breiteres Gestrick als dieselbe Maschenzahl aus dünnerem Garn. Es ist immer zweckmäßig, Maschinen mit größerer Nadelzahl zu wählen, da man bei diesen bezüglich der Strickbreite weniger eingeschränkt ist.

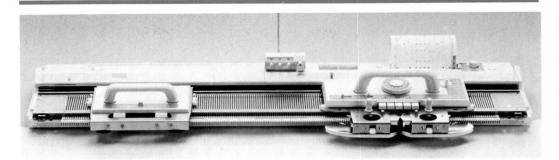

Foto: Westrima

Reicht der Nadelabstand und die größte Mascheneinstellung nicht aus, um mit starkem Garn ein lockeres Gestrick zu erzielen, so kann man jede zweite Nadel außer Betrieb stellen und nur mit der anderen Hälfte der Nadeln arbeiten.

Die Strickart, die bei einem Einbettgerät entsteht, wird als »Glattrechts« bezeichnet. Mit diesem Glatt-rechts-Gestrick werden die meisten selbstgestrickten Kleidungsstücke hergestellt. Das Gestrick kommt so aus der Maschine, daß man die linke Seite vor sich hat. Diese Grundstrickart kann durch entsprechende Nadelstellung auf dem Einbettgerät zu unzähligen Mustern abgewandelt werden. Welche Mustermöglichkeiten es hier gibt, wird im Kapitel Musterstricken gezeigt.

Sollen nun abwechselnd rechte und linke Maschen gestrickt werden, wird beim Einbettgerät jede 2., 4., 6. Masche durch Zurückziehen der Zungennadeln fallengelassen und mit Hilfe einer Zungennadel in entgegengesetzter Richtung wieder hochgehäkelt. Dieser Behelf erfordert allerdings einige Geschicklichkeit und verzögert das Stricken natürlich.

Ein Einbettgerät kann jedoch im Baukastensystem zu einem echten Doppelbettgerät mit allem Drum und Dran ausgebaut werden, so daß man diese Schwierigkeiten des Rechts-links-Strickens umgehen kann.

Ein anderer Typ ist das Doppelbettgerät, das mit zwei Nadelbetten ausgestattet ist und somit auch insgesamt eine größere Maschenzahl aufweist, das heißt auch mehr Möglichkeiten, was Größe und Muster angeht, bietet.

Das Grundmuster beim Doppelbettgerät wird als Rechts-rechts-Gestrick bezeichnet, weil das Gestrick auf jeder Seite das gleiche Bild von rechten Maschen bildet.

Wenn beispielsweise nach dem Stricken des Bündchens beim Pullover auf glatt rechts übergegangen werden soll, so werden die Maschen

Foto: Aisin Deutschland, Toyota

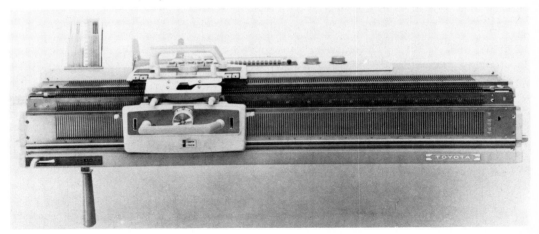

auf das vordere Bett einfach übergehängt und weitergestrickt – also weitaus weniger aufwendig als bei Einbettgeräten.

Welchem Gerätetyp man den Vorzug geben soll, hängt ganz davon ab, was man erreichen möchte.

Einbettgeräte sind im allgemeinen preisgünstiger und einfacher in der Bedienung und Pflege. Zudem können sie durch Vorsatzgeräte so weit ergänzt werden, daß verschiedene Muster – wenn auch oft etwas zeitraubend – gestrickt werden können. Doppelbettgeräte sind in ihrer Bedienung meist etwas schwieriger und technisch nicht so übersichtlich.

Sie bieten keine so klare Übersicht über das Gestrick wie Einbettgeräte. Es wird sozusagen »blind« gestrickt. Mit Doppelbettgeräten erreicht man bei Rechts-links-Strickarten eine wesentlich höhere Geschwindigkeit, und die Mustermöglichkeiten sind fast unbegrenzt. Um zu einer Entscheidung zu kommen, sollte man sich die Typen genau vorführen lassen und sie auch selbst einmal bedienen.

Praktische Arbeit an der Handstrickmaschine

Wenn man sich für ein Strickmodell, für das Material und für das Muster entschieden hat, ist die wichtigste Vorbereitung die Zusammenstellung des stricktechnischen Fahrplans. Das heißt, die dem Modellschnitt zugrunde liegenden Maße müssen in die entsprechenden Maschen und Reihen umgerechnet werden.

Grundlage für den Strickfahrplan ist – wie auch beim Handstricken – die Maschenprobe. Schleicht sich bei der Maschenprobe ein Fehler ein, ist es nicht verwunderlich, wenn das Strickstück nicht paßt. Aus diesem Grund ist bei der Maschenprobe folgendes zu beachten:

1. Das Probestück muß, wenn es zuverlässige Zahlen ergeben soll, groß genug sein. Man schlägt am besten 40 Maschen an und strickt 50 bis 60 Reihen hoch.

2. Die äußeren Voraussetzungen beim Herstellen der Maschenprobe müssen dieselben wie beim späteren Stricken des Modells sein. Wenn man zum Beispiel bei der Maschenprobe mit Fadenführer gestrickt hat, muß dies auch beim Modell geschehen. Daß man sich natürlich die eingestellte Maschengröße genau notiert, ist selbstverständlich.

3. Es ist zweckmäßig, die Maschenprobe einige Stunden liegen zu lassen. Vor dem Auszählen sollte die Maschenprobe gedämpft werden.

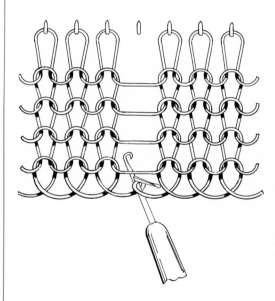

Aufheben heruntergefallener Maschen

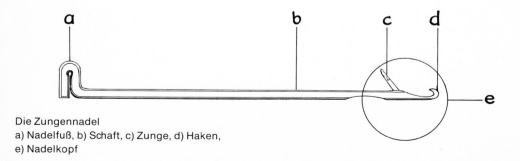

Die Zungennadel
a) Nadelfuß, b) Schaft, c) Zunge, d) Haken,
e) Nadelkopf

Auszählen und Umrechnen

Man geht beim Auszählen davon aus, wieviel Maschen und Reihen der Maschenprobe je 10 cm in Breite und Höhe ergeben.
Angenommen, die Auszählung ergab

10 cm Breite = 34 Maschen
10 cm Höhe = 42 Reihen

ergibt sich für ein Modell, bei dem man 31 cm für den Anschlag braucht, folgende Umrechnung:

$$10 \text{ cm Breite} = 34 \text{ Maschen}$$

$$31 \text{ cm Breite} = \frac{34 \text{ Maschen} \times 31 \text{ cm}}{10 \text{ cm}}$$

$$= 105 \text{ Maschen}$$

Das Modell wird also mit 105 Maschen Anschlag begonnen. Wenn man nun – aus den Schnittunterlagen entnommen – 48 cm hoch stricken muß, sieht die Umrechnung so aus:

$$10 \text{ cm Höhe} = 42 \text{ Reihen}$$

$$48 \text{ cm Höhe} = \frac{42 \text{ Reihen} \times 48 \text{ cm}}{10 \text{ cm}}$$

$$= 202 \text{ Reihen}$$

Man muß also 202 Reihen stricken, um 48 cm hochzustricken. Für die Errechnung von Zunahmen, Abnahmen, Stricken des Arm- und Halsausschnitts oder der Armkugel gelten die gleichen Grundsätze wie beim Handstricken.
Wenn glatt rechts gestrickt wurde, ist das Auszählen der Maschenprobe sehr einfach. Sobald man aber Muster vor sich hat, müssen natürlich die jeweiligen Mustergänge berücksichtigt werden.
Bei manchen Mustern dürfen nicht nur die direkt übereinander liegenden sichtbaren Reihen gezählt werden, sondern es müssen auch meist die sich auf der linken Seite befindlichen Maschen mitausgezählt werden. Durch die Musterbeschreibung beim Modell ist meist bekannt, wieviel Reihen zu einem Muster gehören.
Hat man eine Maschenprobe mit Halbpatent auszuzählen, so müssen neben den ausliegenden Perlmaschen auch die dahinter liegenden kleinen Maschen mitgezählt werden. Typisch für dieses Muster ist, daß kleine und große Maschen abwechseln und durch die Elastizität des Gestricks die kleinen Maschen leicht übersehen werden. Genausogut kann man nur die großen Maschen zählen und diese Zahl verdoppeln.

Pflege und Wartung der Handstrickmaschine

Handstrickmaschinen sind feinmechanische Präzisionserzeugnisse, die sorgfältig gepflegt werden müssen. Nach jeder Strickarbeit sollte die ganze Maschine mit einem weichen Pinsel oder einem Staubsauger (feine Düse) von Wollstaub befreit werden. Die Strickmaschine darf keiner Feuchtigkeit ausgesetzt werden. Wird sie durch irgendwelche Umstände einmal naß oder beschlagen, so ist es notwendig, sie sofort trockenzureiben. Bei Verwendung von Öl sollte man sparsam umgehen und beachten, daß nur gutes, säurefreies Öl verwendet werden darf. Geölt wird nur an den in der Betriebsanleitung beschriebenen Stellen. Darüber hinaus haben alle Handstrickmaschinen noch spezielle Wartungsvorschriften, die von Fabrikat zu Fabrikat verschieden sein können.
Eine Strickmaschine sollte immer auf einer ebenen Unterlage stehen oder aufliegen. Steht sie längere Zeit auf einer verzogenen Tischplatte, kann das zum Verziehen der Grundelemente der Maschine führen, so daß nicht mehr einwandfrei abgestrickt wird, die Maschine schwer läuft etc.
Die Herstellfirmen bieten passende Untersätze (Füße oder Tische), auf denen die Maschine befestigt wird, meist gleich mit an, oft sind diese Aggregate auch bereits in der Maschine integriert.
Generell sind Handstrickmaschinen nicht sehr reparaturanfällig und bedürfen keiner großen Wartung. Wer jedoch viel strickt, sollte die Maschine alle ein bis zwei Jahre einmal zur Generalreinigung zum Kundendienst der Herstellfirma geben.

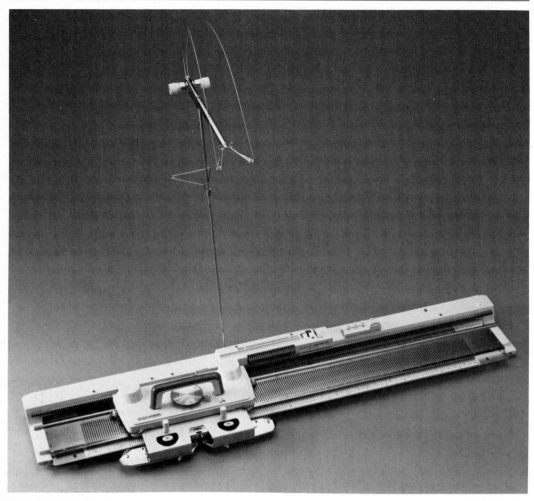

Foto: Empisal, Knittax

Stricktechnische Besonderheiten

Die unterschiedlichen Handstrickmaschinen, die auf dem Markt sind, weichen in vielen technischen Dingen wesentlich voneinander ab. Dies wirkt sich besonders bei stricktechnischen Tricks aus. Es ist unmöglich, in diesem Rahmen all die Besonderheiten eines jeden einzelnen Geräts zu erläutern. Daher ist es wichtig, sich beim Kauf einer Handstrickmaschine sorgfältig anlernen zu lassen und die Bedienungsanleitung genauestens zu lesen.

Das gilt neben den stricktechnischen Besonderheiten ebenso auch für das Musterstricken. Die einzelnen Maschinentypen weichen in ihrer Handhabung voneinander ab, so daß bei den nachfolgenden Musterbeispielen auf die technischen Besonderheiten der einzelnen Geräte keine Rücksicht genommen werden kann. Es wird nur allgemein das Muster beschrieben.

Muster

Die Mustermöglichkeiten, die auf einer Hand-strickmaschine erzielt werden können, sind sehr vielfältig. Auch hier gilt im Prinzip, daß die Muster nach dem gleichen System wie beim Hand-stricken entstehen.

Die verschiedenen Einstellungen der Muster-scheibe an der Strickmaschine erlauben es, eine große Anzahl von Mustern teilweise vollauto-matisch, teilweise halbautomatisch zu stricken. Welche Möglichkeiten es hier gibt, zeigt die kleine Auswahl an Musterbeispielen:

Durchbruchmuster

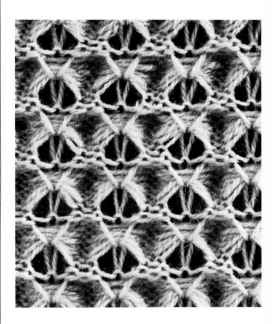

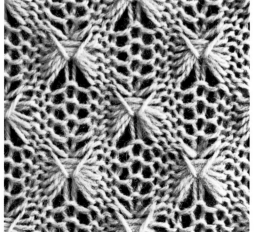

Netzpatent

Waffelmuster

Lochmuster

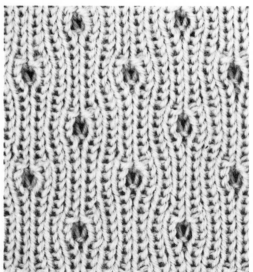

Wabenmuster

Streifenmuster

Reliefmuster

Zweifarbige Muster

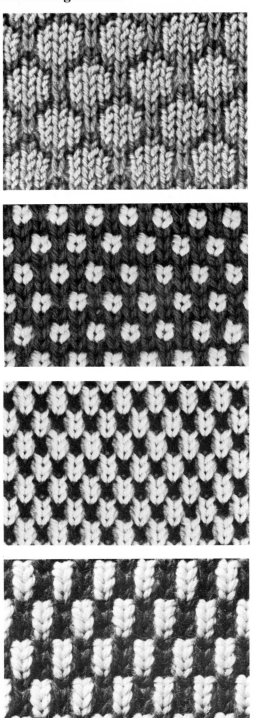

Häkeln

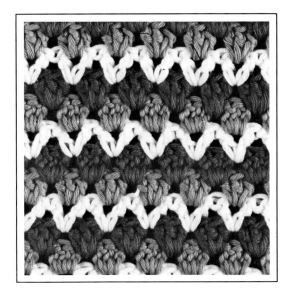

Grundkenntnisse
Verschiedene Formen

14 Musterarten mit 146 Mustern:
Einfache Häkelmuster
Muschelmuster
Sternmuster
Reliefmuster
Durchbruchmuster
Irische Häkelei
Borten und Bordüren
Tunesische Häkelei
Mehrfarbige Muster
Umrandungen
Flachstäbchentechnik
Schlingenhäkelei
Gabelhäkelei

Grundkenntnisse

Anfangsmasche

Den Anfangsfaden mit Daumen und Zeigefinger der linken Hand festhalten – Linkshänder häkeln genau spiegelverkehrt, halten also den Anfangsfaden mit Daumen und Zeigefinger der rechten Hand. – Mit dem fortlaufenden Faden von rechts nach links eine Schlinge legen, so daß der fortlaufende Faden oben liegt. Den fortlaufenden Faden hinter der Schlinge über den Zeigefinger legen, zwischen Klein- und Ringfinger festhalten. Die Häkelnadel von vorn in die Schlinge einführen, den Faden durchholen und die Schlinge festziehen. Die Masche bleibt auf der Nadel für die Luftmaschenkette.

Luftmasche

Mit der Häkelnadel den Arbeitsfaden fortlaufend durch die Schlinge holen (umschlagen, durchziehen).
Fast alle Häkelarbeiten beginnen mit dieser Luftmaschenkette.

Ketten- oder Anschlußmasche

In die zweitletzte Luftmasche des Anschlages von vorn nach hinten einstechen, umschlagen (oder Faden holen), durch die beiden auf der Nadel liegenden Glieder ziehen. Fortlaufend in die nächste Luftmasche einstechen, umschlagen, durch beide Glieder ziehen.

Feste oder dichte Masche

In die zweitletzte Masche des Anschlages einstechen, Faden holen, durchziehen, Faden holen und durch die beiden auf der Nadel liegenden Schlingen ziehen. In die nächste Luftmasche des Anschlages einstechen, Faden holen, durchziehen, Faden holen und durch die beiden auf der Nadel liegenden Schlingen ziehen usw. 2. Reihe und alle folgenden Reihen: Arbeit wenden, 1 Luftmasche, in die zweite feste Masche der Vorreihe einstechen, Faden holen, durchziehen, Faden holen und durch die beiden Schlingen ziehen. In die nächste feste Masche der Vorreihe einstechen usw.

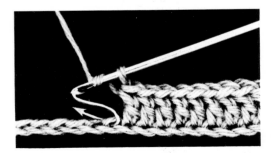

Einfaches Stäbchen

1. Reihe: umschlagen, in die viertletzte Luftmasche des Anschlages einstechen, Faden holen, durchziehen, Faden holen, durch 2 Schlingen ziehen, Faden holen und durch die letzten beiden Schlingen ziehen, umschlagen, in die nächste Luftmasche einstechen, Faden holen, durchziehen usw.

Die folgende Abbildung zeigt die Stäbchen in Hin- und Rückreihen. Man wendet die Arbeit wie folgt:
2. Reihe: als Ersatz für das 1. Stäbchen werden 3 Luftmaschen gehäkelt (2 für die Höhe des Stäbchens, 1 für die Breite), dann umschlagen, in das zweitletzte Stäbchen der Vorreihe einstechen, dabei können die beiden oberen waagrechten Glieder oder auch nur das hintere waagrechte Glied gefaßt werden, Faden holen, durchziehen, Faden holen, durch 2 Schlingen ziehen, Faden holen, durch 2 Schlingen ziehen usw.

Halbes Stäbchen

1. Reihe: umschlagen, in die drittletzte Luftmasche des Anschlages einstechen, Faden holen, durchziehen, Faden holen, durch 3 Schlingen zugleich ziehen, umschlagen, in die nächste Luftmasche einstechen, Faden holen usw.

Die Abbildung zeigt die Halbstäbchen nur in Hinreihen. Bei Hin- und Rückreihen geschieht das Wenden wie folgt: an Stelle des 1. Halbstäbchens 2 Luftmaschen häkeln, umschlagen, in das zweitletzte Halbstäbchen der Vorreihe einstechen, Faden holen, durchziehen, Faden holen, durch alle 3 Schlingen ziehen usw.

Doppelstäbchen

1. Reihe: 2mal umschlagen, in die fünftletzte Luftmasche einstechen, Faden holen, durchziehen, Faden holen, durch 2 Schlingen ziehen, Faden holen, durch 2 Schlingen ziehen, Faden holen, durch die letzten beiden Schlingen ziehen, 2mal umschlagen, in die nächste Luftmasche einstechen usw., Arbeit wenden.
2. Reihe: 4 Luftmaschen, in das zweitletzte Doppelstäbchen der Vorreihe wieder ein Doppelstäbchen usw.

Drei- und mehrfache Stäbchen

Hier wird der Faden 3- und mehrfach um die Nadel gelegt und durch je 2 Schlingen abgeschürzt. Beim Wenden der Arbeit werden der Höhe des Stäbchens entsprechend 5 und mehr Luftmaschen gehäkelt.

Kreuzstäbchen

Das Kreuzstäbchen besteht aus 4 kreuzweise übereinanderstehenden Stäbchen, die durch 2 Luftmaschen voneinander getrennt sind. Der Reihenfolge nach wird zuerst das untere rechts stehende Stäbchen, dann das untere links stehende Stäbchen, das obere rechts stehende Stäbchen, dann das obere links stehende Stäbchen gearbeitet.

Arbeitsweise: Bei Beginn der Reihe umschlagen, in die 6. Lftm. des Anschlages einstechen und 1 Stb. häkeln. 5 Lftm. häkeln, umschlagen, im Kreuzungspunkt die beiden senkrechten Glieder fassen, 1 Stb. häkeln.

Alle übrigen Kreuzstäbchen werden auf folgende Weise gearbeitet: 2mal umschlagen, in die nächste Masche der Vorreihe einstechen, Faden holen, durchziehen, Faden holen und 1mal durch 2 Schlingen ziehen, umschlagen, in die drittfolgende Masche einstechen, Faden holen, durchziehen, Faden holen und 4mal durch je 2 Schlingen ziehen, 2 Lftm., umschlagen, im Kreuzungspunkt die beiden senkrechten Glieder fassen, Faden holen, durchziehen, Faden holen, 1 Stb. häkeln. Die einzelnen Kreuzstäbchen können auch durch Luftmaschen voneinander getrennt werden.

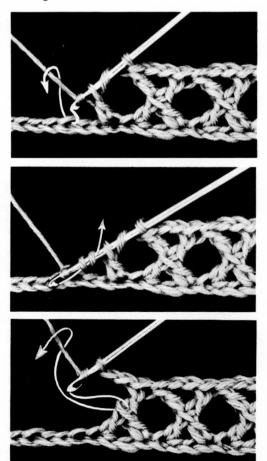

Fester Maschenanschlag

Mit 2 Lftm. beginnen: in die 1. dieser Lftm. 1 f. M. häkeln, mit der Häkelnadel in das linke senkrechte Glied der f. M. einstechen, 1 f. M. abhäkeln, fortlaufend immer das linke senkrechte Maschenglied fassen und 1 f. M. abhäkeln.

Wickelmasche

Die Wickelmasche wird ähnlich dem halben Stäbchen ausgeführt. Die Abbildung zeigt einen 3maligen Umschlag, hierauf einstechen, Faden holen, durchziehen, Faden holen, durch alle Schlingen ziehen.

Diese Abbildung zeigt die hohe Wickelmasche mit einem fünffachen Umschlag. Die Ausführung ist, nachdem die Wolle 5mal um die Nadel gelegt wurde, dieselbe, wie oben beschrieben.

Büschelmasche

Luftmaschenanschlag.
1. Reihe: 1 Umschlag, in die 4. Lftm. des Anschlages einstechen und den Arbeitsfaden als Schlinge hochziehen, umschlagen, in dieselbe Lftm. einstechen, Faden holen, durchziehen, hochziehen, umschlagen, die 3. Schlinge aus derselben Lftm. holen, umschlagen, die 4. Schlinge holen, umschlagen und alle auf der Nadel befindlichen Schlingen abschürzen, als Abschluß 1 Lftm. Eine (oder bei dickerer Wolle zwei) Lftm. des Anschlages übergehen und die Büschelmasche so wiederholen:
1 Umschlag, Faden holen, Schlinge hochziehen, noch dreimal wiederholen, umschlagen und alle Schlingen zusammen abschürzen. Als Abschluß 1 Lftm.
2. und alle folgenden Reihen: 2 Lftm. zum Wenden und je 1 Büschelmasche zwischen 2 Büschelmaschen der Vorreihe häkeln.
Bei der Abbildung wurde nur in Hinreihen gearbeitet.

Büschelstäbchen

Luftmaschenanschlag.

1. Reihe: Umschlagen, in die drittletzte Lftm. des Anschlages einstechen, Faden holen, durchziehen, Faden holen, durch 2 Schlingen ziehen, umschlagen, in dieselbe Masche einstechen, Faden holen, durchziehen, Faden holen, durch 2 Schlingen ziehen, Faden holen, durch alle drei auf der Nadel liegenden Schlingen ziehen, ⋆ 1 Lftm., umschlagen, in die 2. folgende Masche einstechen, Faden holen, durchziehen, Faden holen, durch 2 Schlingen ziehen, umschlagen, in dieselbe Masche einstechen, Faden holen, durchziehen, Faden holen, durch 2 Schlingen ziehen, umschlagen, in dieselbe Masche einstechen, Faden holen, durchziehen, Faden holen, durch 2 Schlingen ziehen, Faden holen, durch alle 4 auf der Nadel liegenden Schlingen ziehen. Ab ⋆ wiederholen.

2. und alle folgenden Reihen: wie 1. Reihe, jedoch stets zwischen je 2 Gruppen der Vorreihe arbeiten.

Die Abbildung zeigt die Büschelstäbchen in hin- und hergehenden Reihen.

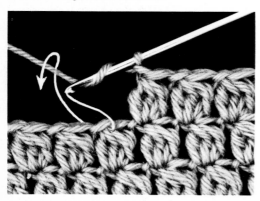

Einfacher Strickstich

Nur in Hinreihen arbeiten.

Lftm.-Anschlag

1. Reihe: f. M.

2. Reihe: zwischen den 2 senkrechten Maschengliedern einstechen, Faden holen und durchziehen, umschlagen und durch die beiden auf der Nadel befindlichen Schlingen ziehen.

Doppel-Strickstich

Nur in Hinreihen arbeiten.

Lftm.-Anschlag

1. Reihe: ⋆ Wie bei einer f. M. einstechen, den Umschlag durchziehen; Faden holen, durch eine Schlinge ziehen, nochmals Faden holen und durch beide Schlingen ziehen. Ab ⋆ wiederholen.

2. und alle folgenden Reihen: In das obere der zwei senkrechten Maschenglieder von vorn einstechen, weiter wie in 1. Reihe arbeiten.

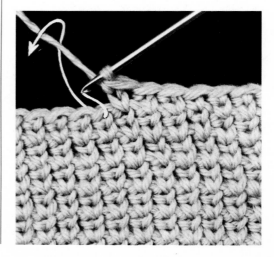

Knotenstich

Nur in Hinreihen arbeiten.
Lftm.-Anschlag
1. Reihe: f. M.
2. Reihe: rechts von der 1. Masche der Vorreihe
nach hinten einstechen, Faden holen, durchziehen, links von derselben Masche holt man ebenfalls 1 Schlinge, durchziehen, Faden holen und
durch die auf der Nadel befindlichen Schlingen
ziehen. In dieselbe Stelle wie vorher, also rechts
der folgenden Masche einstechen, 1 Schlinge
durchziehen, links von dieser Masche einstechen, gleichfalls 1 Schlinge durchziehen, Faden
holen und durch alle auf der Nadel befindlichen Schlingen ziehen.

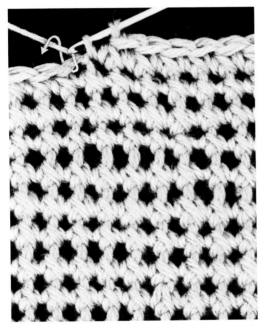

Gretchenstich

Lftm.-Anschlag.
In die zweitletzte Masche des Anschlages einstechen, Faden holen (der Faden muß vor der
Nadel liegen), durchziehen. Faden holen wie
bei der f. M., durch 2 Schlingen ziehen. Die Abbildung zeigt das Muster nur in Hinreihen gearbeitet, dabei wurden stets beide Maschenglieder
gefaßt.

Rosenstäbchen

Nur in Hinreihen arbeiten.
Lftm.-Anschlag.
Umschlagen, einstechen, Faden holen und zugleich durch den 1. Umschlag durchziehen, umschlagen und die beiden auf der Nadel liegenden Schlingen abmaschen.
Jede Reihe beginnt mit 1 Km.

Flechtstich

Nur in Hinreihen arbeiten.
Grundart ist die feste Masche, nur das Einstechen der Nadel gibt dem Stich ein anderes Aussehen.
Lftm.-Anschlag.
1. Reihe: f. M.
2. und alle folgenden Reihen: die beiden Maschenglieder stets liegenlassen und mit der Häkelnadel auf der Rückseite den tieferliegenden Querfaden von oben nach unten auffassen und 1 f. M. häkeln.

Bosnischer Häkelstich

Nur in Hinreihen arbeiten.
Grundart ist die Kettmasche.
Lftm.-Anschlag.
1. Reihe: f. M.
2. und alle folgenden Reihen: durch das hintere obere Maschenglied einstechen, Faden holen und zugleich durch die auf der Nadel liegende Schlinge ziehen.

Rumänischer Häkelstich

Nur in Hinreihen arbeiten.
In das hintere, waagerecht liegende Maschenglied von vorn nach hinten einstechen, das nächste Maschenglied von hinten nach vorn holen, den Faden durch diese beiden gekreuzt auf der Nadel liegenden Maschenglieder durchziehen, umschlagen und beide Schlingen abmaschen. Nun die Nadel wieder von vorn nach hinten – durch das bei dem vorigen Stich schon in umgekehrter Richtung benutzte Maschenglied – führen, durch das nächste Maschenglied von hinten nach vorn einstechen und die Masche wie vorher beschrieben beenden.

Zickzackstich

Lftm.-Anschlag.
1. Reihe: In die viertletzte Anschlagmasche 1 Stb., dann umschlagen, in dieselbe Stelle einstechen, Faden holen, durchziehen, Faden holen, durch 2 Schlingen ziehen, umschlagen, in die zweitfolgende Anschlagmasche einstechen, Faden holen, durchziehen, Faden holen, durch 2 Schlingen ziehen, Faden holen und durch alle 3 auf der Nadel befindlichen Schlingen ziehen. Fortlaufend wiederholen: umschlagen, in dieselbe Stelle wie zuletzt einstechen, Faden holen, durchziehen, Faden holen, durch 2 Schlingen ziehen, umschlagen, in die zweitfolgende Anschlagmasche einstechen, Faden holen, durchziehen, Faden holen, durch 2 Schlingen ziehen, Faden holen, durch alle 3 auf der Nadel befindlichen Schlingen ziehen.
2. Reihe und alle folgenden Reihen: nach dem Wenden der Arbeit 3 Lftm., 1 Stb. (von jetzt an immer zwischen den Stb.-Gruppen durchste-

chen). Fortlaufend 2 zusammengeschürzte Stb. Um eine gute Arbeit zu erzielen, muß lose gehäkelt, vor allem das Stäbchen gut hochgezogen werden.

Pikots und Abschlußkanten

5 Luftmaschen, in die 1. Luftmasche zurückgehend 1 feste Masche, 5 Luftmaschen, zurückgehend in die 1. Luftmasche 1 feste Masche, 5 Luftmaschen usw.
3 Luftmaschen, ★ in die zweitletzte Luftmasche zurückgehend 1 feste Masche, in die 1. Luftmasche 1 Stäbchen, 3 Luftmaschen. Ab ★ wiederholen.

Als Abschluß: 1 Kettmasche in die vorige Reihe, ★ 4 Luftmaschen, in die 1. Luftmasche zurückgehend 1 feste Masche, 2 bis 3 Maschen der Vorreihe übergehen, 1 Kettmasche. Ab ★ wiederholen.

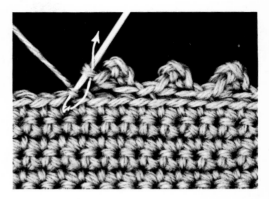

5 Luftmaschen, ★ in die zweitletzte Luftmasche 1 feste Masche, in die nächste Luftmasche 1 halbes Stäbchen, in die folgende Luftmasche 1 einfaches Stäbchen und in die letzte Luftmasche 1 Doppelstäbchen, 5 Luftmaschen. Ab ★ wiederholen.

Verschiedene Formen

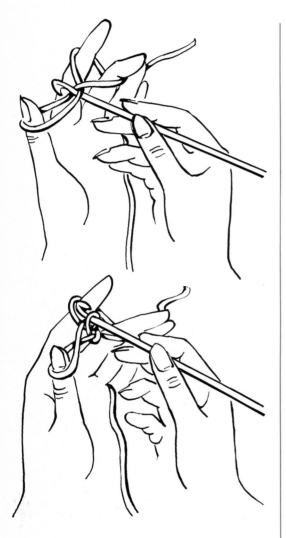

Runder Anfang ohne Luftmaschenring

Den Faden um die linke Hand führen wie zum Häkeln. Mit dem Fadenende von unten nach oben um den Daumen der linken Hand 1 Schleife legen und das Fadenende mit Ring- und Mittelfinger festhalten. Mit der Häkelnadel von unten nach oben in die Schleife beim Daumen einstechen, den fortlaufenden Faden holen, durchziehen, dabei dreht sich die Schleife 1mal, nun von oben nach unten einstechen, Faden holen, durchziehen, Faden holen und durch beide auf der Nadel liegenden Schlingen ziehen. In die Schleife nun dichte Maschen oder Stäbchen häkeln – nach Muster. Zuletzt die Schleife am Fadenende zusammenziehen.

Luftmaschenring

3 bis 6 Lftm. häkeln und diese mit 1 Km. zu einem Ring schließen. In den Ring nun f. M., halbe oder einfache Stb. arbeiten, je nach Muster.

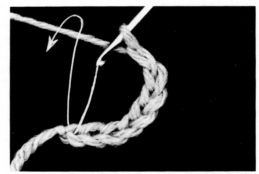

Rund gehäkelter Teller
Jede Runde schließt mit 1 Km. in die oberste der
ersten 3 Lftm.
1. Runde: 4 Lftm., in die 1. Lftm. (Beginn)
17 Stb. häkeln.
2. Runde: Mit 3 Lftm. beginnen, in jedes Stb. der
Vorrunde 2 Stb. häkeln.
3. Runde: Jedes 2. Stb. der Vorrunde verdoppeln, d. h.: 3 Lftm., ★ 2 Stb. in das nächste Stb.,
1 Stb. in das folg. Stb. der Vorrunde häkeln. Ab
★ wiederholen.
4. Runde: Jedes 3. Stb. der Vorrunde verdoppeln, d. h.: 3 Lftm., ★ 2 Stb. in das nächste Stb., je
1 Stb. in die 2 folg. Stb. der Vorrunde häkeln. Ab
★ wiederholen.
5. Runde: Jedes 4. Stb. der Vorrunde verdoppeln.
6. Runde: Jedes 5. Stb. der Vorrunde verdoppeln usw.

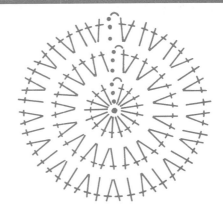

Es darf nicht zu locker gearbeitet werden. Sollte
der Kreis nicht glatt genug sein, so wird in einer
Runde das Zunehmen weggelassen.
Zeichenerklärung siehe Seite 351.

Quadrat, von der Mitte ausgehend gehäkelt
1. Runde: 4 Luftmaschen (in die 1. Luftmasche
werden alle Stäbchen der 1. Runde gehäkelt, die
anderen 3 Luftmaschen ersetzen das 1. Stäbchen), 1 Stäbchen in die 1. Luftmasche, 1 Luftmasche, 4 Stäbchen, 1 Luftmasche, 4 Stäbchen,
1 Luftmasche, 4 Stäbchen, 1 Luftmasche,
2 Stäbchen, 1 Kettmasche (man sticht dabei in
die oberste der 3 Luftmaschen am Rundenbeginn ein, holt den Faden durch und zieht ihn
durch die auf der Nadel liegende Schlinge).
2. Runde: 3 Luftmaschen, 1 Stäbchen über das
nächste Stäbchen der Vorrunde, nun in die Luftmasche (Eckmasche) 3 Stäbchen, 1 Luftmasche,
3 Stäbchen häkeln, ★ 4 Stäbchen über die nächsten 4 Stäbchen, 3 Stäbchen, 1 Luftmasche,
3 Stäbchen über die Eckmasche. Ab ★ noch
2mal wiederholen. Zum Schluß 2 Stäbchen,
1 Kettmasche.
In der 3. Runde und den folgenden Runden
kommt über jedes Stäbchen der Vorrunde wieder 1 Stäbchen, in die Luftmasche (Eckmasche)
3 Stäbchen, 1 Luftmasche, 3 Stäbchen. In dieser
Weise wird fortlaufend gearbeitet. Zu beachten
ist die Stelle, an der sich die Runde schließt. Bei
Beginn jeder neuen Runde wird das 1. Stäbchen
durch 3 Luftmaschen ersetzt, das folgende Stäbchen kommt über das nächste Stäbchen. Jede
Seite des Vierecks soll gleichviel Maschen zählen. Bei zu lockerem Häkeln kann die Arbeit

nach 5 bis 6 Runden nicht mehr glatt liegen. In diesem Falle dürfen dann in die Ecken nur noch 2 Stäbchen, 1 Luftmasche, 2 Stäbchen gehäkelt werden.

Zeichenerklärung siehe Seite 351.

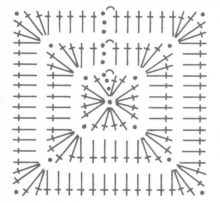

Quadrat aus festen Maschen

Von der Ecke ausgehend gehäkelt.

1. Reihe: 2 Lftm., in die 1. Lftm. 3 f. M.
2. Reihe: mit 1 Lftm. wenden, 1 f. M., in die nächste f. M. der Vorreihe 3 f. M., in die letzte f. M. 1 f. M. häkeln.
3. und alle folgenden Reihen: mit 1 Lftm. wenden, in die f. M. der Vorreihe je 1 f. M.; zur Eckbildung stets in die mittlere f. M. je 3 f. M. häkeln.

Zeichenerklärung siehe Seite 351.

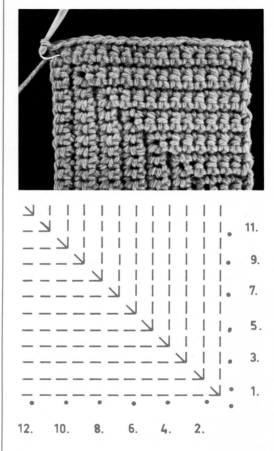

Zunehmen beim Häkeln einer gleichseitigen Form

Beim schnellen Zunehmen mit 1 Lftm. wenden, in die 1. f. M. der Vorreihe 2 f. M. und in die letzte f. M. der Vorreihe sowie in die Wende-Lftm. je 1 f. M. häkeln.

Zeichenerklärung siehe Seite 351.

Abnehmen beim Häkeln einer gleichseitigen Form

Bei starker Abschrägung am Anfang 1 Lftm. häkeln, dann 1 f. M. in die drittnächste f. M. der Vorreihe häkeln. Am Schluß jeder Reihe 1 M übergehen.

Zeichenerklärung siehe Seite 351.

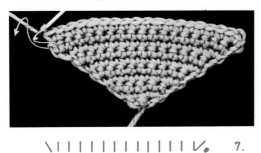

Häkelmuster

Einfache Muster

1

1. Reihe: f. M.
2. Reihe: f. M., wobei stets beide waagrechten Maschenglieder gefaßt werden.
Zeichenerklärung siehe Seite 351.

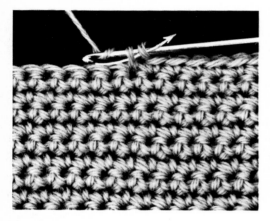

2

1. Reihe: f. M.
2. Reihe: f. M., jedoch nur in das hintere waagrechte Maschenglied einstechen.
Zeichenerklärung siehe Seite 351.

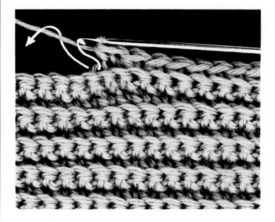

3

Nur in Hinreihen arbeiten.
1. Reihe: f. M.
2. Reihe: f. M., dabei beide waagrechten Maschenglieder fassen.
Zeichenerklärung siehe Seite 351.

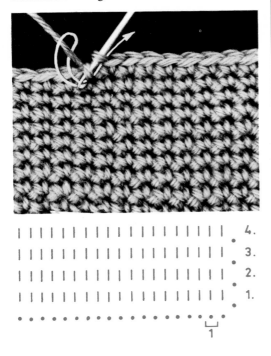

4

Lftm.-Anschlag.
1. Reihe: in die zweitletzte Lftm. 1 f. M. ⋆
1 Lftm., 1 Lftm. des Anschlages übergehen,
1 f. M. in die nächste M. Ab ⋆ wiederholen.
2. Reihe: 2 Lftm. zum Wenden, 1 f. M. in die
1. freie Lftm. des Anschlages, man greift also
unter die 1. Reihe, ⋆ 1 Lftm., 1 f. M. in die nächste freiliegende Anschlagmasche. Ab ⋆ wiederholen.
3. und alle folgenden Reihen: Die f. M. dieser
Reihe in die f. M. der vorletzten Reihe einhängen. Die M stets hochziehen. Nach jeder f. M.
folgt 1 Lftm.
Zeichenerklärung siehe Seite 351.

5

Nur in Hinreihen arbeiten.
Lftm.-Anschlag.
1. Reihe: 2 f. M. in jede 2. Anschlagmasche.
2. und alle folgenden Reihen: zwischen den
2 f. M. der Vorreihe einstechen, 2 f. M. häkeln.
Zeichenerklärung siehe Seite 351.

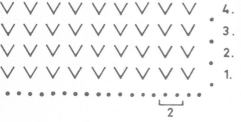

6

Lftm.-Anschlag.
1. Reihe: in die 2. und 3. Anschlagmasche je
1 f. M. ⋆ Mit 2 Lftm. 2 Anschlagmaschen übergehen, in die beiden folgenden Anschlagmaschen je 1 f. M. Ab ⋆ wiederholen.
2. Reihe: mit 3 Lftm. wenden, ⋆ 2 f. M. unter die
nächsten 2 Lftm. der Vorreihe einhängen,
2 Lftm., die folgenden 2 f. M. der Vorreihe übergehen. Ab ⋆ wiederholen. Am Ende der Reihe
1 f. M.
3. Reihe: mit 1 Lftm. wenden, weiter wie 2. Reihe häkeln. Am Ende der Reihe 2 f. M.
2. und 3. Reihe fortlaufend wiederholen.
Zeichenerklärung siehe Seite 351.

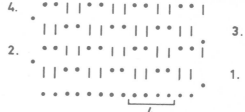

7

Lftm.-Anschlag.
1. Reihe: in jede Anschlagmasche je 1 Stb. und
je 1 f. M. im Wechsel.
2. und alle folgenden Reihen: 1 Lftm. zum Wenden, auf die f. M. der Vorreihe je 1 Stb. und auf
die Stb. je 1 f. M.
Zeichenerklärung siehe Seite 351.

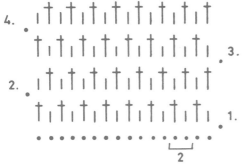

8

Nur in Hinreihen arbeiten.
Lftm.-Anschlag.
1. Reihe: in die drittletzte Anschlagmasche einstechen, ★ Faden holen, durchziehen, Faden holen, durch 1 Schlinge ziehen, Faden holen,
durch beide Schlingen ziehen, 1 Lftm., 1 Anschlagmasche übergehen, einstechen. Ab ★ wiederholen.
2. und alle folgenden Reihen: wie 1. Reihe, jedoch stets unter die Lftm. der Vorreihe einstechen.
Zeichenerklärung siehe Seite 351.

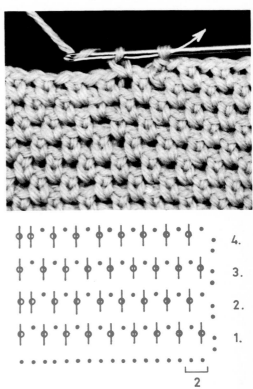

9

Eine Variation des vorangegangenen Musters ist das sogenannte Bäumchenmuster. Es wird ebenfalls nur in Hinreihen gearbeitet.
Lftm.-Anschlag.
1. Reihe: in die drittletzte Anschlagmasche einstechen, ★ Faden holen, durchziehen, Faden holen, durch 1 Schlinge ziehen, Faden holen, durch beide Schlingen ziehen. Nun in die 1. der 2 Lftm. (d. h. in das 1. senkrechte Maschenglied) einstechen und 1 f. M. häkeln. 1 Anschlagmasche übergehen, einstechen. Ab ★ wiederholen.
2. und alle folgenden Reihen: wie 1. Reihe, dabei jedoch immer vor die f. M. (also in das »Bäumchen«) der Vorreihe einstechen.
Zeichenerklärung siehe Seite 351.

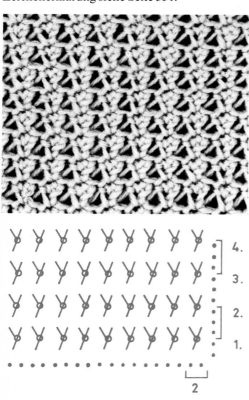

10

Das Muster erscheint auf der Rückseite.
Nur in Hinreihen arbeiten.
Lftm.-Anschlag.
1. Reihe: in die 5. und 6. letzte Anschlagmasche je 1 Stb., umschlagen, zurückgehend in die 4. Anschlagmasche einstechen, 1 Schlinge durchholen, hochziehen und alle 3 auf der Nadel liegenden Schlingen als 1 Stb. abhäkeln. ★ 1 Anschlagmasche übergehen, in die beiden folg. M. je 1 Stb., in die übergangene Anschlagmasche zurückgehend 1 hochgezogenes Stb. Ab ★ wiederholen.
2. Reihe: 3 Lftm., ★ das 1. der 3 gekreuzten Stb. übergehen, auf die beiden folg. Stb. je 1 Stb., auf das übergangene Stb. zurückgehend 1 hochgezogenes Stb. Ab ★ wiederholen.
2. Reihe fortlaufend wiederholen.
Zeichenerklärung siehe Seite 351.

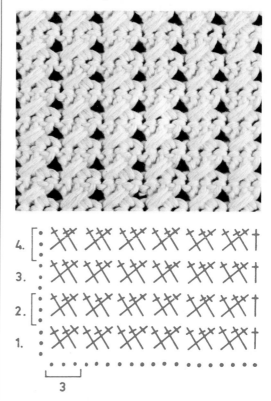

11

Lftm.-Anschlag.
1. Reihe: in jede 2. Anschlagmasche abwechselnd einmal 2 Stb., dann 2 f. M.
2. und alle folgenden Reihen: zwischen die
2 f. M. der Vorreihe 2 Stb., zwischen die 2 Stb.
der Vorreihe 2 f. M.
Zeichenerklärung siehe Seite 351.

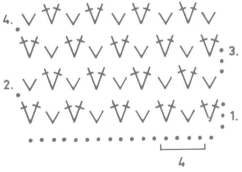

12

Lftm.-Anschlag.
1. Reihe: in die viertletzte Lftm. 1 Stb, ⋆ 1 Lftm.
übergehen, in die nächste Lftm. 2 Stb. häkeln.
Ab ⋆ wiederholen.
2. und alle folgenden Reihen: mit 3 Lftm. wenden und zwischen die 1. Stb.-Gruppe der Vorreihe 1 Stb. häkeln, zwischen jede folgende Stb.-
Gruppe je 2 Stb.
Zeichenerklärung siehe Seite 351.

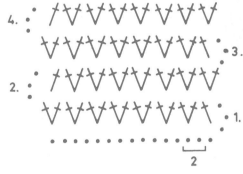

13

Lftm.-Anschlag.

1. Reihe: in die vorletzte Anschlagmasche einstechen, Faden zur Schlinge holen, in die nächste Lftm. ebenso, die 3 auf der Nadel liegenden Schlingen in gleiche Höhe ziehen und zusammen abmaschen, 1 Lftm., ⋆ in die folgende Lftm. einstechen, Faden zur Schlinge durchholen, in die nächste Lftm. ebenso, die 3 Schlingen in gleiche Höhe ziehen und zusammen abmaschen, 1 Lftm. Ab ⋆ wiederholen.

2. Reihe und alle folgenden Reihen: ⋆ 1 Lftm., erst rechts, dann links von dem einzelstehenden mittleren Maschenglied einstechen, Faden je zur Schlinge durchholen und alle 3 Schlingen abmaschen. Ab ⋆ wiederholen.

Zeichenerklärung siehe Seite 351.

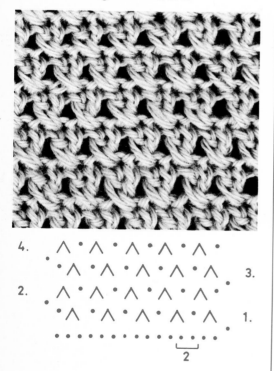

14

Lftm.-Anschlag.

1. Reihe: in die zweitletzte Anschlagmasche einstechen, Schlinge durchziehen, 1 Anschlagmasche übergehen, in die folgende M einstechen und ebenfalls eine Schlinge durchziehen, umschl. und alle 3 Schlingen abmaschen, 1 Lftm., ⋆ aus der letzten Einstichstelle Schlinge holen, 1 Anschlagmasche übergehen, in die folgende M einstechen und wieder 1 Schlinge durchziehen, umschl. und alle 3 Schlingen abmaschen, 1 Lftm. Ab ⋆ wiederholen.

2. und alle folgenden Reihen: mit 2 Lftm. wenden, weiter wie 1. Reihe häkeln, dabei jeweils um die Lftm. der vorhergehenden Reihe arbeiten.

Zeichenerklärung siehe Seite 351.

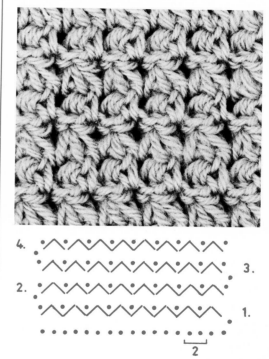

15

Lftm.-Anschlag.
1. Reihe: aus der 4. und 5. letzten Lftm. des Anschlages je 1 Schlinge holen, umschlagen,
durchziehen durch 2, umschlagen, durchziehen
durch 2, ⋆ 1 Lftm., aus den folgenden 2 Lftm. je
1 Schlinge holen, umschlagen, durchziehen
durch 2, umschlagen, durchziehen durch 2. Ab
⋆ wiederholen.
2. Reihe: 1 Lftm. zum Wenden, rechts und links
des senkrechten Gliedes je 1 f. M. häkeln.
3. Reihe: 3 Lftm. zum Wenden, aus der 2. und
3. f. M. der Vorreihe je 1 Schlinge holen, abhäkeln wie in der 1. Reihe.
2. und 3. Reihe fortlaufend wiederholen.
Zeichenerklärung siehe Seite 351.

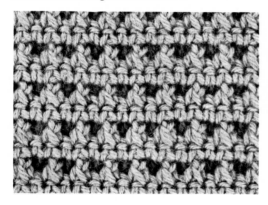

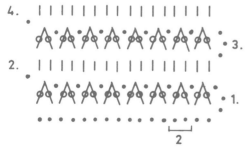

16

Lftm.-Anschlag.
1. Reihe: f. M.
2. Reihe: mit 2 Lftm. wenden, ⋆ in die 1. f. M.
einstechen, Faden holen, durchziehen, umschl.,
in die folg. f. M. einstechen, Faden holen, durchziehen, umschl. und durch alle 4 Schlingen ziehen, 1 Lftm. Ab ⋆ wiederh., mit 1 Wende-Lftm.
enden.
3. Reihe: in jede M (auch in die Lftm.) 1 f. M.
2. und 3. Reihe fortlaufend wiederholen.
Zeichenerklärung siehe Seite 351.

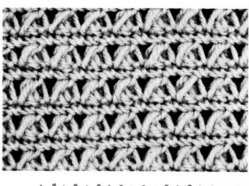

17

Lftm.-Anschlag.
1. Reihe: in die drittletzte Lftm. sowie in die beiden folgenden Lftm. einstechen und je 1 Schlinge holen, umschl. und durch alle 4 Schlingen ziehen, ★ 1 Lftm., in die M, in die zuletzt eingestochen wurde, nochmals einstechen, in die folgenden 2 M ebenfalls einstechen und je 1 Schlinge holen, umschl. und durch alle 4 Schlingen ziehen. Ab ★ wiederholen. 2. und alle folgenden Reihen: mit 2 Lftm. wenden, in die Lücke vor der Büschelmasche sowie in die Büschelmasche und in die Lücke nach der Büschelmasche der Vorreihe einstechen, je 1 Schlinge holen, umschl. und durch alle 4 Schlingen ziehen, ★ 1 Lftm., in die Lücke, in die zuletzt eingestochen wurde, sowie in folg. M und in nächste Lücke einstechen und je 1 Schlinge holen, umschl. und durch alle 4 Schlingen ziehen. Ab ★ wiederholen.
Zeichenerklärung siehe Seite 351.

18

Lftm.-Anschlag.
1. Reihe: in die 4.- und 5.letzte Lftm. je 1 Stb.,★ 1 Lftm., 3 Stb. (mit der Lftm. immer 1 Anschlagmasche übergehen). Ab ★ wiederholen.
2. Reihe: über Stb. und Lftm. je 1 Km.
3. Reihe: 3 Lftm. zum Wenden, 2 Stb., ★ 1 Lftm., 3 Stb. (mit der Lftm. jede 4. Km. übergehen). Ab ★ wiederholen.
2. und 3. Reihe fortlaufend wiederholen.
Zeichenerklärung siehe Seite 351.

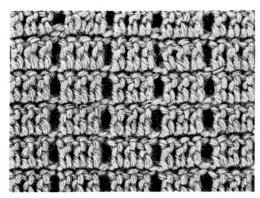

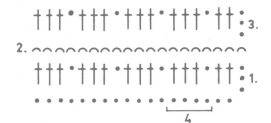

19

Lftm.-Anschlag.
1. Reihe: in die viertletzte sowie in die folgenden
4 Lftm. je 1 Stb. ⋆ Mit 1 Lftm. eine Anschlagmasche übergehen, in die folg. 4 Lftm. je 1 Stb. Ab ⋆
wiederholen.
2. Reihe: mit 5 Lftm. wenden, zwischen die 1.
und 2. Stb.-Gruppe 1 f. M. arbeiten, dabei um
die volle Lftm. greifen. ⋆ 4 Lftm., zwischen die
nächsten 2 Stb.-Gruppen 1 f. M. Ab ⋆ wiederholen.
3. Reihe: je 4 Stb. um die 4 Lftm. der Vorreihe,
die Gruppen durch je 1 Lftm. trennen.
2. und 3. Reihe fortlaufend wiederholen.
Zeichenerklärung siehe Seite 351.

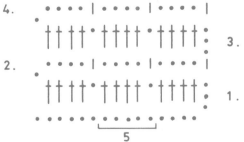

20

Lftm.-Anschlag.
1. Reihe: in die viertletzte Lftm. einstechen,
Schlinge holen, umschl., in dieselbe M einstechen, Schlinge holen, umschl., in dieselbe M
einstechen, Schlinge holen, umschl. und durch
alle 6 Schlingen ziehen, ⋆ 1 Lftm., 1 Lftm. des
Anschlags übergehen, in die nächste M einstechen, Schlinge holen, umschl., Schlinge holen,
umschl., Schlinge holen, umschl. und durch alle
6 Schlingen ziehen. Ab ⋆ wiederholen.
2. und alle folgenden Reihen: mit 3 Lftm. wenden. Wie 1. Reihe arbeiten, jedoch die Büschelmaschen jeweils in die Lücke unter der Lftm.
der Vorreihe einarbeiten.
Zeichenerklärung siehe Seite 351.

21

Lftm.-Anschlag. Maschenzahl durch 13 teilbar und 11 M.
1. Reihe: 2 Lftm., in die 4.-, 5.-, 6.- und 7.letzte Lftm. je 1 Stb., in die folgende M 3 Stb., in die nächsten 5 M je 1 Stb., ★ 2 M übergehen, in die nächsten 5 M je 1 Stb., in die folgende M 3 Stb., in die nächsten 5 M je 1 Stb. Ab ★ wiederholen.

2. und alle folgenden Reihen: auf das 2. letzte Stb. der Vorreihe 1 Km. und 3 Lftm., in die folg. 4 Stb. je 1 Stb., in das mittlere der 3 Stb. wieder 3 Stb., in jedes der 5 folg. Stb. je 1 Stb. arbeiten. ★ Zur Lochbildung die beiden folg. Stb. der Vorreihe übergehen, 5 Stb., auf das mittlere der 3 Stb. der Vorreihe 3 Stb. häkeln, in jedes der 5 folg. Stb. wieder je 1 Stb. arbeiten. Ab ★ wiederholen.
Zeichenerklärung siehe Seite 351.

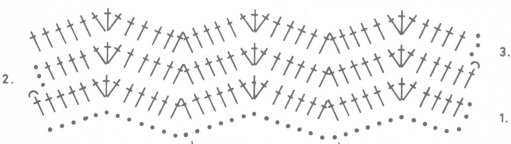

2.

3.

1.

13

22

Nur in Hinreihen arbeiten.
Lftm.-Anschlag.
1. Reihe: Aus der drittletzten Lftm. sowie aus den beiden folg. Lftm. je 1 Schlinge holen und diese möglichst hochziehen, umschlagen, alle 4 auf der Nadel liegenden Schlingen abmaschen. ⋆ 1 Lftm., aus den nächsten 3 Anschlagmaschen je 1 Schlinge holen, diese mit 1 Umschlag abmaschen. Ab ⋆ wiederholen.
2. und alle folgenden Reihen: 3 Lftm., ⋆ die 3 zusammengehörenden Schlingen holen: die 1. Schlinge rechts der unteren Gruppe, die 2. aus der Mitte (die Masche fassen, die die Gruppe zusammenhält), die 3. links der Gruppe. Die Schlingen mit 1 Umschlag abmaschen, 1 Lftm. Ab ⋆ wiederholen.
Zeichenerklärung siehe Seite 351.

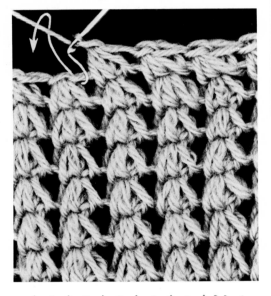

Muschelmuster

23

Lftm.-Anschlag.
1. Reihe: 1 f. M. in die 2. Lftm. des Anschlages, 4 Lftm. des Anschlages übergehen, ★ in die 5. Lftm. 12 Stb., 4 Lftm. des Anschlages übergehen, in die 5. Lftm. 1 f. M., 4 Lftm. übergehen. Ab ★ fortlaufend wiederholen. Die Reihe endet mit 1 f. M.

2. Reihe: 3 Lftm. zum Wenden, in die f. M. der Vorreihe 1 Stb., ★ 4 Lftm., in die Mitte der 12 Stb. 1 f. M., 4 Lftm., in die nächste f. M. 2 Stb. Ab ★ wiederholen. Die Reihe endet mit 2 Stb.
3. Reihe: 1 Lftm., ★ zwischen die beiden Stb. 1 f. M., auf die f. M. über den 12 Stb. wieder 12 Stb. Ab ★ wiederholen. Die Reihe endet mit 1 f. M. 2. und 3. Reihe fortlaufend wiederholen.
Zeichenerklärung siehe Seite 351.

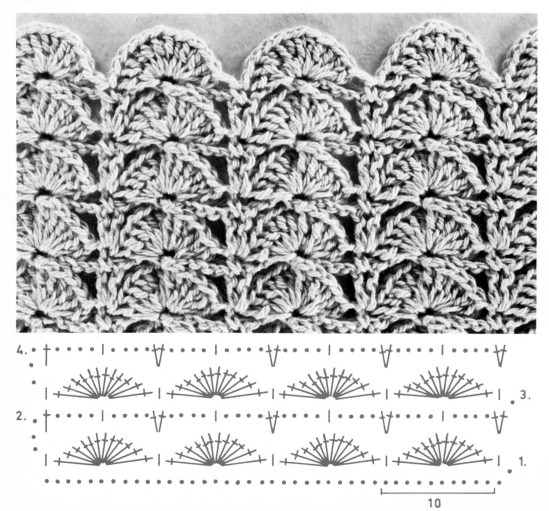

24

Lftm.-Anschlag.

1. Reihe: in die viertletzte Lftm. des Anschlages
1 Stb., ★ in die nächste M 2 Stb., 1 Lftm., 2 Stb.,
dann umschlagen, in die nächste M einstechen,
Faden holen, durchziehen, Faden holen, durch
2 Schlingen ziehen, umschlagen, 3 Lftm. des
Anschlages übergehen, in die 4. M einstechen,
Faden holen, durchziehen, Faden holen, durch
2 Schlingen ziehen, Faden holen, durch
2 Schlingen ziehen, Faden holen und durch die
2 letzten Schlingen ziehen. Ab ★ wiederholen.
Die Reihe endet mit den beiden zusammengemaschten Stb. nach der Gruppe.

2. und alle folgenden Reihen: 3 Lftm., 1 Stb. in
die 1. M vor der Lftm.-Lücke, die zwischen den
4 Stb. liegt, ★ um die Lftm. wieder die beschrie-
bene Gruppe, 2 Stb., 1 Lftm., 2 Stb., umschlagen, in die nächste M einstechen, Faden holen,
durchziehen, Faden holen, durch 2 Schlingen
ziehen, umschlagen, 3 M übergehen, in die 1. M
vor der Lücke einstechen, Faden holen, durchziehen (siehe Abbildung), 3mal Faden holen
und durch 2 Schlingen ziehen. Ab ★ wiederholen.

Zeichenerklärung siehe Seite 351.

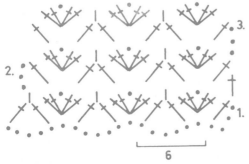

25

Lftm.-Anschlag.

1. Reihe: in die viertletzte Anschlagmasche
4 Stb. häkeln, ★ 2 M des Anschlages übergehen,
in die nächste M 1 f. M., 2 M des Anschlages
übergehen, in die nächste M 5 Stb. Ab ★ wiederholen. Die Reihe endet mit 1 f. M.

2. Reihe: 3 Lftm. zum Wenden, in die letzte f. M.
der Vorreihe 2 Stb. Man beachte, daß von jetzt
ab stets nur noch das hintere Querglied der f. M.
gefaßt wird, wodurch sich die M herausdrän-
gen. ★ 1 f. M. in die Mitte der 5 Stb. der Vorreihe
(dabei beide Querglieder fassen), 5 Stb. in die
f. M. der Vorreihe, hier wieder nur das hintere
Querglied fassen. Ab ★ wiederholen. Die Reihe
endet mit 3 Stb.

3. Reihe: auf das 1. Stb. 1 f. M., ★ auf die f. M. der
Vorreihe 5 Stb., nur das hintere Querglied der
f. M. fassen, auf das 3. Stb. der Vorreihe 1 f. M.
Ab ★ wiederholen.

2. und 3. Reihe fortlaufend wiederholen.

Zeichenerklärung siehe Seite 351.

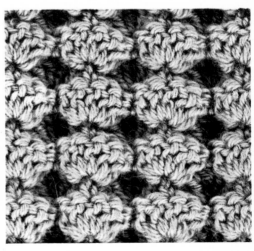

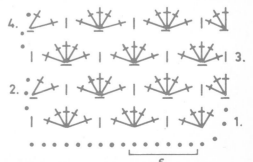

26

Lftm.-Anschlag.
1. Reihe: in die 4. letzte Anschlagmasche 2 Stb. häkeln, ∗ 2 Lftm. übergehen, in die 3. folg. Lftm. 1 Km, 2 Lftm. und 2 Stb. Ab ∗ wiederholen. Den Schluß der Reihe bildet 1 Km.
2. und alle folgenden Reihen: 4 Lftm. zum Wenden, ∗ auf die nächsten 2 gehäkelten Lftm. der Vorreihe 1 Km., 2 Lftm. und 2 Stb. Ab ∗ wiederholen.
Zeichenerklärung siehe Seite 351.

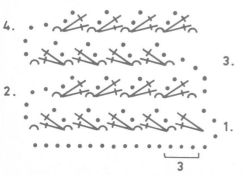

27

Lftm.-Anschlag.
1. Reihe: in die zweitletzte Anschlagmasche 1 f. M., ∗ 2 Anschlagmaschen übergehen, in die folg. Lftm. 5 Stb. häkeln, 2 Lftm. übergehen, 1 f. M. Ab ∗ wiederholen. Die Reihe endet mit 1 f. M.
2. Reihe: 3 Lftm. zum Wenden, in die f. M. der Vorreihe 2 Stb., ∗ auf das 3. Stb. der folg. Stb.-Gruppe 1 f. M., auf die folg. f. M. der Vorreihe 5 Stb. Ab ∗ wiederholen. Die Reihe endet mit 3 Stb.
3. Reihe: 1 Lftm. zum Wenden, ∗ in die folg. f. M. 5 Stb., auf das 3. Stb. der folg. Stb.-Gruppe 1 f. M. Ab ∗ wiederholen. Die Reihe endet mit 1 f. M.
2. und 3. Reihe fortlaufend wiederholen.
Zeichenerklärung siehe Seite 351.

28

Lftm.-Anschlag.

1. und 2. Reihe: f. M., dabei in das hintere waagrechte Maschenglied einstechen.

3. Reihe: 3 f. M. ⋆ Dann auf der Rückseite hinunter zur 1. Reihe greifen und hier in 1 f. M. – wie folgt – eine Noppe häkeln: 4 bis 5 Stb. zunächst bis zur Hälfte häkeln, d. h. umschlagen, einstechen, Faden holen, durchziehen, Faden holen, durch 2 Schlingen ziehen. Dies noch drei- bis viermal wiederholen, dann alle Schlingen zugleich abmaschen. In die folg. 3 f. M. der Vorreihe je 1 f. M. Ab ⋆ wiederholen.

4. Reihe: f. M.

5. Reihe: wie 3. Reihe, die Noppen jedoch versetzen, d. h. in die mittlere f. M. der vorhergehenden Reihe arbeiten.

4. und 5. Reihe abwechselnd wiederholen. Die Noppen bilden sich auf der Rückseite. Auch die Abbildung ist rückseitig, deshalb die linke Pfeilrichtung.

Zeichenerklärung siehe Seite 351.

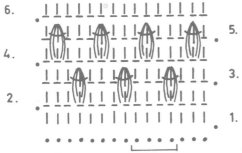

Sternmuster

29

Jeder Stern dieses Musters besteht aus 2 Reihen.
Lftm.-Anschlag. Maschenzahl durch 8 teilbar
und 2 Lftm.
1. Reihe: 1 f. M. in die zweitletzte Anschlagmasche, ⋆ 3 Lftm. übergehen und in die folg. Anschlagmasche 9 Stb., 3 Lftm. übergehen, 1 f. M.
Ab ⋆ wiederholen.
2. Reihe: mit 3 Lftm. wenden, auf die nächsten
4 Stb. je 1 halbfertiges Stb. arbeiten, d. h. umschlagen, einstechen, Faden holen, durchziehen, Faden holen, durch 2 Schlingen ziehen
(alle Schlingen hochziehen), noch 3mal wiederholen und alle 5 Schlingen abmaschen, 1 Lftm.
zum Schließen.
⋆ 3 Lftm., auf das 5. Stb. des Bogens 1 f. M.,
3 Lftm.; auf die folg. 4 Stb., die f. M. sowie die
nächsten 4 Stb. (zus. 9 M) je 1 halbfertiges Stb.
häkeln, umschlagen, alle 10 Schlingen zugleich
abmaschen und mit 1 Lftm. abschließen. Ab ⋆
wiederholen. Die Reihe stets mit einem halben
Bogen schließen, d. h. 4 zusammengemaschte
Stb., 1 Lftm.
3. Reihe: 3 Lftm., in die abschließende Lftm. der
4 zusammengemaschten Stb. 4 gewöhnliche
Stb. ⋆ 1 f. M. auf die f. M. der Vorreihe, 9 gewöhnliche Stb. in die abschließende Lftm. der
zusammengemaschten 9 Stb. Ab ⋆ wiederholen.
Die Reihe schließt mit 5 gewöhnlichen Stb. auf
den halben Bogen der Vorreihe.
2. und 3. Reihe fortlaufend wiederholen.

Zeichenerklärung siehe Seite 351.

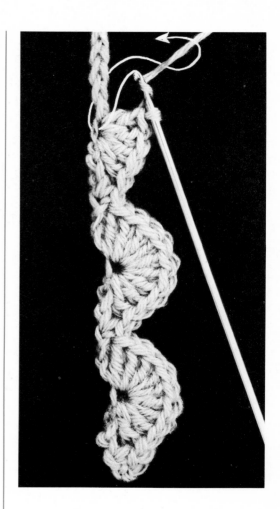

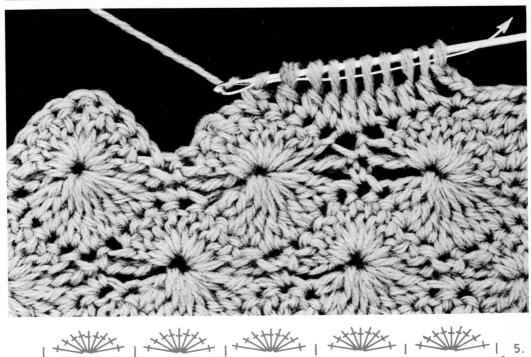

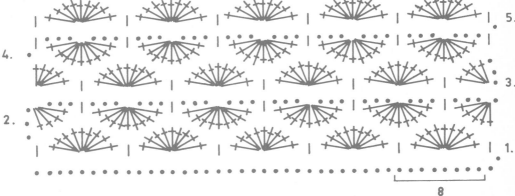

30

Luftmaschen-Anschlag.
1. Reihe: für den 1. Stern: je 1 Schlinge aus der 2. bis 6. Anschlagmasche aufnehmen, dabei die Schlingen hochziehen. Sämtliche 6 Schlingen auf der Nadel zusammen abschürzen. Mit 1 Lftm. schließen. ⋆ Für den folgenden Sternstich liegt die 1. Schlinge schon auf der Nadel, die 2. Schlinge aus der abschließenden Lftm. aufnehmen, die 3. Schlinge aus dem hinteren Glied der 6. Schlinge des vorigen Sternstiches, die 4. Schlinge aus der Masche, aus der die 6. Schlinge des vorigen Sternstiches aufgenommen wurde, und die beiden letzten Schlingen aus den folgenden Anschlagmaschen. Alle Schlingen abschürzen und mit 1 Lftm. schließen. Ab ⋆ wiederholen.
2. Reihe und alle folgenden Rückreihen: f. M.
3. Reihe und alle folgenden Hinreihen: 3 Lftm., aus der 2. und 1. dieser Lftm. und aus den folgenden 3 f.M. je 1 Schlinge holen und zusammen abschürzen. 1 Lftm. weiter wie 1. Reihe häkeln. 2. und 3. Reihe fortlaufend wiederholen.
Zeichenerklärung siehe Seite 351.

31

Lftm.-Anschlag.
1. Reihe: in die sechstletzte Lftm. 3 Stb., ⋆ 2 Lftm. übergehen, in die folgende Lftm. 3 Stb. arbeiten. Ab ⋆ wiederholen. Am Ende der Reihe 1 Lftm. übergehen, 1 Stb.
2. Reihe: mit 4 Lftm. wenden. ⋆ Auf die 3 Stb. der Vorreihe 3mal je 1 Stb. zur Hälfte häkeln, d.h. umschlagen, einstechen, Faden holen, durchziehen, Faden holen, durch 2 Schlingen ziehen, noch 2mal wiederholen, Faden holen und durch alle 4 Schlingen zugleich ziehen, 1 Lftm. Ab ⋆ wiederholen.
3. Reihe: mit 4 Lftm. wenden, weiter wie 1. Reihe; die 3 Stb. jeweils in die obere Schlinge häkeln, welche die 3 Stb. zusammenhält.
2. und 3. Reihe fortlaufend wiederholen.
Zeichenerklärung siehe Seite 351.

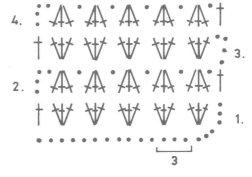

32

Lftm.-Anschlag.

1. Reihe: Stb. (die Anzahl der Stb. soll durch 2 teilbar sein, für das 1. Stb. 3 Lftm. häkeln).

2. Reihe: 3 Lftm. zum Wenden, in die 1. der 3 Lftm. einstechen, Faden zu einer Schlinge durchholen, aus dem 2. und 3. Stb. der Vorreihe je 1 Schlinge holen, so daß 4 Schlingen auf der Nadel liegen, Faden holen und durch alle Schlingen ziehen; 1 Lftm. ★ In das hintere Glied der letzten Schlinge des vorigen Stiches einstechen, Faden zu einer Schlinge durchholen, aus den nächsten 2 Stb. je 1 weitere Schlinge holen, alle 4 Schlingen abmaschen, 1 Lftm. Ab ★ wiederholen.

3. Reihe: 3 Lftm. zum Wenden in die Mitte des kleinen Sterns, also in die Sternmasche der Vorreihe je 2 Stb. häkeln.

2. und 3. Reihe fortlaufend wiederholen.

Zeichenerklärung siehe Seite 351.

Reliefmuster

Reliefstäbchen

Bei den Reliefstäbchen wird – im Unterschied zu den anderen Häkelmustern – nicht in die Maschen der Vorreihe eingestochen. Statt dessen führt man die Nadel um die senkrechten Glieder der Vorreihe (bzw. 1 Reihe tiefer), ohne in die Maschen einzustechen.

Wird die Nadel von vorn nach hinten geführt (auf der Zeichnung ʄ), so treten die umhäkelten Maschen reliefartig hervor. Führt man die Nadel umgekehrt von hinten nach vorn (auf der Zeichnung t), so treten diese Maschen in den Hintergrund. Auf unseren Zeichenerklärungen sind die Stäbchen so dargestellt, wie sie beim Häkeln erscheinen, und nicht, wie man sie auf dem Foto sieht.

33

Lftm.-Anschlag.
1. Reihe: Stb.
2. und alle folgenden Reihen: Reliefstb; diese – wie folgt – um die Stb. der Vorreihe arbeiten: 1 Umschlag, die Nadel durch den Raum zwischen dem 1. und dem 2. Stb. der Vorreihe von vorn nach hinten, anschließend durch den Raum zwischen dem 2. und dem 3. Stb. von hinten nach vorn führen; Faden holen, um das auf der Nadel liegende Stb. ziehen, Faden holen, durch die beiden restlichen Schlingen ziehen. In dieser Weise um alle folg. Stb. arbeiten.
Zeichenerklärung siehe Seite 351.

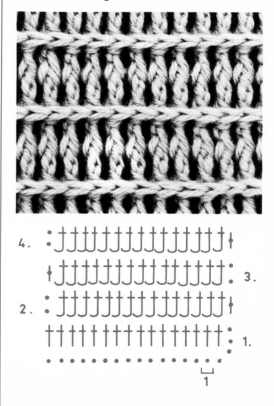

34

Lftm.-Anschlag.
1. und 2. Reihe: f. M., dabei durch das obere hintere Maschenglied der Vorreihe einstechen.
3. Reihe: mit 1 Lftm. wenden, ⋆ 3 f. M., auch hier jeweils nur das obere hintere Maschenglied fassen, anschließend – wie folgt – eine Reliefmasche häkeln: 1 Reihe tiefer einstechen, Faden durchholen, die Schlinge hochziehen, umschlagen, die Nadel durch beide Schlingen ziehen. Ab ⋆ wiederholen.
2. und 3. Reihe fortlaufend wiederholen, jedoch die Reliefmaschen stets versetzen.
Zeichenerklärung siehe Seite 351.

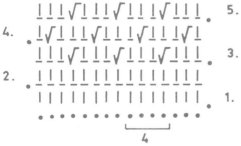

35

Lftm.-Anschlag.
1. Reihe: f. M.
2. Reihe: 1 f. M., 1 Stb. im Wechsel.
3. Reihe: f. M.
4. Reihe: 1 f. M, 1 Reliefstb. im Wechsel. Die f. M. kommen auf die f. M. der Vorreihe, bei den Reliefstb. mit der Häkelnadel von vorn nach hinten um das Stb. der 2. Reihe, später um das Reliefstb. greifen.
3. und 4. Reihe fortlaufend wiederholen.
Zeichenerklärung siehe Seite 351.

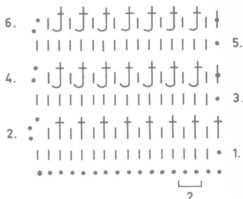

36

Lftm.-Anschlag.
1. Reihe: Stb.
2. Reihe: f. M.
3. Reihe: ⋆ 1 Stb., dann 1 Reliefstb. um das Stb. der 1. Reihe arbeiten; hierzu 1 Umschlag, die Nadel von vorn nach hinten hinter dem Stb. herumführen, Faden holen, zur hohen Schlinge durchziehen und das Stb. wie gewöhnlich beenden. Ab ⋆ wiederholen.
4. Reihe: f. M.
3. und 4. Reihe fortlaufend wiederholen, dabei die Reliefstb. stets versetzen.
Zeichenerklärung siehe Seite 351.

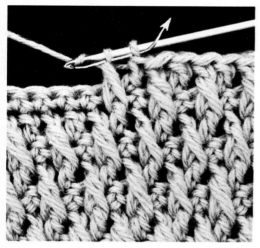

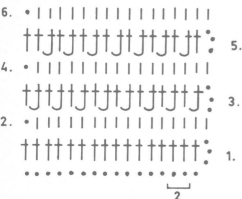

37

Lftm.-Anschlag.
1. Reihe: Stb.
2. Reihe: je 3 Reliefstb. an der Vorderseite (siehe Muster 33) und 3 Reliefstb. an der Rückseite; letztere genau wie die ersten 3 Stb. arbeiten, jedoch hier von der Rückseite aus um das betreffende Stb. der Vorreihe stechen.
3. und alle folgenden Reihen: die auf der Rückseite liegenden Reliefstb. nach vorn, die auf der Vorderseite liegenden Reliefstb. nach hinten arbeiten.
Zeichenerklärung siehe Seite 351.

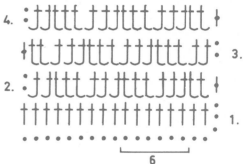

38

Lftm.-Anschlag.
1. Reihe: ⋆ 1 Stb., 1 Lftm., 1 Anschlagmasche übergehen. Ab ⋆ wiederholen.
2. Reihe: 3 Lftm., ⋆ 1 Reliefstb. von vorn, 1 Lftm., 1 Reliefstb. von vorn, 1 Lftm., 1 Reliefstb. von hinten, 1 Lftm., 1 Reliefstb. von hinten, 1 Lftm. Ab ⋆ wiederholen.
3. Reihe: 3 Lftm., die Reliefstb. so häkeln, wie sie erscheinen, d.h. auf die rückseitigen Reliefstb. von hinten häkeln und umgekehrt; zwischen jedem Reliefstb. 1 Lftm.
4. Reihe: auf die rückwärtigen Reliefstb. je 1 Reliefstb. von vorn arbeiten und umgekehrt; zwischen jedem Reliefstb. 1 Lftm.
5. Reihe: die Reliefstb. so häkeln, wie sie erscheinen.
2. bis 5. Reihe fortlaufend wiederholen.
Zeichenerklärung siehe Seite 351.

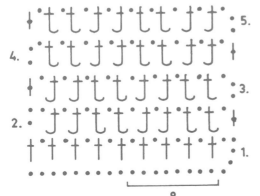

39

Lftm.-Anschlag.
1. Reihe: Stb.
2. Reihe: f.M.
3. Reihe: ⋆ 4mal je 1 Stb. auf 1 f.M. der Vorreihe. 2mal umschlagen, die Nadel von vorn nach hinten um die f.M. unter dem 1. Stb. der 4 Stb. führen, 1 Doppelstb. häkeln. Ab ⋆ wiederholen.
4. Reihe: f.M. nur auf die einf. Stb.
5. Reihe: Hier liegen die Doppelstb. in umgekehrter Richtung: 3 Lftm., ⋆ 1 Doppelstb. in die 4. M., also über dem Doppelstb. der Vorreihe, anschließend 4 Stb. auf die Stb. der Vorreihe, dabei das Doppelstb. im Vordergrund lassen. Ab ⋆ wiederholen.
2. bis 5. Reihe fortlaufend wiederholen.
Zeichenerklärung siehe Seite 351.

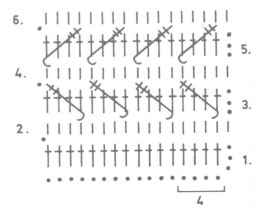

40

Lftm.-Anschlag.
1. Reihe: in die viertletzte Anschlagmasche
1 Stb. ⋆ In die 2. folg. M. 1 Büschelstb. (beste-
hend aus 3 zur Hälfte gehäkelten, zusammen
abgemaschten Stb.), 1 Lftm., in die 2. folgende M 2 Stb. Ab ⋆ wiederholen.
2. und alle folgenden Reihen: wie die 1. Reihe,
dabei die Stb.-Gruppe (2 Stb.) zwischen die beiden Stb. häkeln und die Büschelstb. um die Büschelstb. (d.h. um das untere Büschelstb. von
rechts nach links fassen).
Zeichenerklärung siehe Seite 351.

41

Lftm.-Anschlag.
1. Reihe: Stb.
2. Reihe: Reliefstb. von vorn (siehe Muster 33)
3. Reihe: 2 Stb., ⋆ 1 Reliefstb. von vorn, auf die
nächsten 2 M der Vorreihe je 1 Stb., in die folg.
M 5 Stb., nun die Nadel aus der Schlinge nehmen, in das 1. dieser 5 Stb. einstechen, die freigewordene Schlinge holen, durchziehen, 1 Lftm.,
auf die nächsten 2 M der Vorreihe je 1 Stb. Ab ⋆
wiederholen.
4. Reihe: Stb., um die Reliefstb. der Vorreihe je
1 Reliefstb. von hinten (siehe Muster Nr. 37) arbeiten. Den Faden abbrechen, die Arbeit nicht
wenden!
5. Reihe: in die letzte Wende-Lftm. der Vorreihe
3 Lftm., in alle anderen M der Vorreihe Reliefstb. von vorn.
3. bis 5. Reihe fortlaufend wiederholen.
Zeichenerklärung siehe Seite 351.

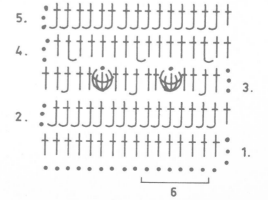

Durchbruchmuster

42

Lftm.-Anschlag
1. Reihe: in die achtletzte Lftm. 1 Km. häkeln, ★
4 Lftm., 3 Anschlagmaschen übergehen, 1 Km.
Ab ★ wiederholen.
2. Reihe und alle folgenden Reihen: stets mit
4 Lftm. beginnen, die Km. in den Lftm.-Bogen
einhängen.
Zeichenerklärung siehe Seite 351.

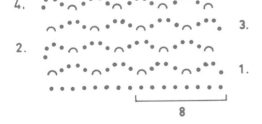

43

Lftm.-Anschlag.
1. Reihe: f. M.
2. Reihe: 1 Lftm., 1 f. M., ★ 2 Lftm., 2 M der Vorreihe übergehen, 1 f. M. Ab ★ wiederholen.
3. Reihe: auf die f. M. der Vorreihe je 1 f. M., um
die Lftm. je 2 f. M. häkeln.
2. und 3. Reihe fortlaufend wiederholen.
Zeichenerklärung siehe Seite 351.

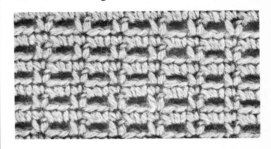

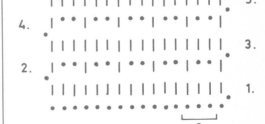

44

Lftm.-Anschlag.
1. Reihe: in die fünftletzte Anschlagmasche
1 Stb., ⋆ 1 Lftm., 1 M übergehen, 1 Stb. in die
nächste M. Ab ⋆ wiederholen.
2. und alle folg. Reihen: mit 4 Lftm. wenden, ⋆
1 Stb. auf das folg. Stb., 1 Lftm. Ab ⋆ wiederholen.
Zeichenerklärung siehe Seite 351.

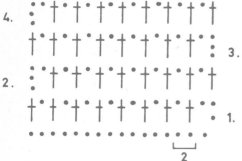

45

Lftm.-Anschlag.
1. Reihe: in die sechstletzte Lftm. 1 Stb. ⋆ 2 Anschlagmaschen übergehen, 1 Stb., 2 Lftm., 1 Stb.
in dieselbe Anschlagmasche. Ab ⋆ wiederholen.
2. und alle folg. Reihen: 5 Lftm., 1 Stb. in den
1. Lftm.-Bogen. ⋆ In den nächsten Lftm.-Bogen
1 Stb., 2 Lftm., 1 Stb.
Ab ⋆ wiederholen.
Zeichenerklärung siehe Seite 351.

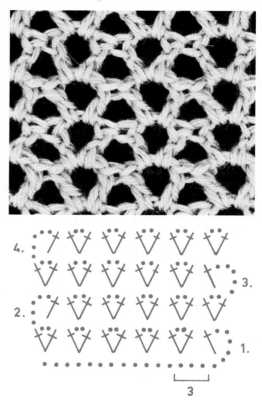

46

Lftm.-Anschlag.
1. Reihe: in die fünftletzte Lftm. des Anschlages
1 Stb., ⋆ 1 Lftm. des Anschlages übergehen,
1 Stb., 1 Lftm. des Anschlages übergehen, 1 Stb.,
1 Lftm. und in die gleiche Anschlagmasche ein
zweites Stb. Ab ⋆ wiederholen. Die Reihe endet
mit dem einzelnen Stb.
2. Reihe: 3 Lftm., ⋆ in die Stäbchengruppe der
Vorreihe 1 Stb., auf das nächste einzelne Stb.
eine Stäbchengruppe (1 Stb., 1 Lftm., 1 Stb.). Ab
⋆ wiederholen.
Die Reihe endet mit einem einfachen Stb.
3. Reihe: 4 Lftm., auf das einzelne Stb. der Vorreihe 1 Stb., weiter wie 2. Reihe arbeiten.
2. und 3. Reihe fortlaufend wiederholen.
Zeichenerklärung siehe Seite 351.

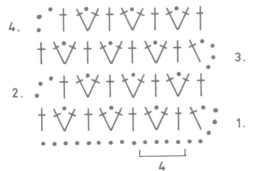

47

Lftm.-Anschlag.
1. Reihe: in die 6. Lftm. des Anschlages 1 Stb., ⋆
2 Lftm. übergehen, in die folgende Lftm. 1 Stb.,
2 Lftm., 1 Stb. Ab ⋆ wiederholen.
2. Reihe: 3 Lftm., 3 Stb. in die 2 Lftm. der Vorreihe, ⋆ 4 Stb. in die nächsten 2 Lftm. der Vorreihe.
Ab ⋆ wiederholen.
3. Reihe: mit 4 Lftm. wenden, zwischen die Stb.-
Gruppen der Vorreihe jeweils 1 Stb., 2 Lftm.,
1 Stb. einhängen. Am Ende der Reihe 1 Stb. in
die letzte Wende-Lftm. der Vorreihe.
4. Reihe: mit 4 Lftm. wenden, unter die 2 Lftm.
der Vorreihe je 4 Stb. einhängen. Am Ende der
Reihe 2 Stb. in die Wende-Lftm. der Vorreihe.
5. Reihe: mit 5 Lftm. wenden, hinter das 2. Stb.
der Vorreihe jeweils 1 Stb., 2 Lftm., 1 Stb. einhängen.
2.–5. Reihe fortlaufend wiederholen.
Zeichenerklärung siehe Seite 351.

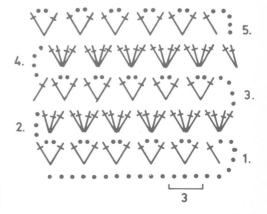

48

Lftm.-Anschlag.
1. Reihe: in die vorletzte Lftm. 1 f. M., ⋆ 3 Lftm.,
3 Lftm. der Vorreihe übergehen, 1 f. M. Ab ⋆
wiederholen.
2. Reihe: 4 Lftm., 1 Stb. um die ersten 3 Lftm., ⋆
1 Lftm., 4 Stb. um die nächsten 3 Lftm., 1 Lftm.,
1 Stb. um die folgenden 3 Lftm. Ab ⋆ wiederholen. Am Ende der Reihe noch 1 Lftm., 1 Stb. in
die letzte f. M. der Vorreihe.
3. Reihe: mit 3 Lftm. wenden, ⋆ 1 f. M. vor das
einzelne Stb., 3 Lftm., 1 f. M. hinter das einzelne
Stb., 3 Lftm. Ab ⋆ wiederholen.
4. Reihe: wie 2. Reihe, jedoch mit 3 Stb. beginnen. Am Ende der Reihe 4 Stb.
5. Reihe: 1 Lftm., 1 f. M. auf das 1. Stb. der Vorreihe, 3 Lftm., weiter wie 3. Reihe.
2.–5. Reihe fortlaufend wiederholen.
Zeichenerklärung siehe Seite 351.

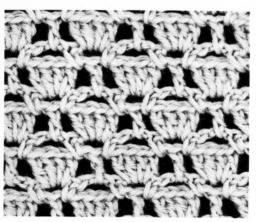

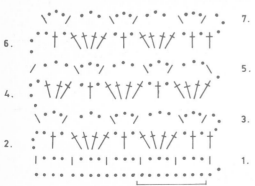

49

Lftm.-Anschlag.
1. Reihe: in die viertletzte Lftm. des Anschlages
1 Stb., ⋆ 1 Lftm., in die 3. folgende Lftm. des An-
schlages 2 Stb. Ab ⋆ wiederholen.
2. Reihe: 4 Lftm. zum Wenden, 2 Stb. in den 1.
Lftm.-Bogen, ⋆ 1 Lftm., 2 Stb. in den nächsten
Lftm.-Bogen. Ab ⋆ wiederholen.
3. Reihe: 3 Lftm. zum Wenden, 1 Stb. in den
Lftm.-Bogen, ⋆ 1 Lftm., 2 Stb. in den nächsten
Lftm.-Bogen.
Ab ⋆ wiederholen.
Zeichenerklärung siehe Seite 351.

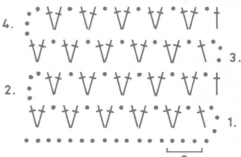

50

Lftm.-Anschlag.
1. Reihe: umschlagen, in die drittletzte Lftm. einstechen, ★ Faden holen, durchziehen, umschlagen, in die nächste Lftm. einstechen, Faden holen, durchziehen, umschlagen, durch 4 Schlingen ziehen, umschlagen und durch die letzten beiden Schlingen ziehen, 1 Lftm., umschlagen, in die nächste Lftm. einstechen. Ab ★ wiederholen.
2. Reihe und alle folgenden Reihen: mit 3 Lftm. wenden, umschlagen, in die 1. Abmasch-M einstechen, Faden holen, umschlagen, in die Lftm. zwischen den 2 ersten Stb.-Gruppen der Vorreihe einstechen, Faden holen, durchziehen, umschlagen, durch 4 Schlingen ziehen, umschlagen und durch die beiden letzten Schlingen ziehen, ★ 1 Lftm., umschlagen, in folg. Abmasch-M der Vorreihe einstechen, Faden holen, durchziehen, umschlagen, in die nächste Lftm. der Vorreihe einstechen, Faden holen, durchziehen, umschlagen, durch 4 Schlingen ziehen, umschlagen und durch die beiden letzten Schlingen ziehen. Ab ★ wiederholen. Enden mit 1 Lftm., umschlagen, in die letzte Abmasch-M der Vorreihe einstechen, Faden holen, umschl., in die Wende-Lftm. einstechen, Faden holen, umschlagen, durch 4 Schlingen ziehen, umschlagen, durch 2 Schlingen ziehen.
Zeichenerklärung siehe Seite 351.

51

Lftm.-Anschlag.
1. Reihe: in die viertletzte Anschlagmasche 1 zur Hälfte abgehäkeltes Stb. (2 Schlingen bleiben auf der Nadel), 2 Anschlagmaschen übergehen, in die 3. folg. Anschlagmasche 2 zur Hälfte abgehäkelte Stb. und die 4 auf der Nadel liegenden Schlingen zusammen abmaschen. ★ 3 Lftm., in die nächste Lftm. 2 zur Hälfte abgehäkelte Stb., 2 Lftm. übergehen, in die folg. Lftm. wieder 2 zur Hälfte abgehäkelte Stb., die 5 auf der Nadel liegenden Schlingen abmaschen. Ab ★ wiederholen.
2. Reihe: 3 Lftm., in den 1. Lftm.-Bogen der Vorreihe 1 f. M., ★ 3 Lftm., in den folg. Lftm.-Bogen 1 f. M. Ab ★ wiederholen.
3. Reihe: wie 2. Reihe
4. Reihe: 2 Lftm. zum Wenden, ★ in den nächsten Bogen 4 f. M. Ab ★ wiederholen. Die Reihe endet mit 2 f. M. in den letzten Bogen.
5. Reihe: 3 Lftm., in die 1. f. M. ein zur Hälfte abgehäkeltes Stb., 2 f. M. übergehen, in die nächste f. M. 2 zur Hälfte abgehäkelte Stb. und die 4 auf der Nadel liegenden Schlingen zusammen abmaschen. ★ 3 Lftm., in die nächste f. M. 2 zur Hälfte abgehäkelte Stb., 2 f. M. der Vorreihe übergehen, in die 3. f. M. 2 zur Hälfte abgehäkelte Stb. und die 5 auf der Nadel liegenden Schlingen zusammen abmaschen. Ab ★ wiederholen.
2. bis 5. Reihe fortlaufend wiederholen.
Zeichenerklärung siehe Seite 351.

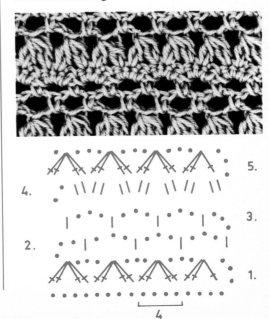

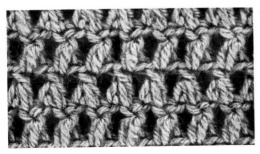

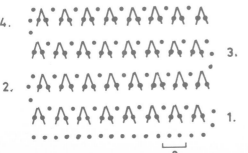

52

Lftm.-Anschlag.
1. Reihe: in jede Lftm. 1 f. M.
2. Reihe: 3 Lftm., ★ umschl., in die 2. f. M. der Vorreihe einstechen und Faden holen, hochziehen, umschl., durch dieselbe M Faden holen, hochziehen, umschl., wieder durch dieselbe M Faden holen, hochziehen, umschl. und durch alle 7 Schlingen ziehen, 3 Lftm., 1 M der Vorreihe übergehen, 1 f. M., 2 Lftm., 1 M der Vorreihe übergehen. Ab ★ wiederholen.
3. Reihe: ★ über die Noppe 1 f. M., 5 Lftm. Ab ★ wiederholen.
4. Reihe: ★ über die f. M. 1 Noppe, wie in der 2. Reihe beschrieben, 3 Lftm., 1 f. M. in die Mitte der 5 Lftm. der Vorreihe, 2 Lftm. Ab ★ wiederholen.
3. und 4. Reihe fortlaufend wiederholen.
Zeichenerklärung siehe Seite 351.

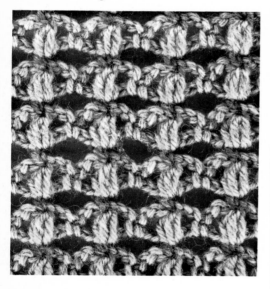

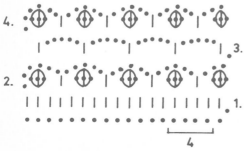

53

Lftm.-Anschlag.
1. Reihe: in die zweitletzte Anschlagmasche 1 f. M., ★ 5 Lftm., 4 Anschlagmaschen übergehen, in die 5. Lftm. 1 f. M. Ab ★ wiederholen.
2. Reihe: mit 3 Lftm. wenden, 1 Stb. in die 1. f. M., ★ um den Lftm.-Bogen der Vorreihe 1 f. M., 2 Stb., 1 f. M., dann 5 Lftm. häkeln. Ab ★ wiederholen. Die Reihe endet mit 1 f. M., 2 Stb., 1 f. M. um den letzten Lftm.-Bogen und 1 Stb. in die Wende-M der Vorreihe.
3. Reihe: mit 1 Lftm. wenden, 1 f. M. in das 1. Stb., 5 Lftm., ★ um den Lftm.-Bogen 1 f. M., dann 5 Lftm. häkeln. Ab ★ wiederholen. Die Reihe endet mit 1 f. M. in das letzte Stb.
2. und 3. Reihe fortlaufend wiederholen.
Zeichenerklärung siehe Seite 351.

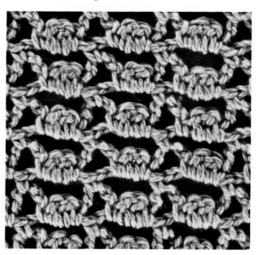

54

Lftm.-Anschlag.
1. Reihe: in die 4. Lftm. 1 f. M., ⋆ 3 Lftm., 2 Lftm. der Vorreihe übergehen und in die folg. Lftm. 1 f. M. Ab ⋆ wiederholen.
2. Reihe: 3 Lftm. zum Wenden, ⋆ 3 Stb. in die f. M., in den Lftm.-Bogen 1 f. M. Ab ⋆ wiederholen.
3. Reihe: 3 Lftm. zum Wenden. ⋆ 1 f. M. in das mittlere der 3 Stb., 3 Lftm. Ab ⋆ wiederholen.
2. und 3. Reihe fortlaufend wiederholen.
Zeichenerklärung siehe Seite 351.

55

Lftm.-Anschlag.
1. Reihe: in die viertletzte Anschlagmasche 1 Stb., ⋆ 2 Lftm. übergehen, in die nächste Anschlagmasche 2 Stb., 2 Lftm., 2 Stb., 2 Lftm. übergehen, in die nächste Masche 1 Stb. Ab ⋆ wiederholen.
2. und alle folg. Reihen: 3 Lftm. zum Wenden, auf die einzelstehenden Stb. der Vorreihe Stb. häkeln, die Stb.-Gruppe (2 Stb., 2 Lftm., 2 Stb.) in den Lftm.-Bogen einhängen.
Zeichenerklärung siehe Seite 351.

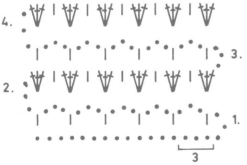

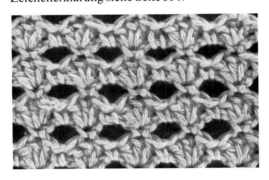

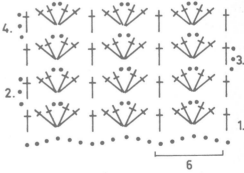

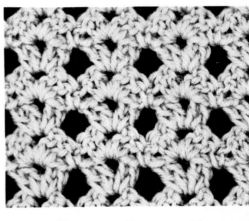

56

Lftm.-Anschlag.
1. Reihe: in die 5. Lftm. 1 Stb., ★ 2 Lftm., 5 Lftm. des Anschlages übergehen, 1 Stb., 2 Lftm., 1 Stb. in dieselbe Lftm. Ab ★ wiederholen.
2. Reihe: 2 Lftm., in die 2 Lftm. zwischen den beiden Stb. 5 Stb., den nächsten Lftm.-Bogen übergehen, ★ in die folgenden 2 Lftm. 8 Stb., nächsten Lftm.-Bogen übergehen. Ab ★ wiederholen. Am Ende der Reihe 5 Stb.
3. Reihe: 4 Lftm., 1 Stb. in das 1. Stb. der Vorreihe, ★ 2 Lftm., in das 5. Stb. der nächsten Stb.-Gruppe 1 Stb., 2 Lftm., 1 Stb. Ab ★ wiederholen.
2. und 3. Reihe fortlaufend wiederholen.
Zeichenerklärung siehe Seite 351.

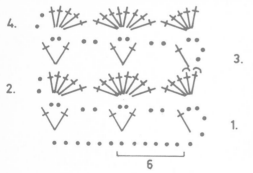

57

Lftm.-Anschlag.
1. Reihe: in die vorletzte Lftm. 1 f. M., ★ 3 Lftm., 5 Lftm. übergehen, in die folg. Lftm. 5 Stb., 5 Lftm. übergehen, 3 Lftm., in die folg. Lftm. 1 f. M. Ab ★ wiederholen.
2. Reihe: mit 1 Lftm. wenden, ★ 1 f. M. in die f. M. der Vorreihe, 1 Lftm., 1 Stb. auf jedes Stb. der Vorreihe, 1 Lftm. Ab ★ wiederholen.
3. Reihe: mit 3 Lftm. wenden, 3 Stb. in die 1. f. M., ★ 3 Lftm., in das 3. (mittlere) Stb. der Vorreihe 1 f. M., 3 Lftm., in die f. M. der Vorreihe 5 Stb. Ab ★ wiederholen. Die Reihe endet mit 3 Stb. in die letzte f. M. der Vorreihe.
4. Reihe: mit 3 Lftm. wenden, auf die ersten 3 Stb. der Vorreihe je 1 Stb., dann 1 Lftm., weiter wie 2. Reihe arbeiten. Die Reihe endet mit 3 Stb.
5. Reihe: mit 1 Lftm. wenden, 1 f. M. auf das 1. Stb., ★ 3 Lftm., in die f. M. 5 Stb., 3 Lftm., auf das 3. (mittlere) Stb. 1 f. M. Ab ★ wiederholen.
Zeichenerklärung siehe Seite 351.

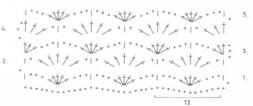

58

Lftm.-Anschlag durch 8 teilbar und 7 Lftm.

1. Reihe: 1 Lftm., in die 2. letzte Lftm. 1 f. M., ★ 3 Lftm., 2 M übergehen, in die nächste Lftm. 1 Stb., 3 Lftm., 1 Stb., dann 3 Lftm., 2 M übergehen, in die folg. 3 M je 1 f. M. Ab ★ wiederholen, am Ende der Reihe 1 f. M.

2. Reihe: 4 Lftm., ★ zwischen die beiden Stb. der Vorreihe 7 Stb., dann 3 Lftm., in die mittlere der 3 f. M. 1 f. M., 3 Lftm. Ab ★ wiederholen. Am Ende der Reihe 1 f. M.

3. Reihe: 6 Lftm., ★ 7 f. M. in die 7 Stb. der Vorreihe, 5 Lftm. Ab ★ wiederholen. Am Ende der Reihe 3 Lftm., 1 Stb.

4. Reihe: 4 Lftm., 1 Stb. in die 1. M der Vorreihe, ★ 3 Lftm., 3 f. M. in die mittleren 3 f. M. der Vorreihe, 3 Lftm., in die 3. Lftm. der Vorreihe 1 Stb., 3 Lftm., 1 Stb. Ab ★ wiederholen.

5. Reihe: 3 Lftm., 2 Stb. zwischen die 2 Stb. der Vorreihe, ★ 3 Lftm., in die mittlere der 3 f. M. 1 f. M., 3 Lftm., 7 Stb. zwischen die beiden Stb. der Vorreihe. Ab ★ wiederholen. Am Ende der Reihe 3 Stb.

6. Reihe: 1 Lftm., 3 f. M. in die 3 Stb. der Vorreihe, ★ 5 Lftm., 7 f. M. in die 7 Stb. der Vorreihe. Ab ★ wiederholen. Am Ende der Reihe 3 f. M.

1. bis 6. Reihe fortlaufend wiederholen.

Zeichenerklärung siehe Seite 351.

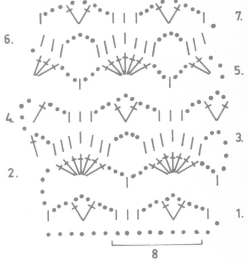

59

Lftm.-Anschlag.
1. Reihe: in die zweitletzte Anschlagmasche
1 Km., ⋆ 2 Anschlagmaschen übergehen, in die
nächste Lftm. 3 Stb., 3 Lftm., 3 Anschlagmaschen übergehen, in die folgende Lftm. 1 Km.
Ab ⋆ wiederholen. Die Reihe endet mit 1 Km.
2. Reihe: mit 3 Lftm. wenden, in die 1. Km der
Vorreihe 2 Stb., 3 Lftm., ⋆ in den Lftm.-Bogen
ganz dicht an die Stb.-Gruppe der Vorreihe
1 Km., 3 Stb. auf die Km. der Vorreihe, 3 Lftm.
Ab ⋆ wiederholen. Die Reihe endet mit 3 Stb.
3. Reihe: 1 Lftm. zum Wenden, auf das letzte
Stb. der Vorreihe 1 Km., ⋆ auf die Km. der Vorreihe 3 Stb., 3 Lftm., in den Lftm.-Bogen der
Vorreihe ganz dicht an die Stb.-Gruppe 1 Km.
Ab ⋆ wiederholen. Die Reihe endet mit 1 Km.
2. und 3. Reihe fortlaufend wiederholen.
Zeichenerklärung siehe Seite 351.

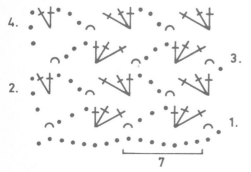

60

Lftm.-Anschlag durch 11 teilbar und 4 Lftm.
1. Reihe: 2 Lftm., in die 4., 5. und 6. M je 1 Stb., ⋆
2 Lftm., 1 M übergehen, 1 f.M., 2 Lftm., 1 M
übergehen, in die folg. M 1 Stb., 3 Lftm., 1 Stb.,
2 Lftm., 1 M übergehen, 1 f.M., 2 Lftm., wieder
1 M übergehen, 4 Stb. Ab ⋆ wiederholen.
2. Reihe: 3 Lftm., 3 Stb., ⋆ 5 Lftm., 7 Stb. in den
Lftm.-Bogen zwischen den beiden Stb. der Vorreihe, 5 Lftm., 4 Stb. Ab ⋆ wiederholen.
3. Reihe: 3 Lftm., 3 Stb., ⋆ 2 Lftm., 1 f.M. in den
unteren Bogen, 5 Lftm., 1 f.M. in das 4. Stb. der
unteren Stb.-Gruppe, 5 Lftm., 1 f.M. in den
nächsten unteren Bogen, 2 Lftm., 4 Stb. Ab ⋆
wiederholen.
4. Reihe: 3 Lftm., 3 Stb., ⋆ 5 Lftm., 1 f.M. in den
2. Bogen, 5 Lftm., 1 f.M. in den nächsten Bogen,
5 Lftm., 4 Stb. Ab ⋆ wiederholen.
5. Reihe: 3 Lftm., 3 Stb., ⋆ 2 Lftm., 1 f.M. in den
1. Bogen, 2 Lftm., in die 3. Lftm. des 2. Bogens
1 Stb., 3 Lftm., 1 Stb., dann 2 Lftm., in den 3. Bogen 1 f.M., 2 Lftm., 4 Stb. Ab ⋆ wiederholen.
Zeichenerklärung siehe Seite 351.

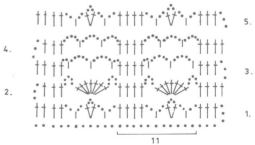

61

Lftm.-Anschlag: Maschenzahl durch 9 teilbar.
1. Reihe: 1 Lftm., in die 2., 3. und 4. M je 1 f. M., ⋆ 3 Lftm., 2 M übergehen, 7 f. M. Ab ⋆ wiederholen, am Ende der Reihe 4 f. M.
2. Reihe: 1 Lftm., in die 2. und 3. f. M. der Vorreihe je 1 f. M., ⋆ 3 Lftm., 1 f. M. in den unteren Bogen, 3 Lftm., je 1 f. M. in die 5 mittleren f. M. der Vorreihe. Ab ⋆ wiederholen. Am Ende der Reihe 2 f. M.
3. Reihe: 1 Lftm., 1 f. M., ⋆ 3 Lftm., 1 f. M. in den Lftm.-Bogen, 1 f. M. in die f. M. der Vorreihe, 1 f. M. in den Luftm.-Bogen, 3 Lftm., je 1 f. M. in die mittleren 3 oder 5 f. M. der Vorreihe. Ab ⋆ wiederholen. Am Ende der Reihe 2 f. M.
4. Reihe: 5 Lftm., ⋆ je 1 f. M. in den Lftm.-Bogen, in die 3 f. M. sowie in den nächsten Lftm.-Bogen der Vorreihe (= 5 f. M.), 3 Lftm., 1 f. M. in die mittlere der 3 f. M. der Vorreihe, 3 Lftm. Ab ⋆ wiederholen. Am Ende der Reihe 1 f. M.
5. Reihe: 3 Lftm., ⋆ je 1 f. M. in den Lftm.-Bogen, in die 5 f. M. sowie in den nächsten Lftm.-Bogen der Vorreihe (= 7 f. M.), 3 Lftm. Ab ⋆ wiederholen. Am Ende der Reihe 1 f. M.
6. Reihe: 3 Lftm., ⋆ je 1 f. M. in die mittleren 5 der 7 f. M. der Vorreihe, 3 Lftm., 1 f. M. in den Lftm.-Bogen, 3 Lftm. Ab ⋆ wiederholen. Am Ende der Reihe 1 f. M.
7. Reihe: 1 Lftm., 1 f. M., 3 Lftm., ⋆ je 1 f. M. in die mittleren 3 der 5 f. M. der Vorreihe, 3 Lftm., je 1 f. M. in den Lftm.-Bogen, in die 1 f. M. sowie in den nächsten Lftm.-Bogen 3 Lftm. Ab ⋆ wiederholen. Am Ende der Reihe 2 f. M.
8. Reihe: 1 Lftm., je 1 f. M. in die 2. f. M. der Vorreihe sowie in den Lftm.-Bogen, ⋆ 3 Lftm., 1 f. M. in die mittlere f. M. der Vorreihe, 3 Lftm., je 1 f. M. in den Lftm.-Bogen, in die 3 f. M. sowie in den nächsten Lftm.-Bogen. Ab ⋆ wiederholen. Am Ende der Reihe 2 f. M.
1. bis 8. Reihe fortlaufend wiederholen.
Zeichenerklärung siehe Seite 351.

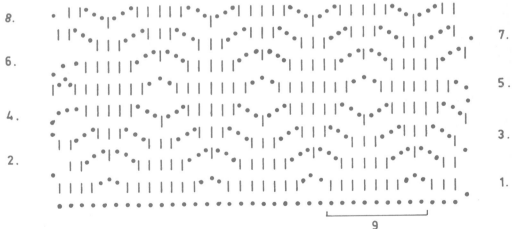

62

Lftm.-Anschlag.
1. Reihe: 1 Stb. und 1 Lftm. im Wechsel; zwischen den Stb. je 1 Anschlagmasche freilassen.
2. Reihe: Kreuzstäbchen.
Zeichenerklärung siehe Seite 351.

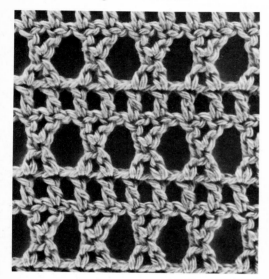

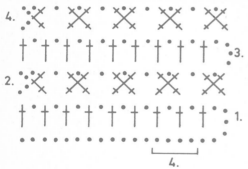

63

Lftm.-Anschlag.
1. Reihe: einfache Stb.
2. Reihe: mit 5 Lftm. wenden. In das 5., 6. und 7. Stb. der Vorreihe je 1 dreifaches Stb. (3 Umschläge), zurückgehend in das 2., 3. und 4. Stb. der Vorreihe je 1 dreifaches Stb., ★ 3 Stb. der Vorreihe übergehen und in die nächsten 3 Stb. je 1 dreifaches Stb. und dann in die übergangenen 3 Stb. ebenfalls 3 dreifache Stb. häkeln. Ab ★ wiederholen.
3. Reihe: mit 3 Lftm. wenden. In jedes dreifache Stb. 1 einfaches Stb. häkeln.
2. und 3. Reihe fortlaufend wiederholen. Die Abbildung zeigt das Maschenkreuzen und die Stelle, in die nach dreimaligem Umschlag eingestochen wird.
Zeichenerklärung siehe Seite 351.

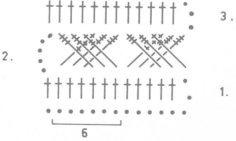

64

Lftm.-Anschlag durch 10 teilbar und 1 Randm.
1. Reihe: f. M.
2. Reihe: ★ 5 Lftm., 4 f. M. der Vorreihe übergehen, 1 f. M. Ab ★ wiederholen. Die Reihe endet
mit 1 f. M.
3. Reihe: 3 Lftm., ★ in den Lftm.-Bogen der Vorreihe 5 Stb. einhängen, 3 Lftm., in die Mitte des
nächsten Lftm.-Bogens der Vorreihe 1 f. M. einhängen, 3 Lftm. Ab ★ wiederholen. Am Schluß
der Reihe 1 Stb.
4. Reihe: ★ 5 Lftm., vor der Stb.-Gruppe 1 f. M.
einhängen, 5 Lftm., nach der Stb.-Gruppe
1 f. M. einhängen. Ab ★ wiederholen.
5. Reihe: ★ 3 Lftm., in die Mitte des Lftm.-
Bogens der Vorreihe 1 f. M. einhängen, 3 Lftm.,
in den nächsten Lftm.-Bogen 5 Stb. einhängen.
Ab ★ wiederholen.
6. Reihe: ★ 5 Lftm., vor der Stb.-Gruppe 1 f. M.
einhängen, 5 Lftm., nach der Stb.-Gruppe
1 f. M. einhängen. Ab ★ wiederholen.
3.–6. Reihe fortlaufend wiederholen.
Zeichenerklärung siehe Seite 351.

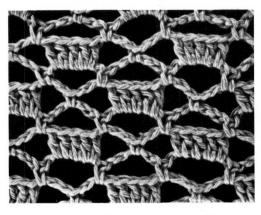

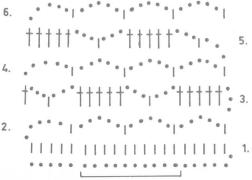

65

Lftm.-Anschlag.
1. Reihe: in die zweitletzte Lftm. des Anschlages
1 f. M. und ★ die M zu einer ¾ cm langen Schlinge hochziehen, Faden holen, durchziehen, in
das hintere Glied der Lftm. 1 f. M., die M zur
Schlinge hochziehen, Faden holen, durchziehen und in das hintere Glied der Lftm. 1 f. M., so
daß nun 2 Schlingen übereinander sind (siehe
Abbildung), 3 Lftm. übergehen, in die 4. Lftm.
der Anschlagreihe 1 f. M. Ab ★ wiederholen.
2. und alle folgenden Reihen: wie 1. Reihe; die
f. M. werden in die höherstehenden Knötchen
der Vorreihe gearbeitet.
Zeichenerklärung siehe Seite 351.

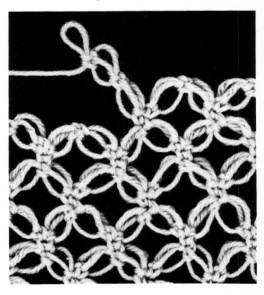

Irische Häkelei

66

In einen Anfangsring (siehe Seite 200) werden 8 Büschel-Stb. getrennt durch 3 Lftm. gehäkelt. 1. Büschel-Stb.: 4 Lftm., das nächste Stb.
bis auf 2 Schlingen abhäkeln, das 3. Stb. bis auf
3 Schlingen abhäkeln, Faden holen und durch
alle 3 Schlingen ziehen, 3 Lftm. Bei den nächsten Büschel-Stb. wird das 1. Stb. bis auf
2 Schlingen abgehäkelt, beim 2. Stb. bleibt eine
weitere Schlinge auf der Nadel, beim 3. Stb.
ebenfalls eine weitere Schlinge, so daß zuletzt
noch 4 Schlingen abzuschürzen sind. Nach dem
8. Büschel-Stb. werden noch 3 Lftm. gehäkelt
und 1 Km. an das 1. Büschel-Stb.
Zeichenerklärung siehe Seite 351.

67

1. Runde: in einen Anfangsring (siehe Seite 200)
4mal 6 Doppelstb. getrennt durch 5 Lftm. häkeln, 4 Lftm. ersetzen das 1. Doppelstb. Die
Runde mit 1 Km. schließen.
2. Runde: in das 2., 3., 4., 5. Doppelstb. der vorhergehenden Runde je 1 Stb. zur Hälfte häkeln
und zus. abmaschen, 6 Lftm., 1 f. M. in den
Lftm.-Bogen der Vorrunde, 6 Lftm. 4 Stb. zur
Hälfte häkeln und zus. abmaschen usw. Mit
1 Km. die Runde schließen.
Zeichenerklärung siehe Seite 351.

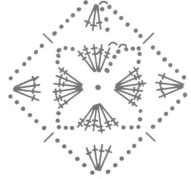

68

5 Lftm. zu einem Ring schließen.
1. Runde: 5 Lftm., auf die 2., 3., 4. und 5. letzte
Lftm. je 1 f. M. häkeln und das so entstandene
Blättchen mit 1 Km in den Ring einhängen. In
dieser Weise insgesamt 8 Blättchen in den Ring
arbeiten. Den Faden abbrechen.
2. Runde: in jede Blattspitze 1 Km., dazwischen
stets 5 Lftm.
3. Runde: in jeden Lftm.-Bogen 2 f. M., 1 Pikot
(3 Lftm., in die 1. Lftm. zurückgehend 1 f. M.),
2 f. M., 1 Pikot, 2 f. M., 1 Pikot, 2 f. M.
Zeichenerklärung siehe Seite 351.

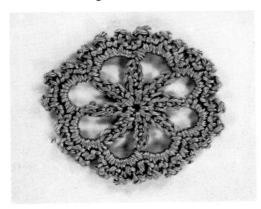

69

1. Runde: 4 Lftm., in die 1. Lftm. 5 Stb. arbeiten,
jeweils durch 3 Lftm. getrennt. Die Runde mit
1 Km. schließen.
2. Runde: in jeden Lftm.-Bogen der Vorrunde 4
durch je 1 Lftm. getrennte Stb. häkeln. Das 1.
Stb. durch 3 Lftm. ersetzen. Die Runde mit
1 Km. schließen.
3. Runde: 10 Lftm., zwischen das 2. und 3. folgende Stb. der Vorrunde 1 Stb. einhängen,
7 Lftm., 2 Stb. übergehen, 1 Stb. usw. Die Runde
mit 1 Km. schließen.
4. Runde: in die nächsten 4 Lftm. 4 Km. häkeln,
⋆ 1 Lftm., 1 Kreuzstb. (siehe Seite 194), und zwar
das untere rechtsstehende Stb. in die zweitletzte
Lftm. des vorigen Lftm.-Bogens einstechen; das
untere linksstehende Stb. in die 2. Lftm. des
nächsten Bogens arbeiten. Zwischen den beiden
oberen Stb. 3 Lftm. häkeln. Nach dem Kreuzstb.
noch 1 Lftm. und 1 f. M. in die Mitte des Lftm.-
Bogens häkeln. Ab ⋆ wiederholen.
Zeichenerklärung siehe Seite 351.

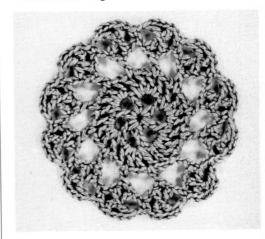

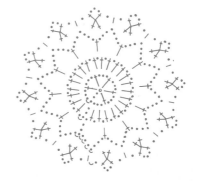

70

Lftm.-Anschlag.
1. Reihe: in die viertletzte Anschlagmasche
1 f. M. arbeiten, ⋆ 3 Anschlagmaschen übergehen, 1 Km. und 4 Lftm. häkeln. Zurückgreifend
in die 1. dieser 4 Lftm. 1 f. M. häkeln (1 Pikot).
Ab ⋆ wiederholen.
2. und alle folgenden Reihen: mit 7 Lftm. wenden, in die 4. Lftm. zurückgehend 1 f. M., ⋆ in die
mittlere Pikotmasche der Vorreihe 1 Km.,
4 Lftm. häkeln. Zurückgreifend in die 1. dieser
4 Lftm. 1 f. M. häkeln. Ab ⋆ wiederholen.
Zeichenerklärung siehe Seite 351.

Dasselbe Muster zeigt den Einstechpunkt der
Km.

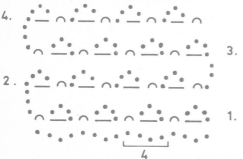

71

Lftm.-Anschlag.
1. Reihe: in die viertletzte Anschlagmasche
1 f. M., 2 Lftm. übergehen, 1 Stb., ⋆ 5 Lftm., 5
Anschlagmaschen übergehen und in die 6. M
1 Stb., Pikot, 1 Stb. (1 Pikot = 4 Lftm. und in die
1. M. zurückgehend 1 Km.). Ab ⋆ wiederholen.
2. Reihe: 7 Lftm., in die 3. Lftm. des Lftm.-
Bogens 1 Stb., 1 Pikot, 1 Stb., ⋆ 5 Lftm., in die
3. Lftm. des Bogens 1 Stb., 1 Pikot, 1 Stb. Ab ⋆
wiederholen. Die Reihe schließt mit 3 Lftm. und
einem einfachen Stb., das nach dem letzten Pikot der Vorreihe eingehängt wird.
3. Reihe: 7 Lftm., in die 4.letzte Lftm. 1 f. M.,
1 Stb. auf das letzte Stb. der Vorreihe, ⋆ 5 Lftm.,
in die Mitte des 2. Lftm.-Bogens der Vorreihe
1 Stb., 1 Pikot, 1 Stb. Ab ⋆ wiederholen.
2. und 3. Reihe fortlaufend wiederholen.
Zeichenerklärung siehe Seite 351.

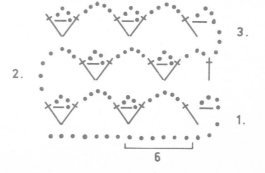

72

Lftm.-Anschlag.

1. Reihe: in die 4. letzte Lftm. 1 f. M., 6 Lftm. des Anschlages übergehen, 1 Stb., ★ 3 Lftm., 3 Lftm. des Anschlages übergehen, 1 Stb., 1 Pikot (4 Lftm., in die 1. Lftm. zurückgehend 1 f. M.); 3 Lftm. übergehen, 1 Stb. Ab ★ wiederholen. Mit 1 Pikot und 1 Stb. schließen.

2. Reihe: Die Pikots stehen versetzt. 6 Lftm., 1 Stb. auf das 2. Stb. der Vorreihe. ★ 1 Pikot, 1 Stb. auf das nächste Stb., 3 Lftm., 1 Stb. auf das nächste Stb. Ab ★ wiederholen.

3. Reihe: 6 Lftm., 1 f. M. in die 4. letzte Lftm., ★ 1 Stb. auf das nächste Stb., 3 Lftm., 1 Stb. auf das nächste Stb., 1 Pikot. Ab ★ wiederholen.

2. und 3. Reihe fortlaufend wiederholen.

Zeichenerklärung siehe Seite 351.

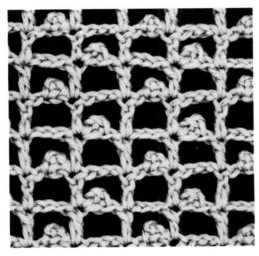

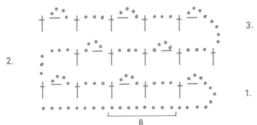

73

Lftm.-Anschlag.

1. Reihe: in die zweitletzte Lftm. des Anschlags 1 f. M. ★ 4 Lftm. in die zweitletzte Lftm., zurückgehend 1 f. M., in die drittletzte Lftm. 1 Stb., 4 Lftm., in die zweitletzte Lftm. zurückgehend 1 f. M., in die drittletzte 1 Stb., 1 Lftm. 4 Lftm. des Anschlags übergehen und in die folg. Lftm. 1 f. M. Ab ★ wiederholen, wenden. In das letzte Stb., in die letzte f. M. sowie in die letzte Lftm. je 1 Km. arbeiten.

2. Reihe: 7 Lftm., in die zweitletzte Lftm. zurückgehend 1 f. M., in die drittletzte Lftm. 1 Stb., 1 Lftm. und 1 f. M. in die Mitte der 1. Mustergruppe der Vorreihe einhängen. ★ 4 Lftm., in die zweitletzte Lftm. 1 f. M., in die drittletzte Lftm. 1 Stb., 4 Lftm., in die zweitletzte Lftm. 1 f. M., in die drittletzte Lftm. 1 Stb., 1 Lftm. und 1 f. M. in die Mitte der nächsten Mustergruppe der Vorreihe einhängen. Ab ★ wiederholen. Nach der letzten f. M. 4 Lftm., in die zweitletzte Lftm. 1 f. M., in die drittletzte Lftm. 1 Stb., dann 4 Lftm. und 1 Km. in die letzte M. der Vorreihe, wenden. In die 2., 3. und 4. Lftm. je 1 Km.

3. Reihe: 1 Lftm., 1 f. M., weiter wie 1. Reihe arbeiten, die Mustergruppe in die Mitte der Mustergruppen der Vorreihe einhängen.

2. und 3. Reihe fortlaufend wiederholen.

Zeichenerklärung siehe Seite 351.

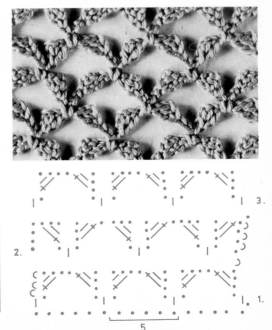

Filethäkelei

Die Filethäkelei hat ein Gittermuster, das aus ausgefüllten und »leeren« Kästchen besteht.

Die Höhe des Kästchens ist immer 1 Stäbchen, die Breite besteht üblicherweise aus 3 Stäbchen (= 1 ausgefülltes Kästchen) bzw. aus 1 Stb. und 2 Luftmaschen (= 1 leeres Kästchen); lediglich bei Mustern, die eine allzu große Breite beanspruchen würden (zum Beispiel Muster 82), wählt man 2 Stäbchen (= 1 ausgefülltes Kästchen) bzw. 1 Stäbchen und 1 Luftmasche (= 1 leeres Kästchen).

Kleine Filetmuster können sowohl in der Breite als auch in der Höhe fortlaufend wiederholt werden, große Muster finden auch schon einzeln vielfach Verwendung. So eignet sich die Filethäkelei vorzüglich für Borten, Bordüren (siehe auch nächstes Kapitel), für Fensterbilder, Gardinen, Kissenhüllen, Stoffeinsätze, Bettdecken, Sommertops etc. Als Material wählt man am besten dünnere Baumwolle, Viskose oder andere glatte Fasern, die Nadelstärke sollte nicht mehr als 3 mm betragen. Alle hier abgebildeten Muster beginnen mit einem Lftm.-Anschlag, statt des 1. Stäbchens am Anfang einer Reihe werden immer 3 Lftm. gehäkelt. Stehen ausgefüllte Kästchen über leeren, so werden die neuen Stäbchen entweder unter die entsprechenden Luftmaschen der Vorreihe eingehängt, oder es werden die waagerechten Luftmaschenglieder gefaßt und dann die neuen Stäbchen abgehäkelt.

74   Schmetterling

Nadelstärke 2–2½ mm, Gesamtbreite = 17 cm, Gesamthöhe = 13 cm.
52 Lftm. für die untere Kante und 3 Lftm. für das 1. Stb. anschlagen, weiter nach Diagramm häkeln.
Erklärung siehe Seite 246.

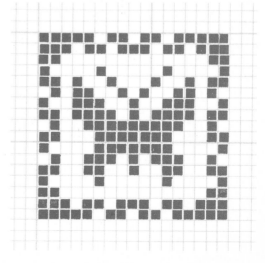

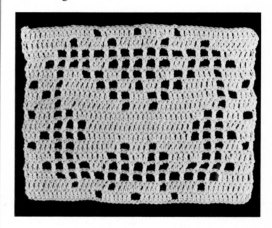

75 Schneeflocke

Nadelstärke 1,5–2 mm, Gesamtbreite = 17 cm,
Gesamthöhe = 13 cm.
58 Lftm. für die untere Kante und 3 Lftm. für
das 1. Stb. anschlagen, weiter nach Diagramm
häkeln.
Erklärung siehe Seite 246.

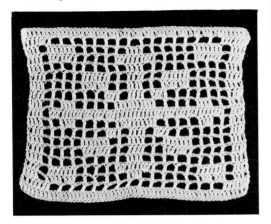

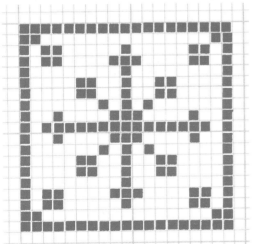

76 Norwegerstern

Nadelstärke 2–2½ mm, Gesamtbreite = 20 cm,
Gesamthöhe = 15,5 cm.
64 Lftm. für die untere Kante und 3 Lftm. für
das 1. Stb. anschlagen, weiter nach Diagramm
häkeln.
Erklärung siehe Seite 246.

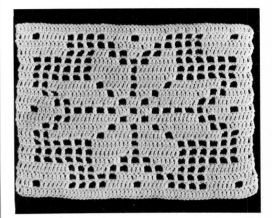

77 Rose

Nadelstärke 2–2½ mm, Gesamtbreite = 16 cm,
Gesamthöhe = 17 cm.
52 Lftm. für die untere Kante und 3 Lftm. für
das 1. Stb. anschlagen, weiter nach Diagramm
häkeln.
Erklärung siehe Seite 246.

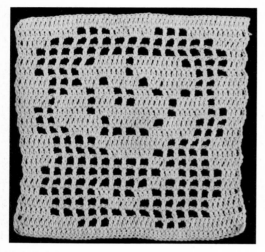

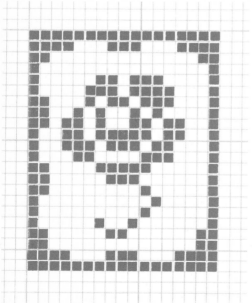

78 Herz

Nadelstärke 2–2½ mm, Gesamtbreite = 16 cm,
Gesamthöhe = 13 cm.
52 Lftm. für die untere Kante und 3 Lftm. für
das 1. Stb. anschlagen, weiter nach Diagramm
häkeln.
Erklärung siehe Seite 246.

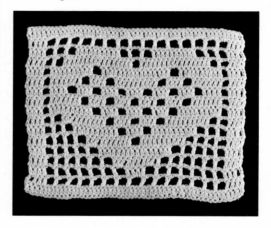

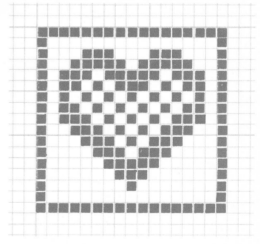

79 Vogel

Nadelstärke 2–2½ mm, Gesamtbreite = 17 cm,
Gesamthöhe = 14,5 cm.
52 Lftm. für die untere Kante und 3 Lftm. für
das 1. Stb. anschlagen, weiter nach Diagramm
häkeln.
Erklärung siehe Seite 246.

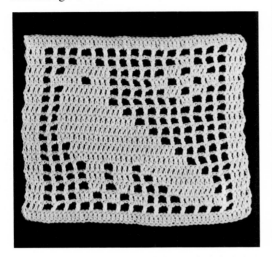

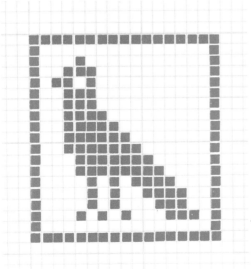

80 Blume

Nadelstärke 2–2½ mm, Gesamtbreite = 14 cm,
Gesamthöhe = 13 cm.
46 Lftm. für die untere Kante und 3 Lftm. für
das 1. Stb. anschlagen, weiter nach Diagramm
häkeln.
Erklärung siehe Seite 246.

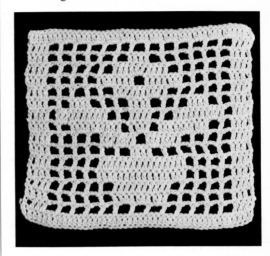

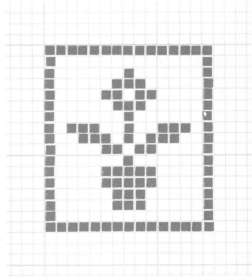

81 Elefant

Nadelstärke 2–2½ mm, Gesamtbreite = 21 cm,
Gesamthöhe = 17 cm.
64 Lftm. für die untere Kante und 3 Lftm. für
das 1. Stb. anschlagen, weiter nach Diagramm
häkeln.
Erklärung siehe Seite 246.

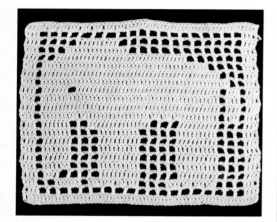

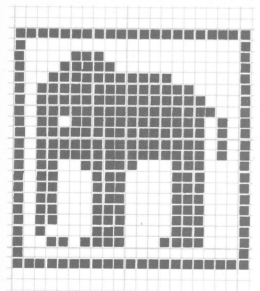

82 Zwei Vögel

Nadelstärke 2 mm, Gesamtbreite = 24 cm, Gesamthöhe = 21 cm.
67 Lftm. für die untere Kante und 3 Lftm. für
das 1. Stb. anschlagen, weiter nach Diagramm
häkeln.
Nach Beendigung des Musters alle Seiten des
Bildes mit 1 Runde h. Stb. häkeln. Zum Schluß
auf die obere Kante wie folgt 1 Reihe häkeln: in
der linken oberen Ecke einstechen, ⋆ 16 M im
festen Luftmaschenanschlag arbeiten (siehe
Seite 195), 1 M der Vorreihe übergehen, in die
nächsten 13 M von links nach rechts f. M. arbeiten (d. h. sogenannte »Krebsmaschen«), in die
nächste M einstechen. Ab ⋆ wiederholen.
Erklärung siehe Seite 246.

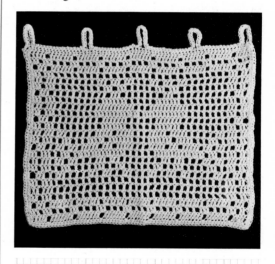

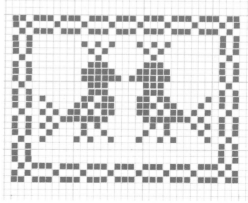

83 Katze

Nadelstärke 2–2½ mm, Gesamtbreite = 46 cm, Gesamthöhe = 32 cm einschließlich Randborten.
136 Lftm. für die untere Kante und 3 Lftm. für das 1. Stb. anschlagen, weiter nach Diagramm häkeln.

Nach Beendigung des Musters an die untere und obere Kante wie folgt eine Borte häkeln:
1. Reihe: ★ 1 Kreuzstb. (siehe Seite 194), 2 Lftm., 2 M übergehen, ab ★ wiederholen.
2. Reihe: unter die 2 Lftm. des Kreuzstb. 6 Stb. einhängen, 4 Lftm., 1 f. M. unter die 2 Lftm. des nächsten Kreuzstb. häkeln, 4 Lftm., in das nächste Kreuzstb. wieder 6 Stb. arbeiten usw.
Erklärung siehe Seite 246.

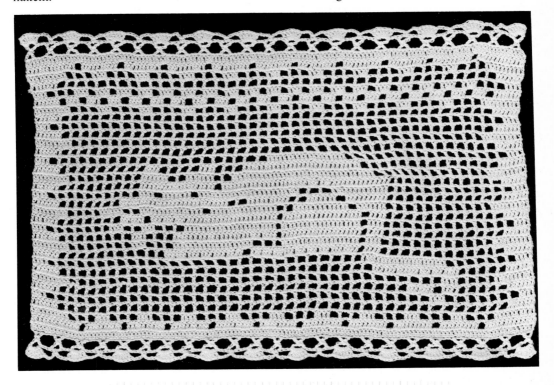

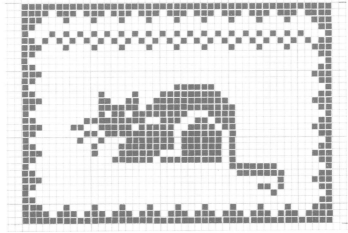

Borten und Bordüren

84

19 Lftm. für die Seitenkante und 3 Lftm. für das 1. Stb. anschlagen und weiter nach Diagramm häkeln, d. h. den 1. Rapport fortlaufend wiederholen.
Erklärung siehe Seite 246.

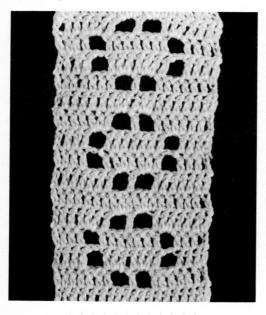

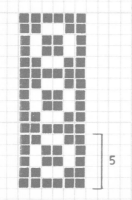

85

28 Lftm. für die Seitenkante und 3 Lftm. für das 1. Stb. anschlagen und weiter nach Diagramm häkeln, d. h. den 1. Rapport fortlaufend wiederholen.
Erklärung siehe Seite 246.

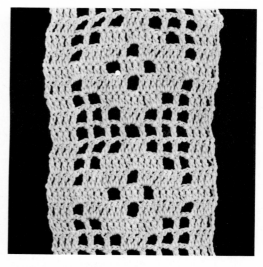

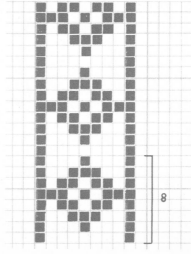

Diese und die nächste Borte werden in Filettechnik gearbeitet; es werden hier jedoch Maschen zu- bzw. abgenommen.

Zunehmen am Anfang einer Reihe: nach Beendigung der letzten Reihe wenden, 6 Lftm. häkeln, in die 5. und 6. Lftm. je 1 Stb. arbeiten.

Zunehmen am Ende einer Reihe: ★ umschlagen, in die 2 unteren senkrechten Glieder des vorangegangenen Stb. einstechen, 1 Stb. abhäkeln. Ab ★ noch 2mal wiederholen.

Abnehmen am Anfang einer Reihe: in das 1., 2., 3. und 4. Stb. der Vorreihe je 1 Km., weiter wie gewohnt arbeiten.

Abnehmen am Ende einer Reihe: die letzten 3 Stb. nicht häkeln, wenden.

86

16 Lftm. für die Seitenkante und 3 Lftm. für das 1. Stb. anschlagen und weiter nach Diagramm häkeln, d. h. den 1. Rapport fortlaufend wiederholen.

Erklärung siehe Seite 246.

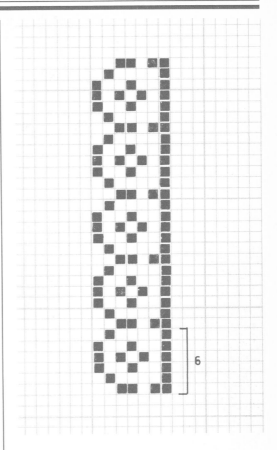

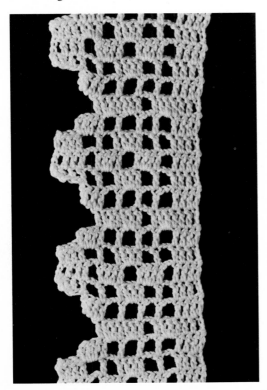

87

31 Lftm. für die seitliche Kante und 3 Lftm. für
das 1. Stb. anschlagen und weiter nach Diagramm häkeln, d. h. den 1. Rapport fortlaufend
wiederholen.
Erklärung siehe Seite 246.

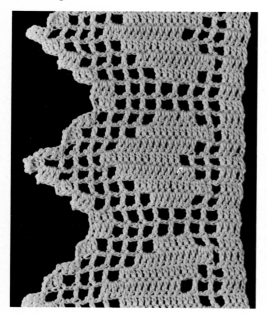

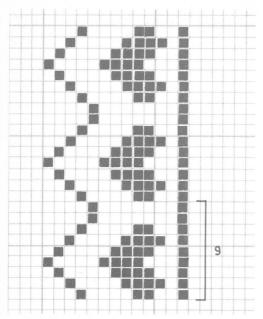

88

★ 3 Lftm. häkeln, in die 1. Lftm. 6 Stb. arbeiten,
die Arbeit wenden, ab ★ fortlaufend wiederho-
len.
Damit die Borte schön flach liegt, sollte sie nach
Beendigung gedämpft werden.
Zeichenerklärung siehe Seite 351.

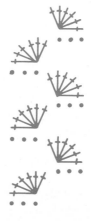

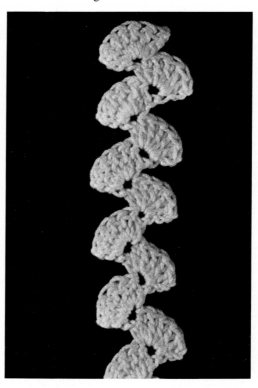

89

4 Lftm. anschlagen, in die 1. Lftm. 2 Stb., 2 Lftm., 3 Stb., ⋆ mit 3 Lftm. wenden, in den Lftm.-Bogen der Vorreihe 3 Stb., 2 Lftm., 3 Stb. einhängen, in die letzte Wende-Lftm. der Vorreihe 1 Stb. arbeiten. Ab ⋆ wiederholen. Zeichenerklärung siehe Seite 351.

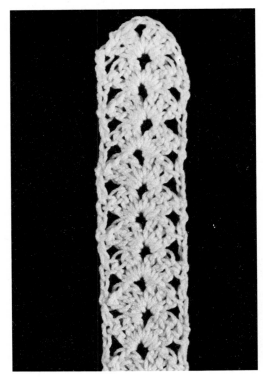

90

24 Lftm. anschlagen.
1. Reihe: in die 5. letzte Lftm. 1 Stb., 3 Lftm., 3 Anschlagmaschen übergehen, 3 Stb., 5 Lftm., 5 Anschlagmaschen übergehen, 3 Stb., 3 Lftm., 3 Anschlagmaschen übergehen, 2 Stb., 9 Lftm., nun die Arbeit wenden und 1 Km. in das letzte Stb. arbeiten.
2. Reihe: 3 Lftm., auf das nächste Stb. 1 Stb., dann 3 Lftm., 3 Stb., 2 Lftm., in die 3. (mittlere) Lftm. des Lftm.-Bogens 1 f. M., 2 Lftm., auf die folgenden 3 Stb. je 1 Stb., 3 Lftm., je 1 Stb. auf das folgende Stb. sowie in die letzte Wende-Lftm. der Vorreihe.
3. Reihe: 3 Lftm. zum Wenden, auf das nächste Stb. 1 Stb., dann 3 Lftm., 3 Stb., 5 Lftm., 3 Stb., 3 Lftm., 2 Stb., 9 Lftm., nun die Arbeit wenden und 1 Km. in das letzte Stb. arbeiten.
2. und 3. Reihe fortlaufend wiederholen.
Zeichenerklärung siehe Seite 351.

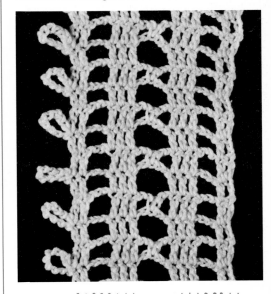

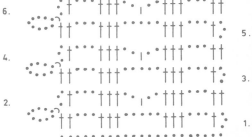

91

15 Lftm. anschlagen.

1. Reihe: in die 4.letzte Anschlagmasche 1 Stb., 4 Lftm., 1 Anschlagmasche übergehen, 1 f. M., 4 Lftm., in die 2., 3. und 4. folgende Anschlagmasche je 1 Stb., 4 Lftm., 1 Anschlagmasche übergehen, 1 f. M., 4 Lftm., in die 2. und 3. folgende Anschlagmasche je 1 Stb.

2. Reihe: mit 3 Lftm. wenden, auf das 2. Stb. sowie unter den Lftm.-Bogen der Vorreihe je 1 Stb., 1 Lftm., unter den nächsten Lftm.-Bogen, auf die 3 Stb. sowie unter den folg. Luftmaschen-Bogen der Vorreihe je 1 Stb. (= 5 Stb.), 1 Lftm. unter den nächsten Lftm.-Bogen, auf das Stb. sowie in die letzte Anschlagmasche je 1 Stb.

3. Reihe: mit 3 Lftm. wenden, auf das 2. und 3. Stb., unter die Lftm. und auf das folg. Stb. der Vorreihe je 1 Stb. (= 4 Stb.), 4 Lftm., 1 Stb. der Vorreihe übergehen, in das folgende Stb. 1 f. M., 4 Lftm., 1 Stb. übergehen, auf das folgende Stb., unter die 1 Lftm. und auf die letzten 3 Stb. je 1 Stb. (= 5 Stb.).

4. Reihe: 3 Lftm., auf das 2., 3., 4. und 5. Stb. sowie unter den folg. Lftm.-Bogen je 1 Stb., 1 Lftm., unter den nächsten Lftm.-Bogen und auf die folg. Stb. je 1 Stb.

5. Reihe: 3 Lftm., 1 Stb. auf das 2. Stb. der Vorreihe, 4 Lftm., 1 Stb. der Vorreihe übergehen, 1 f. M., 4 Lftm., 1 Stb. übergehen, auf das folgende Stb., unter die Lftm. sowie auf das nächste Stb. je 1 Stb., 4 Lftm., 1 Stb. übergehen, 1 f. M., 4 Lftm., 1 Stb. übergehen, 2 Stb.

2. bis 5. Reihe fortlaufend wiederholen.

Zeichenerklärung siehe Seite 351.

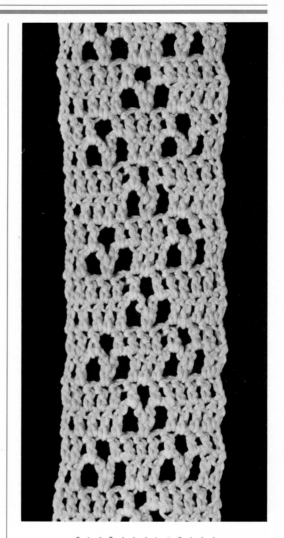

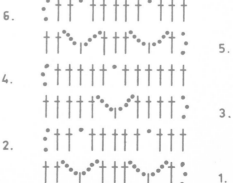

92

17 Lftm. anschlagen.

1. Reihe: in die 4. und 5. letzte Anschlagmasche je 1 Stb., 1 Lftm., je 1 f. M. in die nächsten 9 Anschlagmaschen, dann 1 Lftm. und in die letzten 3 Anschlagmaschen je 1 Stb.

2. Reihe: mit 3 Lftm. wenden, je 1 Stb. auf das 2. und 3. Stb. der Vorreihe, 2 Lftm., 1 f. M. der Vorreihe übergehen, je 1 f. M. auf die mittleren 7 f. M. der Vorreihe, 2 Lftm., 3 Stb.

3. Reihe: mit 3 Lftm. wenden, je 1 Stb. auf das 2. und 3. Stb. der Vorreihe, 3 Lftm., 1 f. M. der Vorreihe übergehen, je 1 f. M. auf die mittleren 5 f. M. der Vorreihe, 3 Lftm., 3 Stb.

4. Reihe: mit 3 Lftm. wenden, 2 Stb., 4 Lftm., je 1 f. M. auf die mittleren 3 f. M. der Vorreihe, 4 Lftm., 3 Stb.

5. Reihe: mit 3 Lftm. wenden, 2 Stb., 5 Lftm., 1 f. M. in die mittlere f. M. der Vorreihe, 5 Lftm., 3 Stb.

6. Reihe: mit 3 Lftm. wenden, 2 Stb., 9 Lftm., auf die letzten 3 Stb. je 1 Stb.

7. Reihe: mit 3 Lftm. wenden, 2 Stb., 1 Lftm., je 1 f. M. in die 9 Lftm. der Vorreihe, 1 Lftm., 3 Stb.

2. bis 7. Reihe fortlaufend wiederholen.

Zeichenerklärung siehe Seite 351.

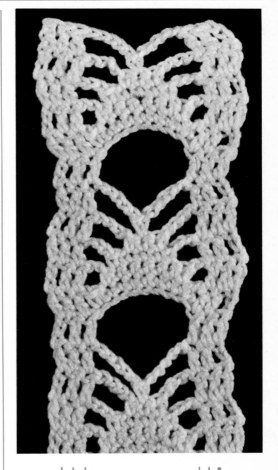

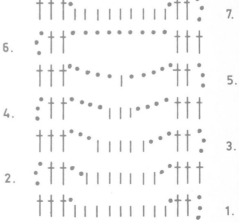

93

Lftm.-Anschlag durch 10 teilbar.
1. Reihe: Stb.
2. Reihe: mit 1 Lftm. wenden, je 1 f. M. in die ersten 3 Stb. der Vorreihe, * 3 Lftm., 2 Stb. übergehen, in das folg. Stb. 2 Stb., 2 Lftm., 2 Stb. häkeln, 3 Lftm., 2 Stb. übergehen, in die 5 folgenden Stb. je 1 f. M. arbeiten. Ab * wiederholen. Die Reihe endet mit 3 f. M.
3. Reihe: mit 1 Lftm. wenden, je 1 f. M. in die ersten 2 f. M. der Vorreihe, * 3 Lftm., in den Lftm.-Bogen der Vorreihe (d. h. unter die 2 Lftm.) 3 Stb., 2 Lftm., 3 Stb. einhängen, 3 Lftm., 1 f. M. der Vorreihe übergehen, je 1 f. M. in die 3 mittleren f. M. der Vorreihe, ab * wiederholen. Die Reihe endet mit 2 f. M.
4. Reihe: mit 1 Lftm. wenden, 1 f. M. in die 1. f. M. der Vorreihe, * 3 Lftm., in den Lftm.-Bogen der Vorreihe 4 Stb., 2 Lftm., 4 Stb. einhängen, 3 Lftm., in die mittlere f. M. der Vorreihe 1 f. M. arbeiten. Ab * wiederholen. Die Reihe endet mit 1 f. M.
Zeichenerklärung siehe Seite 351.

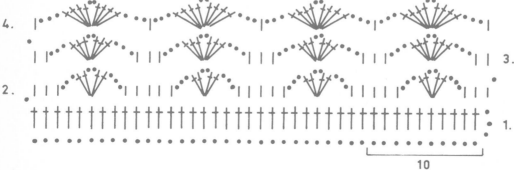

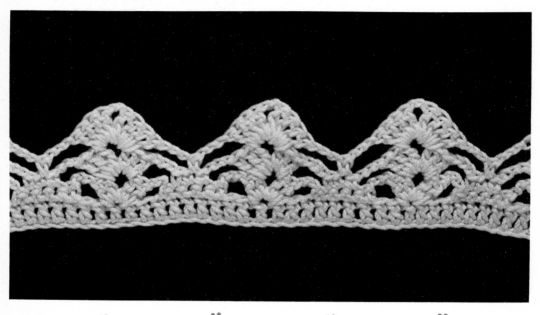

94

Lftm.-Anschlag.
1. Reihe: * 1 Stb., 1 Lftm., dabei 1 Lftm. des Anschlages übergehen. Ab * wiederholen.
2. Reihe: 1 Lftm. zum Wenden, * 1 f. M., 4 Lftm., 3 Stb. der Vorreihe übergehen, 2 Stb., 5 Lftm., 2 Stb. in dieselbe Lftm. einhängen, 4 Lftm., 3 Stb. der Vorreihe übergehen. Ab * wiederholen. Mit 4 Lftm. und 1 f. M. schließen.
3. Reihe: 1 Lftm. zum Wenden, * 1 f. M., 5 Lftm.,
in den Lftm.-Bogen der Stb.-Gruppe 2 Stb., 5 Lftm., 2 Stb., 5 Lftm. Ab * wiederholen.
4. Reihe: 1 Lftm. zum Wenden. * 1 f. M., 6 Lftm., in den Lftm.-Bogen 2 Stb., 5 Lftm., 2 Stb., 6 Lftm. Ab * wiederholen.
5. Reihe: 1 Lftm. zum Wenden, * 1 f. M., 7 Lftm., in den Lftm.-Bogen 2 Stb., 5 Lftm., 2 Stb., 7 Lftm. Ab * wiederholen.
Unten an der Anschlagreihe nun noch 1 Reihe Stb. mit 1 Lftm. im Zwischenraum häkeln.
Zeichenerklärung siehe Seite 351.

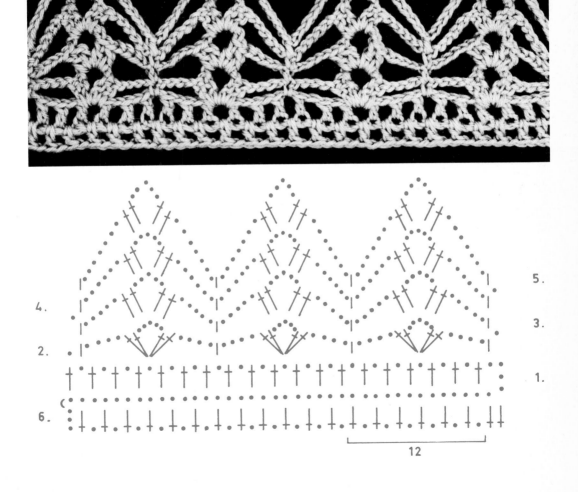

95

Zunächst die Dreiecke häkeln.
1. Reihe: 5 Lftm. anschlagen, 1 Stb. in die
1. Lftm.
2. Reihe: mit 4 Lftm. wenden, 1 Stb., 1 Lftm.,
1 Stb. unter die nächsten 2 Lftm. der Vorreihe,
1 Stb. in die folg. Lftm.
3. Reihe: mit 4 Lftm. wenden, unter jede Lftm.
der Vorreihe 1 Stb. arbeiten, dazwischen immer
1 Lftm. häkeln. Die Reihe endet mit 1 Stb. in die
3. Wende-Lftm. der Vorreihe.
Die 3. Reihe noch 7mal wiederholen, dann den
Faden abbrechen und noch so viele Dreiecke
häkeln, wie die Borte breit werden soll. Nun die
Dreiecke wie folgt miteinander verbinden und
behäkeln.
1. Reihe: das 1. Dreieck seitlich legen (siehe
Foto und Typenmuster), in die Stb. und Wende-
Lftm. f. M. arbeiten, nach der letzten f. M. den
Faden nicht abbrechen, sondern das nächste
Dreieck nehmen und genauso behäkeln.
2. Reihe: 1 Stb., 1 Lftm. im Wechsel, mit den
Lftm. je 1 f. M. der Vorreihe übergehen.
3. Reihe: auf die Stb. und unter die Lftm. der
Vorreihe je 1 Stb. häkeln.
4. Reihe: 1 Stb., 1 Lftm. im Wechsel, mit den
Lftm. immer 1 Stb. der Vorreihe übergehen.
5. Reihe: auf die Stb. und unter die Lftm. der
Vorreihe f. M. arbeiten.
Zeichenerklärung siehe Seite 351.

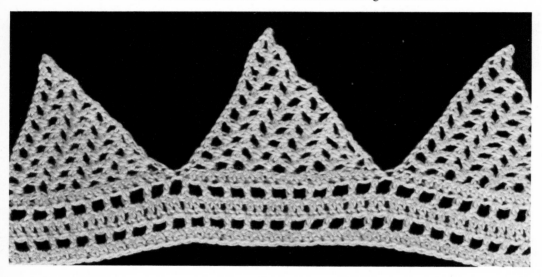

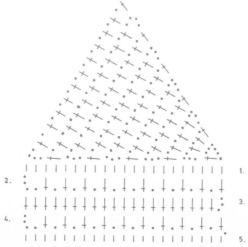

96

Lftm.-Anschlag durch 10 teilbar.

1. Reihe: 3 Lftm., in die 4. und jede folg. Anschlagmasche je 1 Stb.

2. Reihe: 4 Lftm., auf das 3. Stb. der Vorreihe 1 Stb., dann immer 1 Lftm., 1 Stb. im Wechsel; mit der Lftm. jeweils 1 Stb. der Vorreihe übergehen.

3. Reihe: 4 Lftm., auf das 2. Stb. der Vorreihe 1 Stb., 1 Lftm., dann auf jedes Stb. der Vorreihe 1 Stb., dazwischen immer 1 Lftm.

4. Reihe: 3 Lftm., auf jedes Stb. sowie unter jede Lftm. der Vorreihe 1 Stb.

5. Reihe: 1 Km. ∗ 1 Lftm., 3mal umschlagen, 4 Stb. der Vorreihe übergehen, in das folgende Stb. einstechen, 1 Dreifachstb. häkeln, 1 Lftm., in dieselbe Einstichstelle noch 6 durch jeweils 1 Lftm. getrennte Dreifachstb. arbeiten, nach dem letzten Dreifachstb. noch 1 Lftm. und in das 5. Stb. nach der letzten Einstichstelle 1 Km. arbeiten. Ab ∗ wiederholen.

6. Reihe: unter jede Lftm. der Vorreihe 1 f.M., danach 1 Pikot (= 3 Lftm., 1 Km. in die 1. Lftm.); vor dem letzten Dreifachstb. eines Bogens noch 1 Pikot häkeln, nun unter die letzte Lftm. 1 Km., unter die 1. Lftm. des nächsten Bogens ebenfalls 1 Km., darauf 1 Pikot arbeiten, unter die folgenden Lftm. wieder je 1 f.M., darauf 1 Pikot usw.

Zeichenerklärung siehe Seite 351.

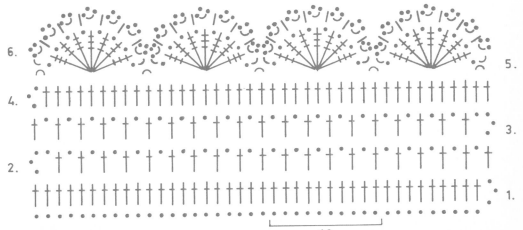

6.   5.

4.   3.

2.   1.

10

Tunesische Häkelei

Während bei der üblichen Häkelei stets einzelne, fertige Maschen nebeneinander gearbeitet werden, braucht man bei der tunesischen Technik einen Hin- und einen Rückgang über die ganze Breite der Arbeit, um die Maschen einer Reihe zu vollenden. Man arbeitet stets auf der Vorderseite. Der 1. Arbeitsgang (Hingang) bildet die Schlingen auf der Nadel, der 2. Arbeitsgang (Rückgang) mascht alle Schlingen wieder ab.

Die tunesische Häkelei soll stets mit einer langen, gleichmäßig starken Häkelnadel (tunesische Häkelnadel) gearbeitet werden.

Anschlag mit tunesischer Schlingenbildung

Lftm.-Anschlag.
Die tunesische Nadel durch die 2. letzte Anschlagmasche führen, Faden holen, durchziehen und als Schlinge hochziehen. In dieser Weise aus jeder Anschlagmasche bis zum Ende der Lftm.-Kette je 1 Schlinge holen.
Die Abbildung zeigt die Lage der Lftm.-Kette und das Einstechen der Nadel. Das Abschürzen erklärt die folgende Beschreibung.

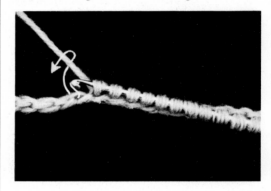

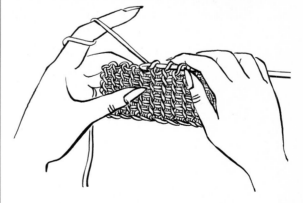

97 Einfacher rechtstunesischer Häkelstich

Jede Reihe wird mit einer tunesischen Häkelnadel in 2 Arbeitsgängen ausgeführt.
Lftm.-Anschlag.
1. Hingang (= Schlingenbildung): aus jeder Anschlagmasche wie oben beschrieben 1 Schlinge holen.
1. und alle folgenden Rückgänge: umschlagen, den Faden durch 1 Schlinge ziehen, ★ umschlagen und durch die beiden ersten auf der Nadel liegenden Schlingen ziehen. Ab ★ wiederholen. Die letzte Schlinge etwas hochziehen.
2. und alle folgenden Hingänge: Die Schlingen immer durch die senkrechten Glieder holen (siehe Abb. links).
Zeichenerklärung siehe Seite 352.

98 Rechtstunesisch mit Luftmaschen

Lftm.-Anschlag.
1. Hingang: ★ einstechen, umschlagen, durchziehen, umschlagen, durch 1 auf der Nadel befindliche Schlinge ziehen (diese neugebildete Schlinge bleibt auf der Nadel). Ab ★ wiederholen.
Alle Rückgänge: wie beim rechtstunesischen Stich abmaschen.
2. und alle folgenden Hingänge: die Nadel genau wie bei einer rechtstunesischen Masche einführen, die Schlinge durchholen, umschlagen, durch 1 auf der Nadel befindliche Schlinge ziehen. Die zuletzt erhaltene Schlinge bleibt jeweils auf der Nadel.
Zeichenerklärung siehe Seite 352.

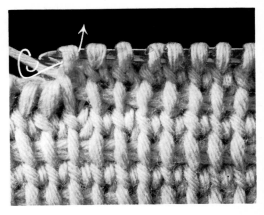

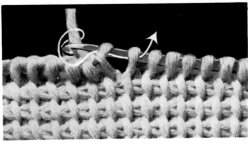

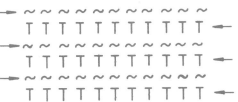

Dieselbe Technik, nur wird hier zwischen jeder Schlinge 1 Luftmasche gebildet. Diese Technik verlangt lockeres Arbeiten.

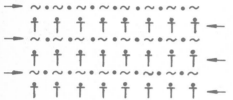

Rückgang zur vorhergehenden Technik: mit der Nadel den Faden zur Bildung der Luftmasche holen. Nach dem Abmaschen der 1. Schlinge die Luftmasche bilden und mit der nächsten Schlinge zugleich abhäkeln. Dann wieder die Luftmasche bilden und mit der nächsten Schlinge abhäkeln usw.
Zeichenerklärung siehe Seite 352.

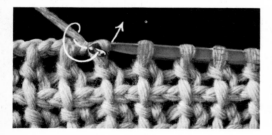

99 Linkstunesische Masche

1. Reihe: rechtstunesisch.
2. Reihe: hier wird im Hingang beim Schlingenholen die linke Masche gebildet. Wie bei der linken gestrickten Masche den Arbeitsfaden vor die Nadel legen, von rechts nach links durch das bei der Vorreihe gebildete senkrechte Maschenglied stechen und den Faden wie folgt durchholen: den Faden unter der Nadel vor dem senkrechten Maschenglied nach hinten legen, mit der Häkelnadel unter dem Faden hinten hochgreifen und 1 Schlinge holen. Wie beim rechtstunesischen Stich abschürzen.
Zeichenerklärung siehe Seite 352.

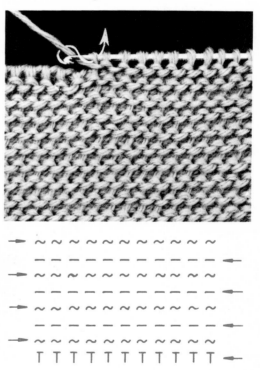

Abketten

Jede tunesisch gehäkelte Arbeit muß zum Schluß abgekettet werden. Hierzu die Nadel wie bei der gewöhnlichen Schlingenbildung durch das 1. senkrechte Maschenglied führen, Faden durchholen und (wie bei einer Km.) zugleich durch die auf der Nadel befindliche Schlinge ziehen. In dieser Weise alle Schlingen abhäkeln.
Zeichenerklärung siehe Seite 352.

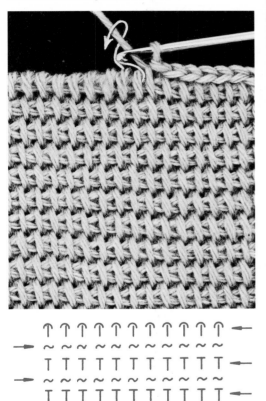

Abnehmen einer Masche zu Beginn der Reihe

Beim Hingang (Schlingenbildung) die Randmasche sowie das 1. senkrechte Glied übergehen und die 1. Schlinge aus dem 2. Glied der Vorreihe holen.
Zeichenerklärung siehe Seite 352.

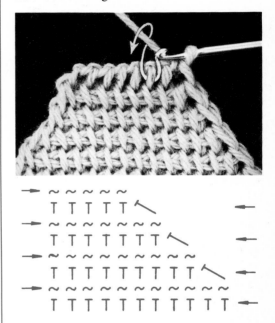

Abnehmen einer Masche am Ende der Reihe

Aus den beiden letzten senkrechten Gliedern der Vorreihe nur 1 Schlinge holen.
Zeichenerklärung siehe Seite 352.

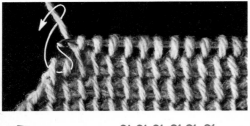

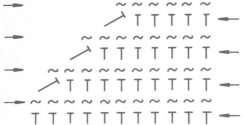

Zunehmen einer Masche zu Beginn der Reihe

Die Nadel durch das obere waagrechte Glied zwischen der Randmasche und dem 1. senkrechten Maschenglied führen und 1 Schlinge holen.
Zeichenerklärung siehe Seite 352.

Zunehmen einer Masche am Ende der Reihe

Am Ende des Hingangs die Randmasche etwas zur Seite ziehen und das obere Querglied auffassen, das zwischen dem letzten senkrechten Glied und der Randmasche sichtbar wird, den Faden durchholen und anschließend aus der Randmasche auch noch 1 Schlinge holen.
Zeichenerklärung siehe Seite 352.

Knopfloch

Je nach gewünschter Größe mit 3–5 Umschlägen ebensoviel Maschen der Vorreihe übergehen.
Beim Rückgang die Umschläge wie gewöhnliche Schlingen abschürzen.
Zeichenerklärung siehe Seite 352.

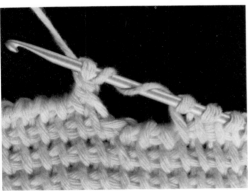

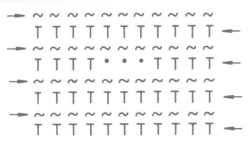

Schulterschrägung

Rechte Schulter

Je nachdem, ob die Schulter mehr oder weniger abgeschrägt werden soll, zu Beginn jeder Reihe 4 bis 8 Maschen abketten. Beim Rückgang den Arbeitsfaden durch die letzten 3 Schlingen zugleich ziehen und beim nächsten Hingang in das 2. senkrechte Maschenglied der Vorreihe die feste Masche häkeln.
Zeichenerklärung siehe Seite 352.

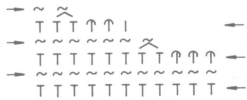

Linke Schulter

Die betreffenden Maschen am Ende des Hingangs stehen lassen und den Arbeitsfaden beim Rückgang durch die beiden letzten Schlingen zugleich ziehen.
Zeichenerklärung siehe Seite 352.

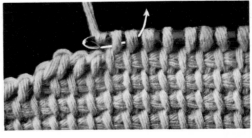

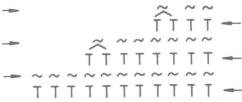

Zunehmen an beiden Seiten

Zunehmen am Anfang der Reihe

Nach dem Abschürzen so viele Luftmaschen
häkeln, wie Maschen zugenommen werden sollen. Aus diesen Luftmaschen die nötigen
Schlingen holen.
Zeichenerklärung siehe Seite 352.

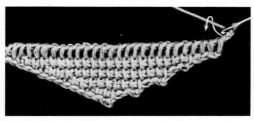

Zunehmen am Ende der Reihe

Zu Beginn der Arbeit eine entsprechend lange
Luftmaschenkette anschlagen und hängen lassen. Am Ende eines jeden Hingangs dann so
viele Schlingen aus den Luftmaschen holen, wie
benötigt werden.
Zeichenerklärung siehe Seite 352.

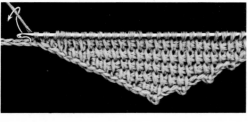

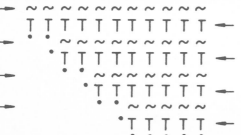

Keilbildung durch Verlängern bzw. Verkürzen der Reihen

Soll auf einer Reihe ein Keil gehäkelt werden, so
teilt man die Maschenzahl dieser Reihe in soviel
gleiche Teile, wie der Keil an seiner breiten Seite
zählen soll. Nun den 1. Teil der Reihe mit dem
Hin- und Rückgang behäkeln, bei der folg. Reihe den 1. und 2. Teil, bei der darauffolg. Reihe
den 1., 2. und 3. Teil behäkeln usw., bis wieder
über die ganze Breite gearbeitet wird.
Zeichenerklärung siehe Seite 352.

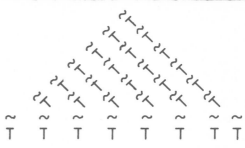

Überhäkeln der Keilform im Hingang
Hier wird der Keil in umgekehrter Richtung gebildet. Die Reihe ebenfalls in gleiche Teile teilen. Bei der 1. Reihe den letzten Teil freilassen, bei der 2. Reihe den letzten und vorletzten Teil usw., bis nur noch der 1. kleine Teil gehäkelt wird.
Ab hier wieder über die ganze Breite arbeiten. Die Abbildung zeigt das Aufnehmen der Schlingen aus den verschiedenen Stufen.
Zeichenerklärung siehe Seite 352.

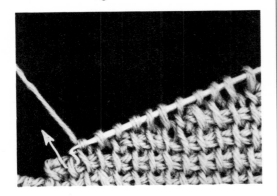

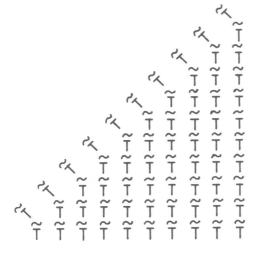

100 2 Maschen rechts-, 2 Maschen linkstunesisch

1. Reihe: rechtstunesisch.
2. Reihe: 2 Maschen rechtstunesisch, 2 Maschen linkstunesisch im Wechsel. Bei allen folgenden Reihen die rechtstunesischen Maschen linkstunesisch und umgekehrt arbeiten.
Zeichenerklärung siehe Seite 352.

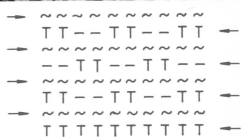

101 1 Masche rechts-, 1 Masche linkstunesisch

1. Reihe: rechtstunesisch.
2. Reihe: 1 Masche rechtstunesisch, 1 Masche linkstunesisch im Wechsel. Bei allen folgenden Reihen die rechtstunesischen Maschen linkstunesisch und umgekehrt arbeiten.
Zeichenerklärung siehe Seite 352.

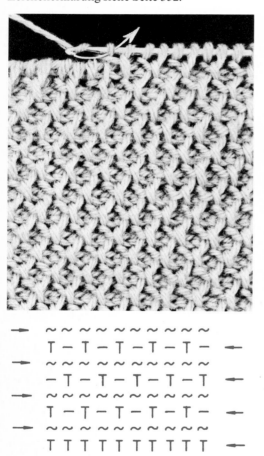

102 Tunesischer Kreuzstich

1. Reihe: rechtstunesisch.
2. Reihe (Hingang): aus der 2. Masche der Vorreihe 1 Schlinge holen, dann aus der übergangenen 1. Masche, hierauf je 1 Schlinge aus der 4., 3., 6., 5., 8., 7., 10., 9. Schlinge usw. fassen. Es wird also immer erst aus der übernächsten und dann aus der nächsten Masche 1 Schlinge geholt. Die senkrechten Maschenglieder werden auf diese Weise verkreuzt. Wie beim rechtstunesischen Stich abschürzen. Auch bei der 3. Reihe und den folgenden Reihen die Schlinge aus der 2., 1., 4., 3. usw. Masche der Vorreihe holen.
Zeichenerklärung siehe Seite 352.

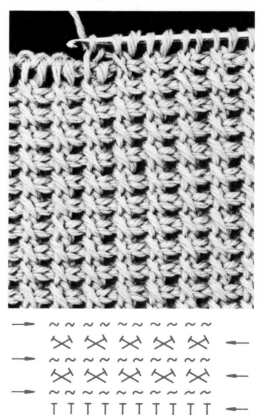

Diesen tunesischen Kreuzstich arbeitet man wie den vorhergehenden, nur werden die Kreuzstiche versetzt. Dies erreicht man, indem zu Beginn jeder 2. Reihe die 1. Masche einzeln aufgefaßt wird.
Zeichenerklärung siehe Seite 352.

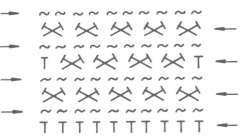

103 Umschlagmuster

Die Stichart ist die rechtstunesische Masche, Luftmaschen-Anschlag, dann aus jeder 2. Luftmasche 1 Schlinge holen, dabei nach jeder Schlinge 1mal umschlagen. Abgeschürzt wird wie üblich. Der Umschlag ergibt 1 Schlinge.
2. Reihe und alle folgenden Reihen: aus jedem senkrechten Maschenglied der Vorreihe wieder 1 Schlinge holen, dabei zwischen den Schlingen 1mal umschlagen, dann abschürzen.
Zeichenerklärung siehe Seite 352.

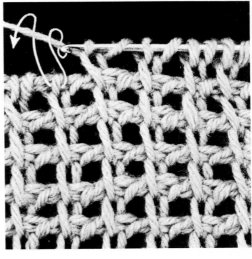

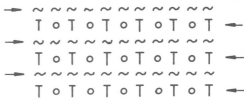

104 Füllstich

1. Reihe: rechtstunesisch.
2. Reihe und alle folgenden Reihen: beim Schlingenholen stets zwischen 2 senkrechten Maschengliedern durchstechen. Abgemascht wird wie üblich. Zu beachten ist das 1. Einstechen beim Reihenbeginn. Man sticht bei der 2. Reihe vor dem 1. senkrechten Glied und bei der 3. Reihe nach dem 1. senkrechten Glied der Vorreihe ein. Am Ende der 2. Reihe wird die letzte Schlinge vor dem letzten senkrechten Glied und bei der 3. Reihe nach dem letzten senkrechten Glied hervorgeholt.
Zeichenerklärung siehe Seite 352.

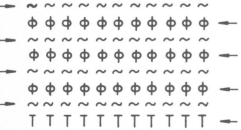

105

1. Reihe: rechtstunesisch.
2. und alle folgenden Reihen: bei der Schlingenbildung die Nadel zwischen dem vorderen und rückwärts liegenden Maschenglied von vorn nach hinten durchführen. Wie üblich abschürzen.
Zeichenerklärung siehe Seite 352.

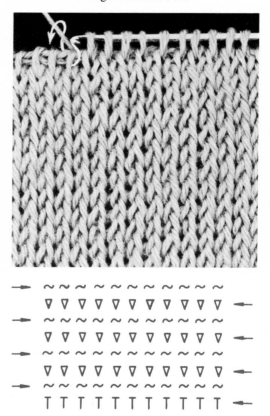

106 Webstich

1. Reihe: rechtstunesisch.
2. Reihe: in das 1. senkrechte Glied von links nach rechts einstechen, umschlagen, durchziehen, locker hochziehen, in das 2. senkrechte Glied von rechts nach links einstechen, umschlagen, durchziehen, locker hochziehen usw. Abgeschürzt wird wie gewöhnlich.
3. Reihe wie die 2. Reihe, jedoch versetzen.
Zeichenerklärung siehe Seite 352.

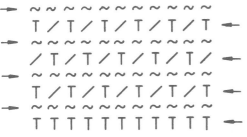

107 Netzstich

1. Reihe: rechtstunesisch.
2. Reihe: Faden vor die Arbeit legen (nicht auf die Nadel), die Nadel durch das 2. und 3. senkrechte Maschenglied der Vorreihe führen (das 1. Glied ist die Randmasche) und linkstunesisch abhäkeln, locker hochziehen, dann zwischen dem 3. und 4. Glied durchstechen, Faden holen und 1 Schlinge hochziehen. Die nächsten 2 Glieder zusammen wie oben abhäkeln, dann aus dem folgenden Zwischenraum 1 Schlinge holen usw. Die Reihe endet wie folgt: aus dem letzten Zwischenraum 1 Schlinge holen, aus der Randmasche 1 Schlinge holen, umschlagen und 2 und 2 abmaschen.
Zeichenerklärung siehe Seite 352.

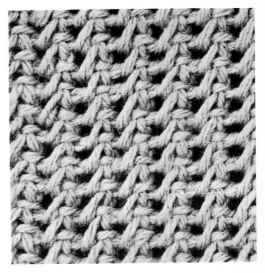

108 Gitterstich

1. Reihe: rechtstunesisch.
2. Reihe und alle folgenden Reihen: beim Hingang stets die oberen waagrechten Glieder, die zwischen den senkrechten liegen, fassen; nach der 1. Randmasche und hinter dem 1. senkrechten Glied beginnen. Am Ende der Reihe aus dem letzten Glied und der Randmasche je 1 Schlinge holen, dann umschlagen und 2 und 2 abmaschen.
Zeichenerklärung siehe Seite 352.

109 Nomottastich

1. Reihe: rechtstunesisch.
2. Reihe: die Nadel durch das 2. und 3. senkrechte Glied der Vorreihe führen, 1 Schlinge holen, erneut umschlagen, durch 1 Schlinge ziehen. ★ Zwischen den zusammengemaschten und dem nächsten Glied einstechen (dabei beide waagerechten Maschenglieder fassen), 1 Schlinge holen, umschlagen und erneut durch 1 Schlinge ziehen; in dieselbe Stelle wieder einstechen, Schlinge holen, umschlagen und durch 1 Schlinge ziehen. Die nächsten 3 Glieder mit 1 Schlinge zusammenhalten und diese Schlinge mit einem Umschlag abhäkeln. Ab ★ wiederholen.
3. und alle folgenden Reihen: wie 2. Reihe, dabei stets dieselben Glieder der Vorreihe zusammenfassen.
Zeichenerklärung siehe Seite 352.

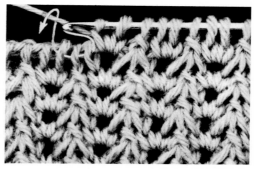

Mehrfarbige Muster

Einfache Farbmuster

110

Maschenzahl durch 2 teilbar und 1 M.
1. Reihe (I. Farbe): 4 Lftm. für das 1. Stb. und
die 1. Lftm., in die 7. Anschlagmasche 1 Stb.,
★ 1 Lftm., 1 Anschlagmasche übergehen, 1 Stb.
Ab ★ wiederholen.
2. Reihe (II. Farbe): mit 2 Lftm. wenden, zwischen die Stb. der Vorreihe h. Stb. einhängen,
dazwischen immer 1 Lftm. Am Ende der Reihe
je 1 h. Stb. nach dem letzten Stb. der Vorreihe sowie in die vorletzte Wende-Lftm. der Vorreihe.
3. Reihe (III. Farbe): mit 4 Lftm. wenden, umschlagen, in das 1. Stb. der vorletzten Reihe einstechen, 1 Schlinge durchholen und hochziehen, die 3 auf der Nadel liegenden Schlingen als
Stb. abhäkeln, ★ 1 Lftm., in das nächste Stb. der
vorletzten Reihe einstechen, 1 hochgezogenes
Stb. arbeiten. Ab ★ wiederholen.
2. und 3. Reihe, in der Farbfolge I, II, III fortlaufend wiederholen.
Zeichenerklärung siehe Seite 351.

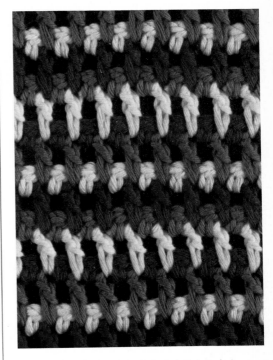

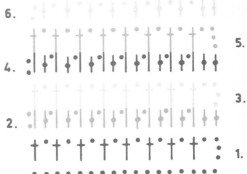

111

Maschenzahl durch 3 teilbar und 1 Randmasche.

1. Reihe (I. Farbe): 4 Lftm. für das 1. Stb. und die 1. Lftm., in die 5. letzte M 1 Stb., ★ 2 M übergehen, in die folg. M 1 Stb., 1 Lftm., 1 Stb. Ab ★ wiederholen.

2. Reihe (II. Farbe): mit 3 Lftm. wenden, unter die 1. Lftm. der Vorreihe 2 Stb., unter jede folg. Lftm. 3 Stb. einhängen.

3. Reihe (III. Farbe): mit 3 Lftm. wenden, in das 1. Stb. der Vorreihe 1 Stb. häkeln, zwischen jede folg. Stb.-Gruppe 3 Stb. einhängen.

4. Reihe (I. Farbe): mit 4 Lftm. wenden, zwischen die nächste Stb.-Gruppe der Vorreihe 1 Stb., zwischen jede folg. Stb.-Gruppe jeweils 1 Stb., 1 Lftm., 1 Stb. arbeiten.

2. bis 4. Reihe fortlaufend wiederholen.

Zeichenerklärung siehe Seite 351.

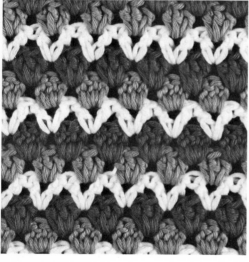

112

Nur in Hinreihen arbeiten.

Lftm.-Anschlag.

1. Reihe (I. Farbe): in die fünftletzte Anschlagmasche 1 Stb., umschlagen, in die viertletzte Anschlagmasche zurückgehend einstechen, 1 Schlinge durchholen, die 3 auf der Nadel liegenden Schlingen als 1 Stb. abhäkeln. ★ 1 Anschlagmasche übergehen, in die folg. Anschlagmasche 1 Stb., umschlagen, in die übergangene Anschlagmasche zurückgehend 1 hochgezogenes Stb. arbeiten. Ab ★ wiederholen. Die Reihe endet mit 1 Stb.

2. Reihe (II. Farbe): 3 Lftm., ★ in den Raum zwischen den beiden folg. Kreuzstb.-Gruppen der Vorreihe 1 Stb., umschlagen, zurückgehend zwischen die 2 gekreuzten Stb. der Vorreihe einstechen, 1 hochgezogenes Stb. arbeiten. Ab ★ wiederholen. Die Reihe endet mit 1 Stb.

3. Reihe (I. Farbe): 3 Lftm., ★ zwischen die 2 gekreuzten Stb. der Vorreihe 1 Stb., umschlagen, zurückgehend in den Raum zwischen den beiden Kreuzstb.-Gruppen der Vorreihe ein hochgezogenes Stb. arbeiten. Ab ★ wiederholen. Die Reihe endet mit 1 Stb.

2. und 3. Reihe fortlaufend wiederholen.

Zeichenerklärung siehe Seite 351.

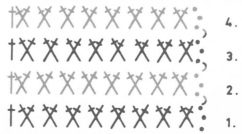

113

Lftm.-Anschlag.

1. Reihe (I. Farbe): in die fünftletzte Anschlagmasche 1 Stb., umschlagen, in die viertletzte Anschlagmasche zurückgehend einstechen, 1 Schlinge durchholen, hochziehen, alle 3 auf der Nadel liegenden Schlingen als 1 Stb. abhäkeln. ★ 1 Anschlagmasche übergehen, 1 Stb., in die übergangene Anschlagmasche zurückgehend 1 Stb. Ab ★ wiederholen. Die Reihe endet mit 1 Stb.

2. Reihe (II. Farbe): mit 2 Lftm. wenden, zwischen das einzelne Stb. und die Stb.-Gruppe der Vorreihe 1 h. Stb., ★ 1 Lftm., zwischen die beiden nächsten Stb.-Gruppen der Vorreihe 1 h. Stb. Ab ★ wiederholen.

3. Reihe (III. Farbe): mit 3 Lftm. wenden, unter die 1. Lftm. der Vorreihe 1 Stb., ★ unter die nächste Lftm. der Vorreihe 1 Stb., umschlagen, zurückgehend unter die vorherige Lftm. der Vorreihe 1 hochgezogenes Stb. einhängen. Ab ★ wiederholen.

4. Reihe (I. Farbe): mit 3 Lftm. wenden, zwischen jede Stb.-Gruppe der Vorreihe 1 h. Stb., dazwischen immer 1 Lftm. Am Ende der Reihe, zwischen die letzte Kreuzstb.-Gruppe und das einzelne Stb. der Vorreihe 1 h. Stb., 1 Lftm., auf die letzte Wende-Lftm. der Vorreihe 1 h. Stb.

5. Reihe (II. Farbe): mit 3 Lftm. wenden, unter jede Lftm. der Vorreihe gekreuzte Stb. wie in 3. Reihe einhängen, am Ende der Reihe 1 Stb. in die 2. Wende-Lftm. der Vorreihe.

2. bis 5. Reihe fortlaufend wiederholen, jedoch stets in der Farbfolge I., II., III.

Zeichenerklärung siehe Seite 351.

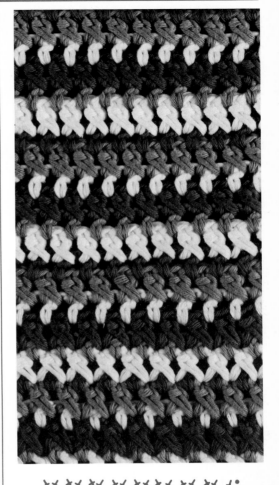

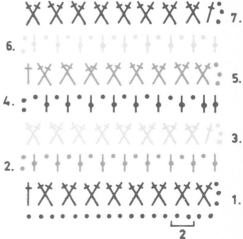

114

Luftm.-Anschlag.
Die kleinen Noppen (Pikots) erscheinen auf der Rückseite der Arbeit.
1. Reihe (I. Farbe): f. M.
2. Reihe (I. Farbe): Stb., dabei auf jedes 5. Stb. 1 Pikot (d. h. 3 Lftm. und 1 Km. in die 1. Lftm.)
3. Reihe (II. Farbe): f. M., dabei die Pikotmaschen der Vorreihe auf die Rückseite schieben.
4. Reihe (II. Farbe): wie 2. Reihe, jedoch die Pikots um 3 M versetzen.
3. und 4. Reihe fortlaufend wiederholen, jeweils 2 R I. Farbe, 2 R II. Farbe, die Pikots stets um 3 M versetzen.
Zeichenerklärung siehe Seite 351.

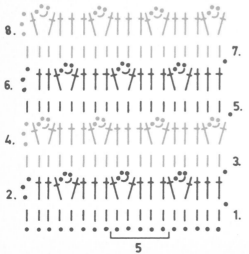

115

Lftm.-Anschlag.
1. Reihe (I. Farbe): h. Stb.
2. Reihe (I. Farbe): h. Stb.
3. Reihe (II. Farbe): auf das letzte h. Stb. der Vorreihe 1 Lftm. und 1 f. M., auf das nächste h. Stb. 1 f. M., ⋆ auf das folg. h. Stb. der Vorreihe 3 Doppelstb., auf jedes der 5 nächsten h. Stb. je 1 f. M. Ab ⋆ wiederholen.
Den Faden abbrechen, die Arbeit nicht wenden!
4. Reihe (I. Farbe): auf die 1. f. M. der Vorreihe 2 Lftm., auf die nächste f. M. 1 h. Stb., ⋆ in das 1. Doppelstb. der Vorreihe einstechen, 1 Schlinge durchholen, in das 2. und 3. Doppelstb. ebenfalls einstechen und jeweils 1 Schlinge durchholen, umschlagen und alle auf der Nadel liegenden Schlingen zusammen abmaschen. In jede der 5 folg. f. M. 1 h. Stb. arbeiten. Ab ⋆ wiederholen.
5. Reihe (I. Farbe): h. Stb.
3.–5. Reihe fortlaufend wiederholen, jedoch die Noppen stets versetzen.
Zeichenerklärung siehe Seite 351.

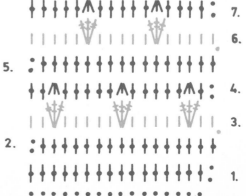

116

Lftm.-Anschlag.
Es wird mit 2 Farben nach dem Typenmuster gearbeitet.
2. bis 5. Reihe fortlaufend wiederholen.
Häkelart: Stb.
Beim Farbwechsel innerhalb einer Reihe folgendermaßen vorgehen: für das letzte Stb. in I. Farbe umschlagen, in die nächste M einstechen, Faden holen, durchziehen, umschlagen, durch 2 Schlingen ziehen, Faden in II. Farbe holen und durch die beiden letzten auf der Nadel liegenden Schlingen ziehen. Bis zum nächsten Farbwechsel Stb. mit II. Farbe häkeln, beim Übergang von II. Farbe zu I. Farbe wieder die Hälfte des Stb. in II. Farbe arbeiten, das restliche Stb. in I. Farbe zu Ende häkeln.
Zeichenerklärung siehe Seite 351.

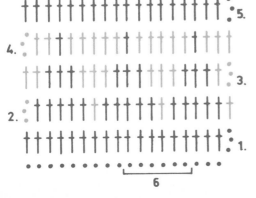

117

Nur in Hinreihen arbeiten.
Lftm.-Anschlag.
1. Reihe (I. Farbe): Stb.
2. Reihe (II. Farbe): 3 Lftm., umschlagen, in das 3. Stb. der Vorreihe 1 Stb. arbeiten, 5 Lftm. häkeln, umschlagen, im Kreuzungspunkt die beiden senkrechten Glieder fassen und 1 Stb. abhäkeln. ★ 2mal umschlagen, in das nächste Stb. der Vorreihe einstechen, Faden durchholen, umschlagen, durch 2 Schlingen ziehen, umschlagen, in das drittfolg. Stb. einstechen, Faden durchholen, umschlagen und 4mal durch je 2 Schlingen ziehen, 2 Lftm., umschlagen und in den Kreuzungspunkt 1 Stb. arbeiten. Ab ★ wiederholen.
3. Reihe (I. Farbe): 3 Lftm., auf alle oberen Kreuzstb. je 1 Stb., unter die dazwischenliegenden Lftm. je 2 Stb. häkeln.
4. Reihe (II. Farbe): 4 Lftm., zurückgehend in die 2. Lftm. 1 f. M., in die nächste Lftm. 1 h. Stb., in die letzte Lftm. 1 Stb., in das 3. Stb. der Vorreihe 1 Km. ★ 4 Lftm., zurückgehend in die 2. Lftm. 1 f. M., in die nächste Lftm. 1 h. Stb., in die letzte Lftm. 1 Stb., dann 3 Stb. der Vorreihe übergehen, 1 Km. in das folgende Stb. Ab ★ wiederholen.
Zeichenerklärung siehe Seite 351.

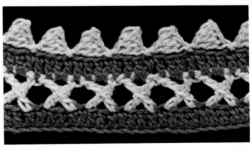

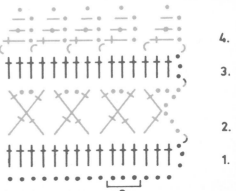

118

Lftm.-Anschlag durch 6 teilbar und 3 Lftm.
1. Reihe (I. Farbe): 3 Lftm., in die 5. und 6. letzte
Anschlagmasche je 1 Stb., ⋆ 1 Lftm., 1 Anschlagmasche übergehen, 1 Stb., 1 Lftm., 1 Anschlagmasche übergehen, in die folg. 3 Anschlagmaschen je 1 Stb. Ab ⋆ wiederholen.
2. Reihe (II. Farbe): 4 Lftm., auf das 3. Stb., unter
die Lftm., auf das nächste Stb., unter die folg.
Lftm. und auf das nächste Stb. je 1 Stb. (= insg.
5 Stb.) arbeiten, 1 Lftm., ⋆ 1 Stb. übergehen, auf
das nächste Stb., unter die Lftm., auf das Stb.,
unter die folg. Lftm. und auf das nächste Stb. je
1 Stb., 1 Lftm. Ab ⋆ wiederholen. Die Reihe endet mit 1 Stb.
3. Reihe (II. Farbe): 4 Lftm., auf die Stb.-Grup-
pen der Vorreihe wieder Stb., dazwischen immer 1 Lftm. häkeln. Am Ende der Reihe 1 Stb.
4. Reihe (I. Farbe): 3 Lftm., unter die 1. Lftm. der
Vorreihe sowie auf das nächste Stb. je 1 Stb.,
⋆ 1 Lftm., 1 Stb. übergehen, auf das folgende
Stb. 1 Stb., 1 Lftm., 1 Stb. übergehen, auf das
nächste Stb., unter die Lftm. sowie auf das folg.
Stb. je 1 Stb. häkeln. Ab ⋆ wiederholen.
5. Reihe (II. Farbe): 1 Lftm., 1 f. M. in das 2. Stb.
der Vorreihe, ⋆ 4 Lftm., in das einzelne Stb. der
Vorreihe 1 f. M., 3 Lftm., 1 f. M., dann 4 Lftm.
und in das mittlere der folgenden 3 Stb. 1 f. M.
arbeiten. Ab ⋆ wiederholen.
Zeichenerklärung siehe Seite 351.

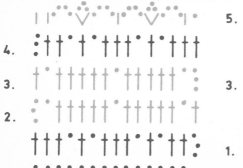

Farbige Reliefmuster

119

Nur in Hinreihen arbeiten, dabei abwechselnd
zwei verschiedene Farben benutzen.
Lftm.-Anschlag.
1. Reihe: Stb.
2. Reihe: ⋆ 1 Km., 3 Lftm., 2 Stb. der Vorreihe
übergehen. Ab ⋆ wiederholen.
3. Reihe: ⋆ auf die 2 Stb. der Vorreihe 2 Stb. arbeiten, dabei so einstechen, daß die Lftm. nach
vorn stehen. Um die Km. der Vorreihe 1 Reliefstb. Ab ⋆ wiederholen.
2. und 3. Reihe abwechselnd wiederholen.
Zeichenerklärung siehe Seite 351.

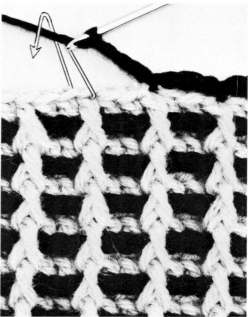

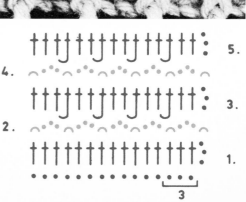

120

Nur in Hinreihen arbeiten.
Lftm.-Anschlag.
1. Reihe (I. Farbe): h. Stb.
2. Reihe (I. Farbe): h. Stb.
3. Reihe (II. Farbe): ✶ 3 h. Stb., 2mal umschlagen, die Nadel um das nächste, 2 Reihen tiefer liegende h. Stb. von rechts nach links führen und 1 Reliefdoppelstb. abhäkeln. Ab ✶ wiederholen.
4. Reihe (II. Farbe): h. Stb.
5. Reihe (I. Farbe): ✶ 3 h. Stb., umschlagen, um das Reliefdoppelstb. der vorletzten Reihe 1 Reliefdoppelstb. häkeln. Ab ✶ wiederholen.
6. Reihe (I. Farbe): h. Stb.
5. und 6. Reihe fortlaufend wiederholen, jedoch abwechselnd 2 R I. Farbe, 2 R II. Farbe.
Zeichenerklärung siehe Seite 351.

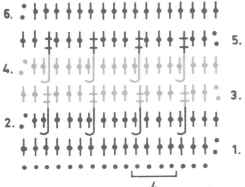

121

Lftm.-Anschlag.
1. Reihe (I. Farbe): Stb.
2. Reihe (II. Farbe): mit 3 Lftm. wenden, in das 2. und 3. Stb. der Vorreihe je 1 Stb., 2mal umschlagen, die Nadel von rechts nach links um das 1. Stb. der Vorreihe führen und 1 Reliefdoppelstb. häkeln, ✶ 1 Stb. der Vorreihe übergehen, auf die nächsten 3 Stb. der Vorreihe je 1 Stb., um das Stb. unter dem 1. Stb. dieser Gruppe 1 Reliefdoppelstb. arbeiten. Ab ✶ wiederholen.
3. Reihe (III. Farbe): je 1 Stb. auf die Stb. sowie die Reliefdoppelstb. der Vorreihe.
2. und 3. Reihe, in der Farbfolge I, II und III fortlaufend wiederholen.
Zeichenerklärung siehe Seite 351.

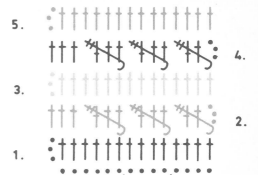

122

Nur in Hinreihen arbeiten.
Lftm.-Anschlag.
1. Reihe (I. Farbe): in die fünft- und sechstletzte Anschlagmasche je 1 Stb., umschlagen, in die viertletzte Anschlagmasche zurückgehend einstechen, 1 Schlinge durchholen, hochziehen und alle 3 auf der Nadel liegenden Schlingen als 1 Stb. abhäkeln, ⋆ 1 Lftm., 2 Anschlagmaschen übergehen, in die beiden folgenden M je 1 Stb., umschlagen, in die 2. übergangene Anschlagmasche zurückgehend einstechen und 1 hochgezogenes Stb. arbeiten. Ab ⋆ wiederholen.
2. Reihe (II. Farbe): 2 Lftm., ⋆ in jedes der nächsten 3 gekreuzten Stb. der Vorreihe je 1 h. Stb., umschlagen, in die übergangene Anschlagmasche einstechen (dabei die 1 Lftm. der 1. Reihe mitfassen) und 1 hochgezogenes Stb. arbeiten. Ab ⋆ wiederholen.
3. Reihe (I. Farbe): 3 Lftm., ⋆ in das nächste 2. und 3. h. Stb. der Vorreihe je 1 Stb., umschlagen, in das 1. der 3 h. Stb. zurückgehend 1 Stb., 1 Lftm. Ab ⋆ wiederholen.
4. Reihe (II. Farbe): 2 Lftm., ⋆ in die 3 gekreuzten Stb. der Vorreihe je 1 h. Stb., umschlagen, in das Stb. der vorletzten Reihe einstechen (dabei die 1 Lftm. der Vorreihe mitfassen) und 1 hochgezogenes Stb. arbeiten. Ab ⋆ wiederholen.
3. und 4. Reihe fortlaufend wiederholen.
Zeichenerklärung siehe Seite 351.

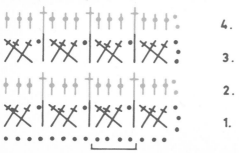

123

Maschenzahl durch 4 teilbar und 2 M.
1. Reihe (I. Farbe): 2 Lftm., in die viertletzte Lftm. 1 Stb., ⋆ 2 Lftm., 2 M übergehen, je 1 Stb. in die folg. 2 M. Ab ⋆ wiederholen.
2. Reihe (II. Farbe): mit 4 Lftm. wenden, ⋆ umschlagen, in die 1. folg. übergangene Anschlagmasche einstechen, 1 Schlinge durchholen und hochziehen, die 3 auf der Nadel liegenden Schlingen als 1 Stb. abhäkeln, in die nächste übergangene Anschlagmasche ebenfalls 1 hochgezogenes Stb. arbeiten, 2 Lftm. Ab ⋆ wiederholen. Am Ende der Reihe 1 Lftm., 1 h. Stb. in die letzte Anschlagmasche.
3. Reihe (I. Farbe): mit 3 Lftm. wenden, auf das 1. Stb. der vorletzten Reihe 1 hochgezogenes Stb., ⋆ 2 Lftm., auf die beiden nächsten Stb. der vorletzten Reihe je 1 hochgezogenes Stb. Ab ⋆ wiederholen.
4. Reihe (I. Farbe): mit 4 Lftm. wenden, ⋆ auf die beiden Stb. der vorletzten Reihe je 1 hochgezogenes Stb., 2 Lftm., Ab ⋆ wiederholen. Am Ende der Reihe 1 Lftm., 1 h. Stb. in die 3. Wende-Lftm. der Vorreihe.
3. und 4. Reihe, in der Farbfolge I, I, II, I, I, II usw. fortlaufend wiederholen.
Zeichenerklärung siehe Seite 351.

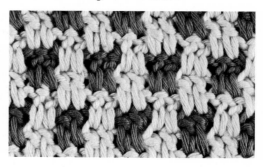

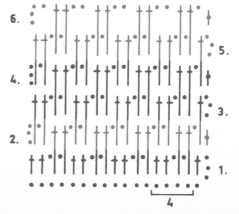

124

Maschenzahl durch 3 teilbar und 4 M.

1. Reihe (I. Farbe): 1 Lftm., in jede M 1 f. M.

2. Reihe (II. Farbe): 3 Lftm., in die 1.f. M. der Vorreihe 1 Stb., ★ 2 f. M. der Vorreihe übergehen, in die nächste f. M. 3 Stb. Ab ★ wiederholen. Die Reihe endet mit 2 Stb. Die Arbeit nicht wenden!

3. Reihe (I. Farbe): in die 3. Lftm. am Anfang der Vorreihe einstechen, den Arbeitsfaden von Farbe I locker durchholen und 2 Lftm. häkeln. ★ Umschlagen, in die 1. folg. übergangene f. M. der vorletzten Reihe einstechen, 1 Schlinge durchholen und hochziehen, die 3 auf der Nadel liegenden Schlingen als 1 Stb. abhäkeln, umschlagen, in die nächste f. M. ebenfalls ein hochgezogenes Stb., in das 2. (mittlere) Stb. der Stb.-Gruppe der Vorreihe 1 h. Stb. arbeiten. Ab ★ wiederholen.

4. Reihe (I. Farbe): mit 1 Lftm. wenden, in jede M der Vorreihe f. M. häkeln.

2. bis 4. Reihe fortlaufend wiederholen.

Zeichenerklärung siehe Seite 351.

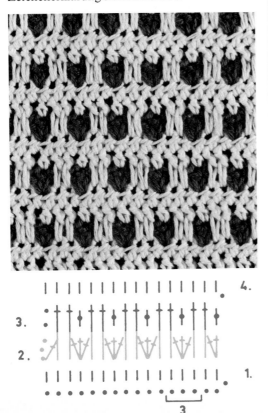

125

Maschenzahl durch 5 teilbar und 3 M.

1. Reihe (I. Farbe): 2 Lftm., in die 4. und 5. Anschlagmasche je 1 Stb., ★ 2 Lftm., 2 M übergehen, in die folgenden 3 M je 1 Stb. häkeln. Ab ★ wiederholen.

2. Reihe (II. Farbe): mit 5 Lftm. wenden, ★ umschlagen, in die 1. folg. übergangene Anschlagmasche einstechen, 1 Schlinge durchholen und hochziehen, die 3 auf der Nadel liegenden Schlingen als 1 Stb. abhäkeln, in die nächste übergangene Anschlagmasche ebenfalls 1 hochgezogenes Stb. arbeiten, 3 Lftm. Ab ★ wiederholen. Am Ende der Reihe 2 Lftm., umschlagen, in die drittletzte Anschlagmasche einstechen und 1 hochgezogenes Stb. arbeiten.

3. Reihe (III. Farbe): mit 3 Lftm. wenden, in die beiden ersten Stb. der vorletzten Reihe je 1 hochgezogenes Stb., ★ 2 Lftm., in die nächsten 3 Stb. der vorletzten Reihe je 1 hochgezogenes Stb. Ab ★ wiederholen.

4. Reihe (I. Farbe): mit 5 Lftm. wenden, ★ in die beiden Stb. der vorletzten Reihe je 1 hochgezogenes Stb., 3 Lftm. Ab ★ wiederholen. Am Ende der Reihe 1 hochgezogenes Stb. in das einzelne Stb. der vorletzten Reihe.

3. und 4. Reihe, in der Farbfolge I, II, III fortlaufend wiederholen.

Zeichenerklärung siehe Seite 351.

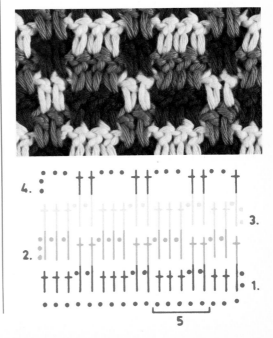

Zweifarbige tunesische Muster

126

1. Reihe: rechtstunesisch; Hingang in I. Farbe, Rückgang in II. Farbe.
2. Reihe: tunesischer Kreuzstich (siehe Muster 102); Hingang in II. Farbe, Rückgang in I. Farbe.
1. und 2. Reihe fortlaufend wiederholen.
Zeichenerklärung siehe Seite 352.

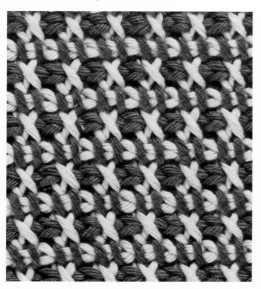

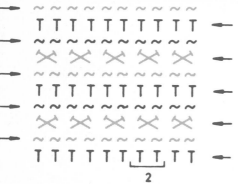

127

1. Reihe (I. Farbe): rechtstunesisch
2. Reihe (II. Farbe): rechtstunesisch
3. Reihe (I. Farbe): ⋆ 3 M rechtstunesisch, umschlagen, in das nächste darunterliegende gleichfarbige senkr. Glied einstechen, 1 Schlinge durchholen, umschlagen, in dieselbe M einstechen, 1 Schlinge durchholen, umschlagen, einstechen, 1 Schlinge durchholen, umschlagen und alle 6 Schlingen auf einmal abmaschen. Ab ⋆ wiederholen.
2. und 3. Reihe fortlaufend wiederholen, jedoch die Bauschmaschen stets versetzen.
Zeichenerklärung siehe Seite 352.

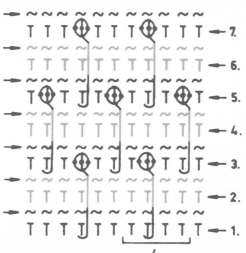

128

1. Reihe (I. Farbe): rechtstunesisch
2. und 3. Reihe (II. Farbe): rechtstunesisch
4. Reihe (I. Farbe): 1 M rechtstunesisch, ★ 2mal umschlagen, in das nächste darunterliegende gleichfarbige senkrechte Glied (also 3 R tiefer) einstechen, 1 Doppelstb. häkeln, in die nächsten 3 senkr. Glieder der Vorreihe je 1 M rechtstunesisch. Ab ★ wiederholen.
2. bis 4. Reihe fortlaufend wiederholen, jedoch die Doppelstb. stets versetzen.
Zeichenerklärung siehe Seite 352.

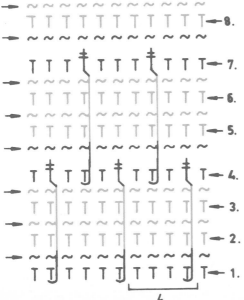

Motive für Patchworkarbeiten

129

Jede Runde mit 1 Km. schließen.
1. Runde (I. Farbe): 4 Lftm., in die 1. Lftm. (Beginn) 2 Stb., 3 Lftm., ★ 3 Stb., 3 Lftm. Ab ★ noch 2mal wiederholen.
2. Runde (II. Farbe): 6 Lftm. (die ersten 3 Lftm. ersetzen 1 Stb.), ★ unter die nächsten 3 Lftm. der Vorrunde 3 Stb., 3 Lftm., 3 Stb. (= Ecke) einhängen, 3 Lftm. häkeln. Ab ★ noch 2mal wiederholen, in die letzte Ecke 3 Stb., 3 Lftm., 2 Stb. einhängen.
3. Runde (I. Farbe): 3 Lftm. für das 1. Stb., 2 Stb. unter 3 mittlere Lftm. der Vorrunde, 3 Lftm., ★ in die nächste Ecke 3 Stb., 3 Lftm., 3 Stb., dann 3 Lftm., 3 Stb. unter die folgenden 3 Lftm. der Vorrunde, 3 Lftm. Ab ★ noch 3mal wiederholen.
4. Runde (II. Farbe): 6 Lftm. (die ersten 3 Lftm. ersetzen 1 Stb.), unter die nächsten 3 Lftm. der Vorrunde 3 Stb., 3 Lftm., in die Ecke 3 Stb., 3 Lftm., 3 Stb., dann 3 Lftm. usw. Am Ende der Runde 2 Stb. unter die letzten 3 Lftm. der Vorrunde und 1 Km. in die 3. Lftm. dieser Runde.
In dieser Weise kann das Muster beliebig fortgesetzt werden.
Zeichenerklärung siehe Seite 351.

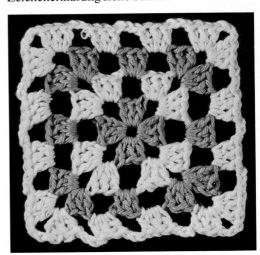

Typenmuster auf Seite 286.

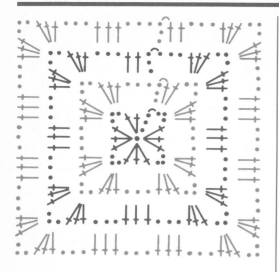

Typenmuster zu Muster 129

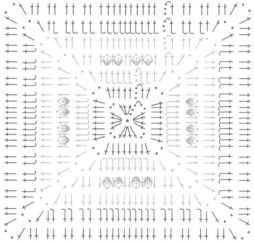

130

Jede Runde mit 1 Km. schließen.
1. Runde (I. Farbe): 4 Lftm., in die 1. Lftm. (Beginn) 3 Stb., 2 Lftm., ★ 4 Stb., 2 Lftm., ab ★ noch 2mal wiederholen.
2. Runde (I. Farbe): auf jedes Stb. der Vorrunde 1 Stb., unter die 2 Lftm. (= Ecke) 2 Stb., 2 Lftm., 2 Stb. einhängen.
3. Runde (II. Farbe): um jedes Stb. der Vorrunde 1 Reliefstb. von hinten (siehe Muster 37), in die Ecken 2 Stb., 2 Lftm., 2 Stb.
4. Runde (II. Farbe): auf einer Seite des Quadrats, gleich nach der Ecke beginnen, ★ auf die ersten beiden Stb. der Vorrunde je 1 Stb., auf das nächste Stb. wie folgt 1 Noppe arbeiten: 5 Stb. in 1 Stb. häkeln, die Nadel aus der Schlinge herausziehen, in das oberste waagerechte Glied des 1. Stb. einstechen, die freigewordene Schlinge holen, durchziehen, als Abschluß der Noppe 1 Lftm. häkeln. Auf die nächsten Stb. der Vorrunde jeweils 1 Stb., 1 Noppe, 2 Stb., 1 Noppe, 1 Stb., 1 Noppe, 2 Stb. arbeiten, unter die nächsten 2 Lftm. 1 Ecke einhängen, d. h. 2 Stb., 2 Lftm., 2 Stb. Ab ★ wiederholen.
5. Runde (II. Farbe): auf jedes Stb. der Vorrunde sowie auf die abschließenden Lftm. der Noppen je 1 Stb., in die Ecken 2 Stb., 2 Lftm., 2 Stb. arbeiten.

6. Runde (I. Farbe): auf jedes Stb. der Vorrunde 1 Reliefstb. von hinten, in die Ecken 2 Stb., 2 Lftm., 2 Stb. arbeiten.
7. Runde (I. Farbe): auf jedes Stb. bzw. Reliefstb. der Vorrunde 1 Stb., in die Ecken 2 Stb., 2 Lftm., 2 Stb. arbeiten.
Zeichenerklärung siehe Seite 351.

131

1. Runde (I. Farbe): 4 Lftm., in die 1. Lftm. (Beginn) 3 Stb., 2 Lftm., * 4 Stb., 2 Lftm., ab * noch 2mal wiederholen, die Runde mit 1 Km. schließen.

2. und 3. Runde (I. Farbe): 3 Lftm. für das 1. Stb., auf jedes Stb. 1 Stb. häkeln, unter die 2. Lftm. der Vorrunde (= Ecke) jeweils 2 Stb., 2 Lftm., 2 Stb. einhängen.

Nach diesen drei Runden folgen nun vier andersfarbige Ecken, die das zuvor gehäkelte Quadrat in sich einschließen.

1. Ecke: auf einer Seite des Quadrats, in das 4. Stb. von rechts einstechen, 1 Km. häkeln, umschlagen, zwischen das 2. und 3. folgende Stb. (Mitte) einstechen, 1 Stb. arbeiten, in dieselbe Einstichstelle noch 1 Stb., 2 Lftm., 2 Stb. einhängen, in das 3. folgende Stb. 1 Km.

Nun 3 Lftm. häkeln, diese mit 1 Km. unter den 2 Lftm. des Quadrats (d. h. in der Ecke) befestigen, die Arbeit wenden, in die Km. der Vorreihe 1 Stb., auf die beiden folgenden Stb. je 1 Stb., unter die 2 Lftm. (Ecke) 2 Stb., 2 Lftm., 2 Stb., auf die beiden folgenden Stb. wieder je 1 Stb., in die letzte Km. (d. h. in den Anfang der Vorreihe) 2 Stb. und unter die nächsten 2 Lftm. des Quadrats 1 Km.

Auf diese Art und Weise noch drei Ecken in II. Farbe häkeln, so daß ein neues größeres Quadrat entsteht.

Zum Abschluß das neu entstandene Quadrat mit 2 Runden in I. Farbe behäkeln, dabei in der 1. Runde auf jedes Stb. und auf die Km. des neuen Quadrats sowie in die Ecken des inneren Quadrats je 1 Stb. häkeln und in die Ecken des neuen Quadrats immer 2 Stb., 2 Lftm., 2 Stb. einhängen.

Zeichenerklärung siehe Seite 351.

132

1. Runde (I. Farbe): in die 1. Lftm. (Beginn) 15 Stb. häkeln, mit 1 Km. die Runde schließen.
2. Runde (I. Farbe): 4 Lftm., auf jedes der folgenden Stb. der Vorrunde 1 Stb., 1 Lftm., die Runde mit 1 Km. schließen.
3. Runde (II. Farbe): die Nadel unter 1 Lftm. der Vorrunde führen, 1 Km., 3 Lftm., unter dieselbe Lftm. der Vorrunde noch 2 Stb., unter jede folgende Lftm. 3 Stb. arbeiten, die Runde mit 1 Km. schließen.
4. Runde (II. Farbe): zwischen jede der aus 3 Stb. bestehenden Gruppen der Vorrunde 1 f. M., dann 3 Lftm. häkeln.
5. Runde (I. Farbe): in jeden Lftm.-Bogen der Vorrunde 1 Km., 1 Pikot (= 3 Lftm., 1 f. M. in die 1. Lftm.), 1 Km. arbeiten.
Zeichenerklärung siehe Seite 351.

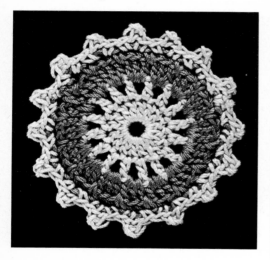

133

1. Runde (I. Farbe): 4 Lftm., in die 1. Lftm. (Beginn) 15 Stb. häkeln. Die Runde schließt mit 1 Km.
2. Runde (II. Farbe): in 1 Stb. der Vorrunde einstechen, ★ 3 Lftm., 1 Stb. der Vorrunde übergehen, in das folg. Stb. 1 Km. arbeiten. Ab ★ wiederholen.
3. Runde (II. Farbe): die Nadel unter dem links liegenden Lftm.-Bogen der Vorrunde durchführen, Faden holen und 1 Km. häkeln, 3 Lftm., unter denselben Lftm.-Bogen noch 5 Stb. arbeiten, unter die anderen 7 Lftm.-Bögen jeweils 6 Stb. einhängen. Die Runde mit 1 Km. schließen.
Zeichenerklärung siehe Seite 351.

134

Jede Runde mit 1 Km. schließen.

1. Runde (I. Farbe): 4 Lftm., in die 1. Lftm. (Beginn) 1 Stb., 2 Lftm., dann noch 5mal 2 Stb., 2 Lftm. im Wechsel.

2. Runde (II. Farbe): unter 2 Lftm. der Vorrunde (= Ecke) 1 Km., 3 Lftm., 1 Stb., 2 Lftm., 2 Stb., ⋆ unter die nächsten 2 Lftm. der Vorrunde 2 Stb., 2 Lftm., 2 Stb. Ab ⋆ noch 4mal wiederholen.

3. Runde (I. Farbe): unter 2 Lftm. der Vorrunde 1 Km., 3 Lftm., 1 Stb., 2 Lftm., 2 Stb., ⋆ 2 Stb. der Vorrunde übergehen, in den Raum hinter dem 2. Stb. einstechen, 2 Stb. einhängen, unter die nächsten 2 Lftm. 2 Stb., 2 Lftm., 2 Stb. arbeiten. Ab ⋆ noch 4mal wiederholen, nach der letzten Ecke noch einmal 2 Stb. übergehen, in den folgenden Zwischenraum 2 Stb. einhängen.

4. und alle weiteren Runden: unter 2 Lftm. der Vorrunde 1 Km., 3 Lftm., 1 Stb., 2 Lftm., 2 Stb. (= 1. Ecke) arbeiten, in jeden folgenden Zwischenraum jeweils 2 Stb. einhängen, in die Ekken 2 Stb., 2 Lftm., 2 Stb. häkeln. Abwechselnd mit I. und II. Farbe arbeiten.

Zeichenerklärung siehe Seite 351.

135

Jede Runde mit 1 Km. schließen.
1. Runde (I. Farbe): 4 Lftm., in die 1. Lftm. (Beginn) 11 Stb. häkeln.
2. Runde (I. Farbe): 3 Lftm. für das 1. Stb., ★ auf das folg. Stb. 2 Stb., 2 Lftm., 2 Stb., auf das nächste Stb. 1 Stb. häkeln. Ab ★ wiederholen.
3. Runde (I. Farbe): 3 Lftm. für das 1. Stb., auf jedes Stb. der Vorrunde 1 Stb. häkeln, unter die 2 Lftm. jeweils 2 Stb., 2 Lftm., 2 Stb. einhängen.
4. Runde (II. Farbe): in das Stb. vor den 3 Lftm. der Vorrunde einstechen, 4 Lftm., auf das nächste Stb. 1 Stb. häkeln, 1 Lftm., 1 Stb. der Vorrunde übergehen, auf das nächste Stb. 1 Stb. arbeiten, 1 Lftm., ★ unter die 2 Lftm. der Vorrunde 2 Stb., 2 Lftm., 2 Stb. einhängen, 1 Lftm., 1 Stb. der Vorrunde übergehen, auf das nächste Stb. 1 Stb. usw., bis zur nächsten Ecke. Ab ★ wiederholen. Nach der letzten »Ecke« noch 1 Lftm., 1 Stb. und 1 Lftm. häkeln.
5. Runde (II. Farbe): 4 Lftm., auf jedes Stb. der Vorrunde 1 Stb. und 1 Lftm. häkeln, unter die 2 Lftm. jeweils 2 Stb., 2 Lftm., 2 Stb. einhängen.
6. Runde (I. Farbe): 3 Lftm., umschlagen, in das vorangegangene Stb. der Vorrunde zurückgehend einstechen, 1 Schlinge durchholen, hochziehen und alle 3 auf der Nadel liegenden Schlingen als 1 Stb. abhäkeln, ★ in das nächste Stb. der Vorrunde 1 Stb., umschlagen, in das vorangegangene Stb. der Vorrunde 1 hochgezogenes Stb. arbeiten. Auf diese Art und Weise bis zur nächsten »Ecke« häkeln, dort das 1. der gekreuzten Stb. unter die 2 Lftm., das 2. Stb. in das vorletzte Eckstb. der Vorrunde arbeiten, dann 1 Pikot (= 4 Lftm., 1 f. M. in die 1. Lftm.), auf das letzte (= 4.) Eckstb. der Vorrunde 1 Stb., umschlagen, die Nadel wieder unter die 2 Lftm. der Vorrunde führen, 1 Schlinge durchholen und 1 hochgezogenes Stb. arbeiten. Ab ★ wiederholen.
Zeichenerklärung siehe Seite 351.

Umrandungen

136

Das einfachste Umhäkeln der Kanten von Pullovern, Westen und dergleichen geschieht mit 1 Lftm. und 1 Km. im Wechsel. Auf gleichmäßiges Abstandhalten ist zu achten.
Zeichenerklärung siehe Seite 351.

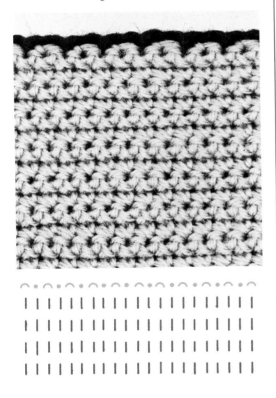

137

Für Decken und dergleichen, welche einen geraden Abschluß verlangen: 1 f. M. und 1 Lftm. im Wechsel. Die Lftm. etwas lose häkeln. Bei den f. M. 2 Reihen tiefer einstechen und nach dem Durchholen des Arbeitsfadens die Schlinge bis zur Kante hochziehen.
Zeichenerklärung siehe Seite 351.

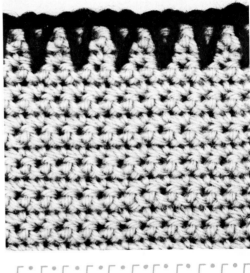

138

1 f. M., 2 Lftm., ⋆ 2 Reihen tiefer einstechen, 1 Schlinge durchholen, hochziehen, 2 M übergehen, 1 Schlinge durchholen, hochziehen und alle 3 Schlingen abmaschen. 2 Lftm., 1 f. M. in die 5. M der letzten Reihe, 2 Lftm., 2 M übergehen.
Ab ⋆ wiederholen.
Zeichenerklärung siehe Seite 351.

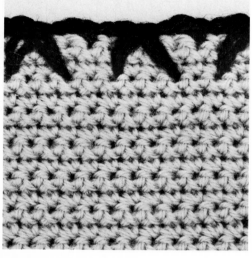

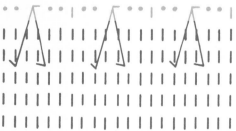

139

Es werden hierzu 2 Farben benötigt.
Mit I. Farbe 1 f. M., 3 Lftm., 2 M der Kante übergehen, 1 f. M. Die Nadel aus der Schlinge ziehen, Schlinge und Faden nach vorn legen.
Mit II. Farbe in die übergangene M 1 f. M. (der Arbeitsfaden liegt vorn), 3 Lftm., dann 1 f. M. in die 2. folgende M der Kante häkeln, die Nadel herausziehen, Schlinge und Faden nach vorn legen.
Nun die Schlinge der I. Farbe fassen, 3 Lftm., in die 2. folgende M 1 f. M., Nadel herausziehen.
Die Schlinge der II. Farbe fassen, 3 Lftm., usw.
Zeichenerklärung siehe Seite 351.

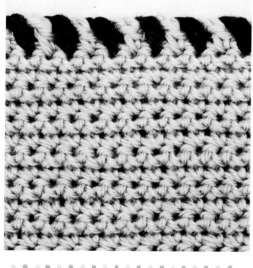

140

Mit einer Kontrastfarbe 2 Reihen f. M. häkeln.
★ Mit der Grundfarbe 2 Reihen tiefer einstechen, 2 f. M. in die gleiche Stelle, 1 Lftm. häkeln,
2 M übergehen. Ab ★ wiederholen. Die Schlingen der f. M. stets hochziehen.
Zeichenerklärung siehe Seite 351.

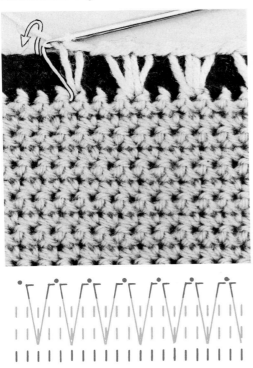

Flachstäbchentechnik

141

Einen flachen, gleichmäßig breiten Holzstab
verwenden.
Lftm.-Anschlag.
1. Reihe: f. M., die letzte Schlinge auf Holzstab-
breite hochziehen.
2. Reihe: Den Stab hinter die letzte Schlinge legen, den Arbeitsfaden unter dem Stab hinten
hochführen und durch die Schlinge oben an der
Stabkante durchholen.
In die nächste f. M. einstechen, unter dem Stab
durch von hinten her die Schlinge holen, hochziehen bis zur Kante, Faden holen, durch
1 Schlinge ziehen, Faden holen, durch 2 Schlingen ziehen (1 f. M.). Die festen Maschen liegen
oben auf dem Stabrand. Zu beachten ist, daß
diese, wenn die Nadel nach unten geführt wird,
nicht nach unten mitgezogen werden. Ein festes
Anziehen der Schlingen kann dies verhüten.
Den Stab herausziehen.
3. Reihe: f. M., dabei stets beide Maschenglieder sowie den letzten Faden einer jeden Schlingengruppe fassen.
2. und 3. Reihe fortlaufend wiederholen.

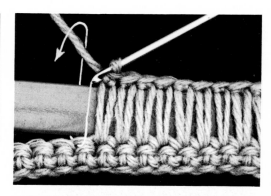

Schlingenhäkelei

142

Lftm.-Anschlag.
In jede Lftm. einstechen, den Faden zweimal über die Nadel und Stab (evtl. Bleistift) schlagen, die Nadel durchziehen, den Faden nochmals um die Nadel schlagen und durch die beiden letzten auf der Nadel liegenden Schlingen ziehen.

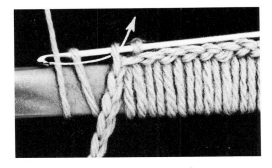

Die Abbildung zeigt die Rückseite nach mehreren Schlingenreihen; hier bei der festen Masche der Vorreihe einstechen.

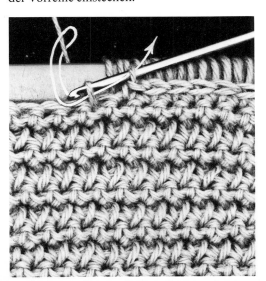

Nach jeder Schlingenreihe folgt 1 Reihe dichte Maschen.

Schlingenhäkelei über die Finger

Luftmaschen-Anschlag.

1. Reihe: in die zweitletzte Luftmasche einstechen, den Faden wie zum Häkeln auf den Zeigefinger wickeln, den Mittel- und Ringfinger (je nach Schlingengröße) vor den Faden legen, einstechen. Faden holen und durch die Luftmasche ziehen, nochmals Faden holen und durch beide auf der Nadel befindlichen Schlingen ziehen. Die Finger aus der Schlinge nehmen, in die nächste Luftmasche einstechen, die Finger wieder vor den Faden legen, Faden holen, durch die Luftmasche ziehen, Faden holen, durch die auf der Nadel liegenden Schlingen ziehen usw. Die Schlingen liegen auf der Rückseite.

2. Reihe: feste Maschen.

1. und 2. Reihe fortlaufend wiederholen.

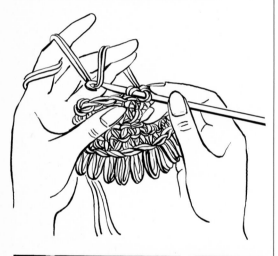

Gabelhäkelei

143

Die Arbeit mit 1 Luftmasche beginnen. Nun wird die Häkelnadel aus der Schlinge gezogen und der rechtsseitige Stab der Gabel von unten nach oben in dieselbe geschoben. Der Stab wird in der linken Hand zwischen Daumen und Mittelfinger gehalten. Der Schlingenknoten soll in der Mitte der Gabel liegen. Den Faden von vorn nach hinten um den linken Stab der Gabel legen und die Gabel drehen. Nun die Häkelnadel von unten nach oben durch die Schlinge des linken Stabes führen, Faden holen, in die rechte Schlinge einstechen, Faden holen und 1 dichte Masche bilden.

Nun wird die Nadel über den rechten Stab der Gabel gehoben und nach hinten gelegt, dann die Gabel von rechts nach links gedreht, wodurch sich der Faden von selbst um den linken Stab der Gabel legt. In die linksliegende Schlinge einstechen, Faden durch die Schlinge holen und beide auf der Nadel befindlichen Schlingen mit 1 dichten Masche zuschürzen. Nadel nach hinten legen, Gabel drehen, aus der linken Schlinge den Faden holen, 1 feste Masche häkeln usw.

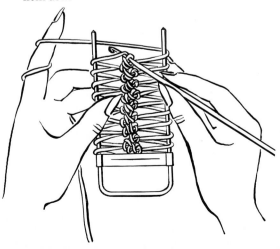

Richtiges Halten der Gabel

Ist die Gabel mit Schlingen angefüllt, so wird sie aus den Schlingen herausgezogen und nur die letzten 4 bis 5 Schlingen wieder vorsichtig auf die Gabel geschoben.

Fester Maschenrand
Die Nadel von hinten durch je 1 Schlinge ziehen und 1 feste Masche arbeiten (siehe Abbildung).

Diese Borte wird wie die Borte I gearbeitet, nur wird beim Einstechen die volle Schlinge auf die Nadel gefaßt und die feste Masche ausgeführt.

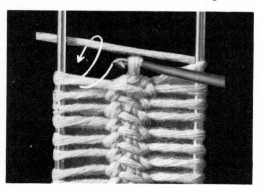

Diese Borte zeigt eine noch breitere Rippe. Sie wird wie Borte I angefertigt, jedoch mit dem Unterschied, daß in 1 Schlinge 2 feste Maschen gehäkelt werden.

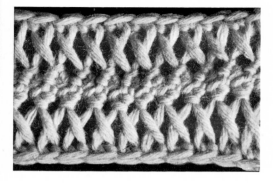

In jede Schlinge 3 feste Maschen arbeiten. Zusammenhäkeln: 1 feste Masche, 1 Luftmasche im Wechsel.

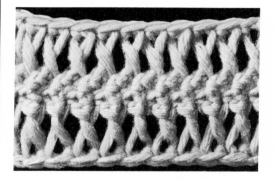

In jede Schlinge 2 Stäbchen häkeln.
Zusammenhäkeln: 1 feste Masche, 2 Luftmaschen im Wechsel.

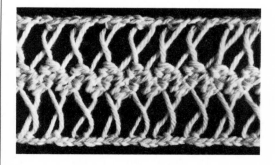

Die Rippe zeigt je 1 feste Masche und 2 Stäbchen in einer Schlinge. Zusammenhäkeln: je 2 Schlingen zusammenhäkeln, 3 Luftmaschen usw.

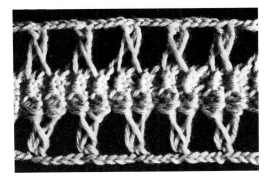

Fester Maschenrand

Mit der Nadel je 3 Schlingen fassen und darauf 1 feste Masche arbeiten. Den Zwischenraum bilden je 2 bis 3 Luftmaschen zur nächsten Schlingengruppe. Damit die Schlingen in die richtige Lage kommen, ist darauf zu achten, daß beim Abhäkeln derselben immer von hinten nach vorn eingestochen wird.

Fester Maschenrand mit gedrehten Schlingen

Die Nadel bei jeder Schlinge von hinten nach vorn führen. Jede 2. Schlinge 2- bis 3mal kreisförmig herumdrehen, dann folgt die feste Masche.

Verbinden der Borten

Verbinden ohne neuen Arbeitsfaden

Die Abbildung zeigt die Verbindung der Schlingen ohne neuen Arbeitsfaden. Der Pfeilführung entsprechend faßt die Nadel abwechselnd von einer zur anderen Borte je 1 Schlinge und zieht dieselbe durch die auf der Nadel liegende Schlinge.

Auf dieselbe Weise können auch jeweils zwei Schlingen zusammengefaßt und miteinander verbunden werden.

Verbinden mit neuem Arbeitsfaden

Wie die Pfeilführung zeigt, die Nadel durch je 2 Schlingen führen, den Hilfsfaden holen und sowohl durch diese beiden als auch durch die auf der Nadel liegende Schlinge ziehen.

Anschließend 2 Luftmaschen häkeln und den Vorgang an der 2. Borte wiederholen.

Eine andere Möglichkeit ist, die einzelnen Schlingen der beiden Borten mit Kettmaschen zu verbinden.

Praktische Tips

Stricken und Häkeln nach Schnitt

Maßnehmen

Maßnehmen ist Voraussetzung für jede Strick-
oder Häkelarbeit, da es ohne genaue Maße
nicht zu einem richtigen Schnitt und damit auch
nicht zu einer guten Paßform des Modells kommen kann.
Alle Maße werden anliegend – nicht zu eng – in
natürlicher Haltung abgenommen.

a) Halsweite
Das Maßband wird rund um den Hals gelegt
und von Halsgrube zu Halsgrube gemessen; der
Nackenteil beträgt ⅓ des Halsumfanges.

b) Schulterbreite
Die Schulterbreite reicht vom Halsansatz bis
zum Oberarmknochen; nicht darüber hinaus
messen, wenn es keine zu langen Schultern geben soll.

c) Rückenbreite
Wird vom linken zum rechten Armansatz gemessen.

d) Oberweite
Das Maßband wird um den Oberkörper über
die Brustspitzen und die Schulterblätter gelegt.

e) Taillenweite
Maßband glatt um die Taille legen. Bei Kindern
und stärkeren Personen ist die Taille oft schwer
feststellbar; um das richtige Maß zu erhalten,
wird ein Gürtel oder ein Band um die Taille gelegt.

f) Vordere Taillenlänge
Das Maßband wird von der höchsten Stelle der
Schulter, am Halsansatz über die höchste Stelle
der Brust bis zur Taille heruntergeführt.

g) Rückwärtige Taillenlänge
Das Maßband wird vom Halswirbel senkrecht
bis zur Taille geführt.

h) Armlänge

Die Armlänge wird vom Oberarmknochen (Schulterende) über den leicht gebeugten Ellenbogen bis zum Handgelenkknochen gemessen.

i) Oberarmweite

Wird über dem Oberarmmuskel mit genügend Raum für Bewegungsfreiheit gemessen.

k) Hüfte

Die Hüfte wird an der stärksten Stelle, etwa 16–18 cm unterhalb der Taille gemessen. Für gerade geschnittene Röcke werden 4–8 cm zugegeben.

l) Röcke, Kleider und Mäntel

werden von der Taille bis zum unteren Rockrand gemessen. Für den Saum werden 3–5 cm zugegeben.

Alle fest geschlossenen Kleidungsstücke wie Pullover werden nach der vorderen Taillenlänge gearbeitet; bei Jacken oder ähnlichem wird das Vorderteil nach der vorderen und der Rücken nach der rückwärtigen Taille gerichtet. Längenunterschiede bis zu 2 cm können durch Einhalten der Seitenkanten ausgeglichen werden, bei größeren Unterschieden müssen Abnäher eingearbeitet werden.

Übertragen einer Schnittverkleinerung auf Originalgröße

Arbeitsanleitungen für Strick- und Häkelmodelle geben im allgemeinen auch die Größen bzw. Oberweiten der Modelle an.

Je nach Moderichtung sind noch Schnittzugaben erwähnt, die für die modische Weite erforderlich sein können. Der Schnitt, bzw. die Schnittverkleinerung, enthält dann bereits die notwendigen Zugaben, welche auch in der Berechnung der Maschen und Reihen berücksichtigt wurden.

Die Zahlen außerhalb der Schnittverkleinerung geben die Maße in Zentimetern, die Zahlen innerhalb der Schnittzeichnung die Maschenzahl an. Reihenangaben stehen meist auf der rechten Seite der Schnittzeichnung und sind durch ein R = Reihe(n) gekennzeichnet.

Ist eine Anleitung für mehrere Größen geschrieben, so stehen die Zahlen für weitere Größen in Klammern vor oder nach den Angaben für das Originalmodell und sind, wenn nötig, auch

noch durch Schrägstriche voneinander getrennt. In solch einem Fall erleichtern wir uns die Arbeit, indem wir die Zahlen, die für uns zutreffen, vor Arbeitsbeginn unterstreichen.

Um ein maßgerechtes Modell zu erhalten, muß während der Handarbeit immer wieder Höhe und Breite kontrolliert werden.

Die beste Sicherheit hierbei bietet ein Schnitt in Originalgröße, der anhand einer Schnittverkleinerung für die richtige Größe oder nach eigenen Maßen erstellt wird.

Ein Beispiel für einen ärmellosen Pullover mit V-Ausschnitt nach Schnittverkleinerung für Damengröße 40/42, OW 92–96 cm + 4 cm Schnittzugabe,
Herrengröße 46/48, OW 92–96 cm + 4 cm Schnittzugabe

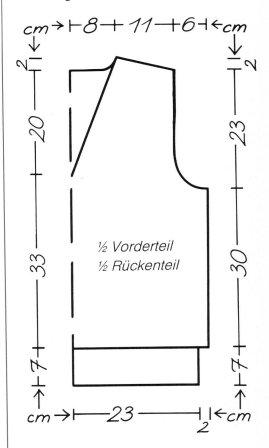

Zur Vergrößerung wird ein Bogen Papier zur Hälfte zusammengefaltet und mit dem Bruch auf der linken Seite auf den Tisch gelegt. Bruchkante = unterbrochene Linie der Schnittver-

kleinerung = Mitte von Rücken- und Vorderteil. Die untere doppelte Schnittkante bildet die
Grundlinie.

Unsere Schnittverkleinerung hat unten die
Maßangaben 23 + 2 cm = 25 cm, also messen
wir an der Grundlinie – vom Bruch auf der linken Seite ausgehend – 23 + 2 cm nach rechts
und markieren diese Stellen mit einem Punkt.

Die Höhe – links von der Schnittverkleinerung
angegeben – beträgt 7 + 33 + 20 + 2 cm =
62 cm insgesamt.

Die Stelle nach 7 cm ab Grundlinie am Bruch
mit Punkt bezeichnen = Ende des Taillenbundes. Von hier aus 33 cm nach oben messen, die
Stelle mit Punkt bezeichnen = V-Ausschnittbe-
ginn.

Weitere 20 cm nach oben messen, die Stelle mit
Punkt bezeichnen = Beginn des Halsausschnittes vom Rückenteil, und noch weitere 2 cm nach
oben messen, die Stelle mit Punkt bezeichnen =
höchste Stelle der Schulterschrägung.

Von diesem Punkt aus – in 62 cm Höhe ab
Grundlinie – eine waagerechte Hilfslinie nach
rechts ziehen, und zwar 8 + 11 + 6 cm = insgesamt 25 cm wie bei der Grundlinie. In dieser Linie die Maße mit Punkt markieren, also ab
Bruchkante nach 8 cm = Halsausschnittende,
nach weiteren 11 cm = Schulterbreite und nach
weiteren 6 cm = Armausschnittbreite.

Von diesem äußersten rechten oberen Punkt aus
eine Hilfslinie zum äußeren rechten Punkt an
der Grundlinie ziehen.

Diese Hilfslinie – von der Grundlinie ausgehend –, nach 7 cm mit Punkt markieren = Ende
des Taillenbundes, nach weiteren 30 cm die
Hilfslinie mit Punkt bezeichnen = Armausschnittbeginn, nach weiteren 23 cm mit Punkt
markieren = Ende des Armausschnittes =
Schulterschrägungsbeginn, nach weiteren 2 cm
ist die obere Hilfslinie erreicht. Die letzten 2 cm
ergeben die Höhe der Schulterschrägung bzw.
des Halsausschnittes beim Rückenteil.

Von der rechten Hilfslinie beim Punkt für den
Schulterschrägungsbeginn ausgehend, eine
Hilfslinie nach innen zeichnen und nach 6 cm
mit Punkt markieren.

Vom zweiten Punkt an der oberen Hilfslinie –
6 cm von rechter Hilfslinie entfernt – eine senkrechte Hilfslinie 25 cm in Richtung Grundlinie
ziehen, von der oberen Hilfslinie ausgehend, in
Richtung Grundlinie 19 cm abmessen und diese
Stelle ebenfalls mit Punkt markieren = Hilfe
zum Zeichnen der Armausschnittrundung.

Der doppelt (gefaltete) Schnittmusterbogen
sieht dann so aus:

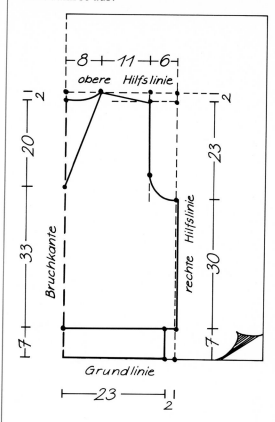

Die mit Punkt bezeichneten Stellen werden nun
entsprechend der Schnittverkleinerung miteinander verbunden.

Die Zeichnung auf der rechten Seite oben zeigt,
wie der Schnittmusterbogen dann aussieht.

Bei der Übertragung anderer Schnitteile ist
ebenso zu verfahren.

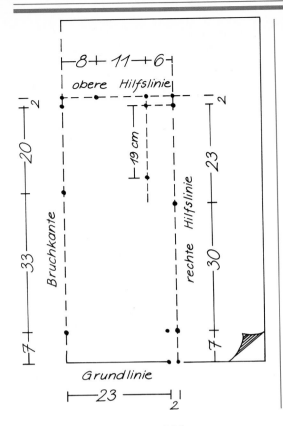

Vergrößern und Verkleinern von Schnitten

Es kann notwendig werden, einen Schnitt den eigenen Maßen entsprechend zu verändern. In diesem Fall wird wie folgt vorgegangen:

Beim Rücken- und Vorderteil wird der fertige Schnitt zur Vergrößerung oder Verkleinerung in der Länge zweimal durchgeschnitten, und zwar etwa in der Mitte der Schulternaht, ebenso zweimal quer, nämlich einmal unterhalb des Armausschnittes und einmal innerhalb des Armausschnittes. Ein Ärmel dagegen ist in der Mitte einmal senkrecht durchzuschneiden und quer zweimal, nämlich einmal in der Mitte und einmal in der Kugel selbst. Bei der Schnittvergrößerung oder -verkleinerung ist unbedingt darauf zu achten, daß die Querteilung auch durch den Ärmel läuft, damit dieser bis zum unteren Rand (Hand oder Ellenbogen) auf alle Fälle mit verändert wird.

Auf diese Weise können wir nun den Schnitt so weit auseinander- oder ineinanderschieben, wie es unser Maß verlangt. Der fertige, durchgeschnittene Papierschnitt wird auf einen neuen Bogen Papier gelegt, dabei in jedem Längs- und Querschnitt so weit auseinandergerückt oder ineinandergeschoben, bis sich die gewünschten Maße ergeben.

Vergrößern – Auseinanderschieben

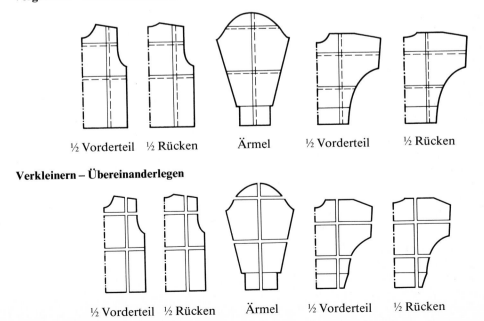

½ Vorderteil ½ Rücken   Ärmel   ½ Vorderteil ½ Rücken

Verkleinern – Übereinanderlegen

½ Vorderteil ½ Rücken   Ärmel   ½ Vorderteil ½ Rücken

Probestück und Maschenprobe

Da die Muster je nach Wollart, Garnkombination und Nadelstärke unterschiedlich ausfallen und außerdem nicht alle Musterarten für jeden Verwendungszweck geeignet sind, sollte man sich vorher ein Probestück anfertigen.

Um einen genauen Eindruck von dem Muster zu erhalten, ist es sinnvoll, jedes Muster mindestens zweimal in der Höhe und Breite zu wiederholen.

Zur gleichzeitigen Ermittlung der Maschenprobe sollte dieses Probestück mindestens 15 cm breit und hoch sein.

Eine Maschenprobe ist für die genaue Berechnung eines Schnittes unbedingt notwendig und muß bei Verwendung eines anderen Musters oder Garnes oder einer anderen Nadelstärke jedesmal neu erstellt werden. Dafür werden am besten 10 cm in Höhe und Breite durch Stecknadeln markiert und die Maschen und Reihen ausgezählt.

Stimmen Maschen- und Reihenangaben mit denen der Arbeitsanleitung nicht überein, so muß eine andere Nadelstärke verwendet werden. Sind beim Probestück mehr Maschen und Reihen als angegeben, so muß eine dickere Nadel verwendet werden, sind es weniger, so wird eine dünnere Nadel genommen – immer vorausgesetzt, daß das in der Anleitung vorgeschriebene Garn verwendet wurde.

Ergeben sich zu große Differenzen, dann sollte die Mühe nicht gescheut werden, einen passenden Schnitt neu zu berechnen.

Errechnen von Maschen und Reihen nach Schnitt

Als Grundlage für die Berechnung dient ein Schnittmuster, das nach Maß angefertigt oder von einer Schnittverkleinerung auf Originalgröße übertragen wurde.

Auf diesen Schnitt werden sämtliche Maschen, Reihen, Zu- und Abnahmen geschrieben. Bei unserer als Beispiel gezeichneten Schnittverkleinerung ist das Rückenteil und das Vorderteil in Höhe der Armausschnitte (also etwa an der Stelle, an der die Oberweite gemessen wird) je 50 cm breit – 100 cm insgesamt; dies entspricht der Damengröße 40–42 = OW 92–96 cm + 4 cm Schnittzugabe für die Bewegungsweite (manchmal auch mehr für die modische Weite) und der Herrengröße 46–48, OW 92–96 cm + 4 cm Schnittzugabe für die Bewegungsweite.

Angenommen, die Maschenprobe ergab

$$20 \text{ M} = 10 \text{ cm Breite}$$
$$30 \text{ R} = 10 \text{ cm Höhe,}$$

so sind
$$2 \text{ M} = 1 \text{ cm breit}$$
$$3 \text{ R} = 1 \text{ cm hoch.}$$

Das gezeichnete Beispiel ist zu Beginn 44 cm breit.

Der *Anschlag* wird also berechnet:
$$2 \text{ M} \times 44 = 88 \text{ M}$$
$$\underline{+ \; 2 \text{ Randmaschen}}$$
$$= 90 \text{ M insgesamt}$$

Der *Bund* ist 5 cm hoch. Es wird berechnet:
$$3 \text{ R} \times 5 = 15 \text{ R}$$
Der Bund wird also 15 R hoch gestrickt.

Bei der Zeichnung wird das Teil nach dem Bund beidseitig um 2 cm breiter, d.h., in der 1. Grundmuster-Reihe müssen gleichmäßig verteilt 4 cm zugenommen werden.
Es wird berechnet:
$$2 \text{ M} \times 4 = 8 \text{ M.}$$
Es sind nun 90 M + 8 M = 98 M auf der Nadel.

Die *seitlichen Schrägungen* betragen je 1 cm = 2 M in der Breite.

Die *seitliche Höhe* vom Bund bis zum Armausschnittbeginn beträgt 30 cm.
Es wird berechnet:
$$3 \text{ R} \times 30 = 90 \text{ R}$$
Damit das Zunehmen in gleichmäßigen Abständen erfolgt, wird wie folgt berechnet:
$$90 \text{ R} : 3 = 30 \text{ R,}$$
also ist beidseitig 1mal in 30. Reihe und 1mal in 60. Reihe ab Bund je 1 M zuzunehmen
$$= 98 \text{ M} + 4 \text{ M} = 102 \text{ M.}$$

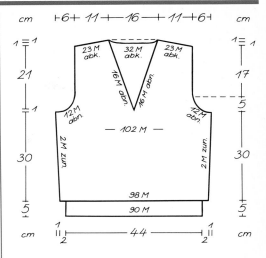

Rücken- und Vorderteil

Die *Armausschnitte* beginnen nach 30 cm = 90 R ab Bund und sind je 6 cm breit.
Es wird berechnet:
$$2 \text{ M} \times 6 = 12 \text{ M}$$
Die *Armausschnittrundung* hat eine Höhe von 5 cm. Es wird berechnet:
$$3 \text{ R} \times 5 = 15 \text{ R}$$
Innerhalb von 15 R müssen also für jeden Armausschnitt 12 M abgekettet werden, d.h. beidseitig zu Beginn der folgenden Reihen 2mal 3 M, 1mal 2 M abketten und 4mal 1 M abnehmen.

Der *Halsausschnitt* = V-Ausschnitt vom Vorderteil beginnt nach 31 cm ab Bund.
Es wird berechnet:
$$3 \text{ R} \times 31 = 93 \text{ R,}$$
also 1 cm = 3 R nach dem Armausschnittbeginn.

Die *Halsausschnittschrägungen* sind je 8 cm breit. Es wird berechnet:
$$2 \text{ M} \times 8 = 16 \text{ M}$$
Die *Halsausschnitthöhe* beträgt 23 cm.
Es wird berechnet:
$$3 \text{ R} \times 23 = 69 \text{ R}$$
Im Verlauf von 69 R müssen also für jede Schrägung 16 M abgenommen werden.
$$69 \text{ R} : 16 = 4 \text{ R,}$$
d.h., in jeder 4. R wird 16mal je 1 M abgenommen. Die restlichen 5 R werden bis zur Schulterhöhe ohne Abnahmen gestrickt.

Die *Schulterschrägungen* beginnen nach 22 cm ab Armausschnitt. Es wird berechnet:
$$3 \text{ R} \times 22 = 66 \text{ R}$$

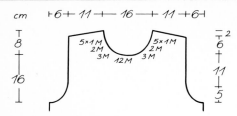

Runder Halsausschnitt

Eine Schrägung ist 2 cm hoch =
$$3\,R \times 2 = 6\,R$$
und 11 cm breit =
$$2\,M \times 11 = 22\,M,$$
$$+\ 1\ \text{Randmasche}$$
$$= 23\,M\ \text{insgesamt}$$
Für jede Schulterschrägung wird – von den Armausschnitträndern ausgehend – in jeder 2. folgenden Reihe abgekettet, also
$$6\,R:2 = 3\text{mal},$$
d. h. 23 M : 3 = 2mal 8 M und 1mal 7 M abketten.
Der *Halsausschnitt* vom Rückenteil fängt nach 1 cm = 3 R nach dem Schulterschrägungsbeginn an. Der gesamte rückwärtige Halsausschnitt ist 16 cm breit
$$= 2\,M \times 16 = 32\,M.$$
In der 3. R ab Schulterschrägungsbeginn werden die mittleren 26 M abgekettet und – getrennt weiterstrickend – beiderseits davon für die Rundungen in der 2. folgenden Reihe noch jeweils 3 M abgekettet.
Der *runde Halsausschnitt* im Vorderteil wird wie folgt berechnet:
Nach 16 cm ab Armausschnitt =
$$3\,R \times 16 = 48\,R$$
werden die mittleren 12 M abgekettet.
$$32\,M - 12\,M = 20\,M$$
Für jede Rundung sind also beiderseits der mittleren 12 M noch 10 M abzuketten.
Die Höhe des runden Halsausschnittes beträgt 8 cm =
$$3\,R \times 8 = 24\,R,$$
d. h., in jeder 2. folg. R werden 1mal 3 M, 1mal 2 M abgekettet, 3mal 1 M abgenommen und in jeder 4. folg. R noch 2mal 1 M abgenommen. Die letzten 6 R werden gerade – ohne Abnahmen – gestrickt.
Der *Ärmel* ist bei diesem Beispiel zu Beginn des Bündchens 22 cm breit. Es wird berechnet:
$$2\,M \times 22\ = 44\,M$$
$$+\ 2\ \text{Randmaschen}$$
Anschlag $= 46\,M\ \text{insgesamt}$

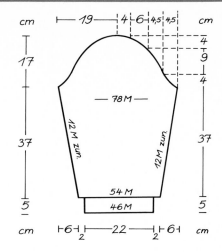

Ärmel

Bündchenhöhe = 5 cm =
$$3\,R \times 5 = 15\,R$$
Es werden 15 R im Bundmuster gestrickt.
Nach dem Bund wird der Ärmel um 4 cm breiter =
$$2\,M \times 4 = 8\,M$$
In 1. Grundmuster-R werden also gleichmäßig verteilt 8 M zugenommen =
$$46\,M + 8\,M = 54\,M$$
Die *seitlichen Ärmelschrägungen* sind je 6 cm breit =
$$2\,M \times 6 = 12\,M$$
und 37 cm hoch =
$$3\,R \times 37 = 111\,R.$$
Es sind innerhalb von 111 R beidseitig 12 M zuzunehmen. Für die gleichmäßige Verteilung wird berechnet:
$$111\,R:12 = 9\,R,$$
d. h., in jeder 9. folg. R ab Bund wird beiderseits 12mal je 1 M zugenommen
$$= 54\,M + 24\,M = 78\,M.$$
Die *Armkugel* beginnt nach 37 cm = 111 R ab Bündchen. Um diese leichter zu berechnen, können Hilfslinien gezogen werden, siehe rechte Hälfte unseres Beispiels.
Das erste Stück der Armkugel ist 4 cm hoch =
$$3\,R \times 4 = 12\,R$$
und 4,5 cm breit =
$$2\,M \times 4,5 = 9\,M.$$
In jeder 2. folg. R wird abgenommen, d. h.
$$12\,R:2 = 6\text{mal}.$$
Es kann zum Beispiel so aufgeteilt werden:
1mal 3 M, 1mal 2 M abk., 4mal 1 M abn.

Das zweite Stück ist 9 cm hoch =
$$3 \text{ R} \times 9 = 27 \text{ R}$$
und 4,5 cm breit =
$$2 \text{ M} \times 4,5 = 9 \text{ M}.$$
$$27 \text{ R} : 9 = 3 \text{ R},$$
d. h., in jeder 3. R wird 9mal je 1 M abgenommen.

Das dritte Stück ist 4 cm hoch =
$$3 \text{ R} \times 4 = 12 \text{ R}$$
und 6 cm breit =
$$2 \text{ M} \times 6 = 12 \text{ M}.$$
$$12 \text{ R} : 12 = 1 \text{ R},$$
d. h., in jeder folgenden R sind 12mal 1 M abzunehmen oder in jeder 2. folgenden R sind 6mal 2 M abzuketten.

In einer Arbeitsanleitung würde dies dann etwa so lauten:

»Für die Armkugel nach 37 cm = 111 R ab Bund beiderseits in jeder 2. folg. R 1mal 3 M, 1mal 2 M abk. und 4mal 1 M abn., in jeder 3. folg. R 9mal 1 M abn. und in jeder 2. folg. R 6mal 2 M abk. Restl. 18 M abk.«

Die *Raglan-Ärmel* beim gleichen Grundschnitt haben nur bei den Raglanschrägungen eine andere Berechnung. Die Höhe der Schrägungen beträgt bei unserem Beispiel 24 cm =
$$3 \text{ R} \times 24 = 72 \text{ R},$$
die Breite beträgt je 17 cm =
$$2 \text{ M} \times 17 = 34 \text{ M}$$
$$+ \; 1 \text{ Randmasche}$$
$$= 35 \text{ M insgesamt}$$
$$72 \text{ R} : 35 = 2 \text{ R},$$
d. h., in jeder 2. folg. R sind beiderseits 35mal 1 M abzunehmen und in der 72. Reihe ab Raglanschrägungsbeginn werden beim Rückenteil und bei den Ärmeln die restlichen Maschen abgekettet.

Dies waren sehr einfache Beispiele zum leichteren Verständnis.

Sollte jedoch die Maschenprobe z. B. 24 M und 36 R auf je 10 cm ergeben, so ist mit 2,4 M und 3,6 R auf je 1 cm zu rechnen! Die Zahl rechts vom Komma darf nicht weggelassen werden! Heißt es z. B. bei einer Berechnung
$$24 : 10 = \frac{2,4 \times 48 \; \text{(cm)}}{96}$$
$$ 192$$
$$ = \underline{\underline{115,2 \text{ M,}}}$$
so wird abgerundet, also $\underline{\underline{115}}$ M, aber z. B. $24 : 10 = 2,4 \text{ M} \times 2 \; \text{(cm)}$
$$= \underline{\underline{4,8,}}$$
so wird aufgerundet, also 5 M.

Muß die Maschenzahl eines bestimmten Grundmusters z. B. durch 4 teilbar sein, und es

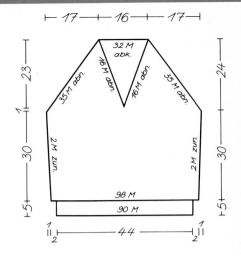

Rücken- und Vorderteil
im Raglan-Schnitt

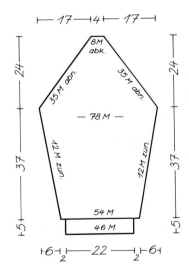

Raglan-Ärmel

werden nach Schnitt 115 M errechnet, so wird auch hier aufgerundet, also 116 M + 2 Randmaschen = 118 M.

Stricksachen dürfen eher weiter als zu eng werden.

Das Wichtigste bei allen Arbeiten ist aber immer das Einhalten der Maschenprobe! Nur dann hat das Berechnen eines Schnittes einen Sinn und führt zum Erfolg.

Stricken und Häkeln nach Mustern

Maschenzahl

Vor verschiedenen Musteranleitungen stehen Angaben über die erforderliche Teilbarkeit der Gesamtmaschenzahl: zum Beispiel Maschenzahl durch 7 teilbar und 5 Maschen (3 Maschen und 2 Randm.). Die Zahl 7 gibt in diesem Fall an, daß ein Mustersatz aus 7 Maschen besteht. Die 3 zusätzlichen Maschen werden am Anfang oder Ende der Reihe gebraucht, wenn ein Muster gegengleich enden soll.
Die 2 Randmaschen werden natürlich wie bei anderen Mustern auch benötigt.
Will man also 7 Mustersätze stricken, so rechnet man

$$7 \times 7\,\text{M} = 49\,\text{M}$$

3 zusätzliche Maschen
für das Muster $+ \quad 3\,\text{M}$

2 Maschen für die Ränder $+ \quad \underline{2\,\text{M}}$
insgesamt $= 54\,\text{M}$

In diesem Fall müßten also 54 M angeschlagen werden.

Typenmuster

Typenmuster sind graphische Darstellungen eines Maschenmusters, wobei durch die Verwendung von Symbolen eine Anleitung zum Stricken oder Häkeln eines Musters gegeben wird (siehe Verzeichnis der Strick- und Häkeltypenmuster Seite 348 und 351).
Häkel- und Stricktypenmuster haben grundsätzlich immer ganz unterschiedliche Symbole. Häkeltypenmuster sind dabei frei gezeichnet, während die Stricktypenmuster in ein Karopapier eingetragen werden.
Jedes Symbol entspricht einer Masche und jede Reihe in der Zeichnung einer Reihe der Häkel- oder Strickarbeit. Ein Mustersatz wird immer durch zwei nach unten gerichtete Pfeile sichtbar gemacht und mit MS bezeichnet.
Bei Typenmustern für Strickstücke – auch Strickschriften genannt – sind oft nur die Hin-

reihen gezeichnet. Diese haben dann meistens einen Zusatz, zum Beispiel: »In den Rückreihen die M str., wie sie erscheinen«. Das bedeutet, daß die Masche, die zum Beispiel auf der Vorderseite als rechte Masche gestrickt wurde, auf der Rückseite als linke Masche erscheint und somit in der Rückreihe als linke Masche gestrickt wird. Bei der linken Masche ist das umgekehrt. Die Umschläge der Hinreihen werden – wenn nicht anders angegeben – in den Rückreihen als linke Masche abgestrickt.

Detailarbeiten an Strickstücken

Saum

Stricken eines Saumes mit Schafzähnchen

Die erforderliche Maschenzahl wird aus 1 Masche angeschlagen. Dann werden, der Breite des Saumes entsprechend, einige Reihen »glatt rechts« (= Hinreihen rechts, Rückreihen links) gestrickt. Lochreihe (Hinreihe): ★ umschlagen (den Arbeitsfaden von vorn nach hinten über die rechte Nadel legen), 2 Maschen rechts zusammenstricken. Ab ★ wiederholen. Es folgen wieder einige Reihen »glatt rechts«, und zwar 1 Reihe mehr als vor der Lochreihe (dabei in 1. Reihe = Rückreihe alle Maschen, auch die Umschläge, links stricken).

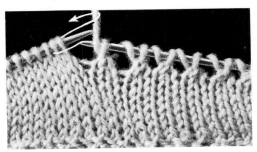

Aufstricken des Saumes.
Mit einer Hilfsnadel werden die Anschlagmaschen von hinten nach vorn aufgefaßt. Die Nadel mit den Anschlagmaschen legt man nun hinter die Nadel und strickt stets eine Masche der vorderen und eine Masche der hinteren Nadel rechts zusammen. (Man beachte, daß sich die senkrechten Maschenreihen nicht verschieben).

Befestigen eines angestrickten Saumes am Ende der Arbeit

Ein Rand oder Saum (Rocksaum) kann auf folgende Art befestigt werden: nachdem die Breite des Randes oder Saumes gestrickt ist, wird diese auf die Rückseite gelegt und durch Annähen mit einer Stopfnadel befestigt. ★ Man führt die Stopfnadel von hinten nach vorn durch die erste Masche, faßt ein waagrechtes Glied der betreffenden Reihe, an welche gesäumt werden soll. Ab ★ wiederholt man den Vorgang fortlaufend, stets das folgende, waagrecht liegende Maschenglied fassend. Das abgebildete Strickstück ist zweifarbig, um das Ansäumen deutlicher zu zeigen.

Rand bei glatt gestrickten Arbeiten

Bekanntlich rollt sich der Rand bei »glatt rechts« gestrickten Arbeiten ein, was auch durch Dämpfen kaum zu verhindern ist. Es ist daher ratsam, nach dem Anschlag einige Reihen »kraus« (hin- und hergehend rechts) zu stricken. Diese Strickart wird zu beiden Seiten am Rand entlang etwa 3–4 Maschen breit weitergeführt.

Kanten

Glatte Kante

Der Umbug wird nach oben geschlagen. Sehr wichtig ist, daß die Bruchkante genau entlang einer Maschenreihe läuft. Der Rand wird mit unsichtbaren Stichen aufgenäht oder ist in entsprechender Höhe mit dem Gestrick zusammenzustricken, d.h., es werden die Anschlagmaschen mit den Maschen des Gestrickes aufgestrickt.

Kante mit einer Linksrippe

Hierbei ist beim Stricken der Bruchkante eine rechts erscheinende Linksrippe zu stricken. Der Rand ist wie bei der glatten Kante festzunähen oder anzustricken.

Vorderkante – glatt rechts gestrickt

Glatt rechts gestrickte Vorderkanten sind doppelt zu stricken, da sich sonst das Gestrick einrollt und keinen festen Halt hat. Um eine besonders schöne und feste Kante zu erhalten, arbeitet man die Masche, die am Bruch entlangläuft, wie folgt: rechte Seite der Arbeit: 1 Masche rechts,

linke Seite der Arbeit: 1 Masche abheben, dabei den Faden vor die Arbeit legen.

Beim Konfektionieren ist der Umbug nach innen zu schlagen und der Rand mit überwendlichen Stichen unsichtbar anzunähen. Es ist besonders darauf zu achten, daß die Kante exakt entlang der oben beschriebenen Masche verläuft.

Eckbildungen

Von nicht minder großer Wichtigkeit ist die gute
Ausführung von Ecken, rechtwinkelig oder abgerundet. Die bestgearbeitete Jacke verliert,
wenn ihre unteren Ecken schief oder ungleich-
mäßig gearbeitet sind.
Wir wollen Ihnen mehrere Ausführungsmög-
lichkeiten beschreiben:

Rechtwinklige Ecke

Angenommen, der Umbug unten und seitlich
beträgt 4 cm. Um unten und seitlich einen doppelten Rand zu erhalten (es darf auf keinen Fall
Stellen geben, an denen das Gestrick dreifach
übereinanderkommt), schlägt man für den unteren Rand (Umbug) Maschen in Breite von
8 cm weniger an und strickt 4 cm hoch. Nun
schlägt man an der Vorderkante mit einem andersfarbigen Faden (er wird später entfernt)
Maschen in Breite von 8 cm an und strickt das
Vorderteil weiter. Nach Beendigung und erfolg-
tem Dämpfen wird der bunte Faden ausgezogen, so daß freie Maschen in einer Breite von
8 cm entstehen. Die Vorderkante wird 4 cm
nach innen umgeschlagen und die Maschen, die
sich nun unten gegenüberstehen, im Maschenstich zusammengenäht. Dann werden unten
4 cm nach innen eingeschlagen und mit überwendlichen Stichen angenäht. Der verbliebene
Schlitz entlang der Vorderkante wird von außen
mit unsichtbaren Zickzackstichen sauber zusammengenäht.
Soll der Umbug unten und seitlich 4 cm betragen, so beginnt man wiederum mit Maschen im
Werte von 8 cm weniger. Man nimmt nun am
Beginn jeder Nadel an der Vorderkante je 1 Masche zu. Nach 4 cm Höhe läßt man die zweite
Masche vom unteren Rand aus als Masche, die
die Vorderkante bildet, hochlaufen und nimmt
während der weiteren 4 cm wiederum an der
Vorderkante bei Beginn jeder Nadel 1 Masche
zu. Dann strickt man das Vorderteil weiter.
Nach Beendigung und Ausdämpfen der Vor-
derteile werden die untere und vordere Kante
4 cm nach innen geschlagen, wie oben beschrieben angenäht und der schräge Schlitz von
außen mit unsichtbaren Zickzackstichen geschlossen.

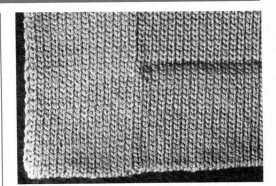

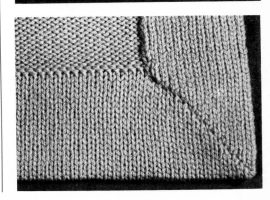

Abgerundete Ecke

Man strickt zuerst den Umbug in der ganzen Breite des Vorderteils. Dann rechnet man anhand des Schnittes aus, über wieviel Maschen und Reihen die Rundung zu stricken ist, und strickt sie in verkürzten Reihen. Dann schlägt man Maschen in Breite des Umbuges an und strickt das Teil fertig. Wir beschreiben unser Beispiel:

Bei unserem Gestrick betragen 30 Maschen in der Breite und 42 Reihen in der Höhe = 10 × 10 cm. Der Umbug ist 2,5 cm hoch, also 7 Maschen breit und 11 Reihen hoch.

Die Rundung soll über 30 Maschen und 30 Reihen gestrickt werden. Die ganze Breite des Vorderteils beträgt 25 cm = 75 Maschen.

Man schlägt das Vorderteil mit 75 Maschen an und strickt 11 Reihen für den Umbug gerade. Dann folgt das Stricken der verkürzten Reihen. Von der Seitenkante beginnend strickt man zunächst 45 Maschen, wendet, strickt zurück und bei der nächsten Reihe 5 Maschen mehr, dann 1mal 4 Maschen, 1mal 3 Maschen, 6mal 2 Maschen und 6mal 1 Masche. Nachdem nun alle Maschen wieder mitgestrickt sind, schlägt man an der Vorderkante für den seitlichen Umbug 7 Maschen neu an und strickt das Vorderteil nach Schnitt fertig. Ihre Maschenprobe kann Ihnen das Ausrechnen der zu strickenden Reihen und Maschen für die Rundung sehr erleichtern. Sie legen Ihre Maschenprobe unter den Schnitt und zählen die Maschen und Reihen einfach ab.

Als Vorbereitung für das Dämpfen ist es ganz außerordentlich wichtig, daß die vordere Rundung genau nach Schnitt aufgesteckt wird (die Anschlagreihe des unteren Umbugs darf nicht ausgedehnt werden).

Beim Konfektionieren wird nach dem Dämpfen der Umbug nach innen geschlagen und mit unsichtbaren Stichen wie oben beschrieben angenäht. Der verbleibende Schlitz wird am Schluß mit Zickzackstichen von außen sauber zusammengefaßt.

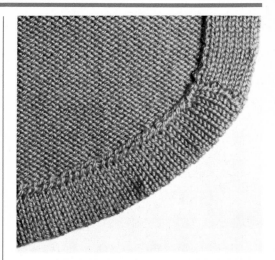

Knopfloch

Senkrecht eingestricktes Knopfloch

Hier muß die Arbeit bis zur betreffenden Höhe (Länge des Knopflochs) geteilt weitergestrickt werden. Die Abbildung zeigt die Verbindung beider Teile. An der Knopflochkante wird nach dem Wenden die 1. Masche abgehoben.

Quergestricktes Knopfloch

Bevor man mit dem Knopfloch beginnt, muß man sich über dessen Größe klarsein. Ein gewöhnlicher Westenknopf verlangt etwa 3 Maschen Breite. Die betreffenden Maschen werden in einer Reihe abgekettet und in der folgenden Reihe wieder neu angeschlagen.

Taschen

Auch Taschen müssen sorgfältig gearbeitet werden. Man kann sie einstricken oder nachträglich aufsetzen.

Gerade Taschen

Gerade eingesetzte Taschen arbeitet man, indem man die Maschen, die über die ganze Taschenbreite gehen, mit einem andersfarbigen Faden abstrickt. Diese Maschen werden auf die linke Nadel zurückgenommen und nun mit der Wolle des Gestricks noch einmal abgestrickt. Nach Beendigung der Arbeit wird der bunte Faden herausgezogen und die nunmehr oben und unten offenen Maschen auf 2 Stricknadeln genommen. An die Maschen der oberen Nadel strickt man das glatte Innenfutter der Tasche, während man an die Maschen der unteren Nadel die Taschenumrandung anstrickt. Soll die Tasche ein doppeltes Futter bekommen, dann ist die doppelte Länge der Tasche zu stricken. Die Taschenblenden werden sich im wesentlichen nach der Strickart des Modelles richten, sie können in einfachem 1 M r/1 M li-Muster oder kraus gestrickt sein oder aber andersfarbig. Wenn die Tasche möglichst unauffällig sein soll, strickt man in dem Grundmuster ca. 2 cm an und häkelt den oberen Rand mit dichten M ab. Die seitlichen Ränder der Taschen sind sehr sorgfältig und möglichst unsichtbar anzunähen.

Schräge Taschen mit untergesetztem Futterteil

Man arbeitet das Strickstück bis zu der Höhe, in der der Tascheneinschnitt beginnen soll. Die Maschen zwischen Tasche und Seitennaht bleiben ungestrickt liegen, mit den übrigen M strickt man die Schrägung wie folgt:

Auf der Vorderseite strickt man die beiden letzten M der Hinreihen r zus. (also keine Randm.), bei den Rückreihen hebt man die 1. M ab, strickt die 2. M li und zieht die abgehobene M über. Bei der linken Tasche strickt man auf der li Seite die beiden letzten M der Rückreihen li zus., auf der rechten Seite die 1. M abh., die 2. M r str. und die abgeh. M überz.

Auf diese Weise wird die Schrägung hoch gearbeitet, bis die Breite der Tasche erreicht ist. Gleichzeitig sind die M zwischen der Vorderkante und der Tasche hoch zu arbeiten.

Für das Futterteil der Tasche schlägt man so viele M an, wie die Tasche breit ist, und strickt die Höhe der Tasche bis zum Beginn der Schrägung. Nun werden die liegengebliebenen M zwischen Tasche und Seitennaht dazu auf die Nadel genommen und mitgestr., bis die gleiche Reihenzahl wie am anderen Teil und somit der höchste Punkt der Schrägung erreicht ist.

Jetzt werden alle M wieder miteinander weitergestr. Das Futterteil wird möglichst unsichtbar von li gegengenäht.

Das Futterteil kann aber auch angestrickt werden. Man faßt dazu, anstatt neu anzuschlagen, auf der Rückseite am unteren Taschenrand die M in der Breite der Schrägung auf. Dabei nimmt man das waagrechte Maschenglied von hinten nach vorn auf die Nadel. Das Anstricken an der Seite geschieht wie beim Einstricken eines Stükkes.

Für den Besatzstreifen faßt man am oberen Taschenrand die inneren M-Glieder auf (einstechen von hinten nach vorn) und strickt sie verdreht ab, dabei werden jedoch aus jeder 6. M 2 M herausgestrickt. Der Besatz wird »kraus«, d. h. auf beiden Seiten r, gearbeitet. Am tiefer liegenden Beginn der Schrägung wird am Schluß jeder Hinreihe 1 M zugenommen (Querglied zwischen der 2.- und 3.letzten M auf die Nadel nehmen und verdr. abstricken). Am oberen Ende der Schrägung wird am Schluß jeder Rückreihe abgenommen (2.- und 3.letzte M r zus. str.).

Hat der Besatzstreifen die gewünschte Breite, so kettet man die Maschen ab, schlägt den Streifen nach außen um und näht ihn möglichst unsichtbar an beiden Enden fest.

Freihängende Tasche mit angestricktem Rand

Bis zum Taschenschlitz stricken. Von der Maschenzahl so viele Maschen auf eine Hilfsnadel nehmen, wie die Tasche breit werden soll. Mit diesen Maschen etwa 10 R glatt links stricken, dabei in 1. Reihe beiderseits je 1 Naht-Masche neu anschlagen, dann im Grundmuster so lange stricken, bis die doppelte Tiefe der Tasche erreicht ist. Nun beiderseits je 1 Masche abketten, die Maschen der Tasche wieder auf die Hauptnadel nehmen und wie bisher weiterarbeiten. Seitennähte der Tasche schließen, 8 Reihen des »Glatt-Links«-Randes bleiben sichtbar.

Armausschnitt

Da Material- und Nadelstärke sowie die Tiefe des Ausschnittes maßgebend sind, kann die Anzahl der abzunehmenden Maschen nicht genau angegeben werden. Man arbeitet daher entweder nach dem Schnitt oder errechnet die abzunehmende Maschenzahl anhand der Maschenprobe (siehe Seite 306).

Bei Verwendung von mittelstarker Wolle und Nadeln mit 3 mm werden die Armausschnitte des Rückenteils wie folgt gearbeitet: am Anfang der Nadel 5 Maschen abketten, die Reihe vollenden und nach dem Wenden für den linken Armausschnitt ebenfalls 5 Maschen abketten. An der Rückseite zurückgehend die ganze Maschenzahl abstricken, wenden und zu Beginn der Reihe 3 Maschen abketten, dieselbe Zahl nach dem Wenden beim zweiten Armausschnitt. Weiter nochmals je 2–3 Maschen, dann jeweils 1 Masche abnehmen, bis die Rückenbreite erreicht ist. Bei einem weniger tiefen Ausschnitt oder bei Verwendung gröberer Wolle geschieht das Abnehmen ungefähr so: 4, 3, 2 und je 1 Masche bis zur Rückenbreite. Am sichersten strickt man aber nach einem gut passenden Schnittmuster, das mit der Maschenprobe genau berechnet wurde.

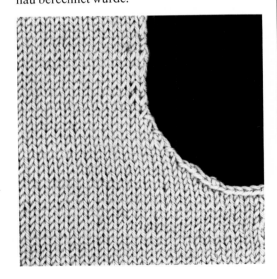

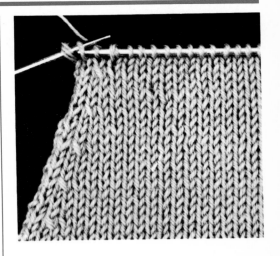

Halsausschnitt

Spitzer Halsausschnitt – glatt rechts

Es läßt sich nicht genau sagen, wieviel Maschen für die Ausschnittschrägung abgenommen werden. Das Material, die Nadeln und auch die Form des Ausschnittes spielen hierbei eine Rolle. Man zählt zunächst die ganze Maschenzahl des Vorderteiles und teilt die Arbeit in der Mitte in ein rechtes und ein linkes Schulterteil. Meist wird der Ausschnitt nach einem Schnittmuster gearbeitet, wobei die Arbeit gleich vor Beginn aufgelegt wird. Man kann so leicht feststellen, ob die Schrägung von unten aufwärts gleichmäßig ist oder ob der Ausschnitt eine leichte Rundung zeigt. Bei einem gleichmäßig geschrägten Ausschnitt nimmt man bei dem im Tragen linken Schulterteil jeweils am Ende der Hinreihen 1 Masche ab, indem man z. B. die 4.letzte Masche abhebt, die 3.letzte Masche rechts strickt und die abgehobene Masche darüberzieht (siehe Abbildung), während am rechten Teil zu Anfang der Reihen, also ebenfalls auf der Vorderseite, die 3. mit der 4. Masche rechts zusammengestrickt wird. Zeigt der Ausschnitt eine Rundung, so wird entsprechend am Ende der Hin- und am Anfang der Rückreihe je 1 Masche abgenommen. Oft genügt das Abnehmen von unten aufwärts bei jeder 2. oder 3. Hinreihe. Wie schon oben erwähnt, ist der Schnitt maßgebend; man legt die Arbeit öfter auf, um sich von der Übereinstimmung mit den errechneten Zahlen überzeugen zu können.

Für einen spitzen Ausschnitt mit Umbug arbeitet man den Pullover bis zum Beginn des Halsausschnittes. Dann strickt man, getrennt von der

Arbeit, als Untertritt und Beginn des Umbuges ein Dreieck. Man beginnt mit 1 M und strickt auf der rechten Seite der Arbeit immer rechts und links der Mittelmasche aus dem Querglied je 1 M rechts verdreht heraus. Hat das Dreieck eine Breite von etwa 4 cm erreicht, dann werden die Maschen je zur Hälfte mit den geteilten Vorderteilen als Umbug mitgestrickt. 4 cm von der neuen Randm. entfernt (2 cm Umbug, 2 cm Blende) erfolgen die Abnahmen in regelmäßigen Abständen entsprechend der Ausschnitt-Tiefe und -Breite.

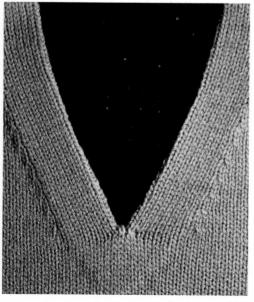

Spitzer Ausschnitt im Rippenmuster

Die Maschen des geraden Rückenausschnittes werden nicht abgekettet, sondern bleiben für das Bündchen stehen. Die Ausrechnung, Verteilung und das Herausstricken der Maschen aus dem vorderen Ausschnitt erfolgt wie bei dem enganliegenden Halsbündchen (siehe unten).

Um eine schönere Kante zu bekommen, strickt man die erste Runde links, die folgenden Runden 2 M r, 2 M li. Die Ecke in der vorderen Mitte bildet man wie folgt (es laufen 2 M r in der Mitte hoch):

1. Runde: Die erste Eckm. mit der vorhergehenden M r zusammenstricken, die zweite Eckm. abheben, die folgende M r stricken, die abgehobene M überziehen.

In jeder weiteren Runde wie in 1. Runde abnehmen.

Strickt man die Ausschnittblende 1 M r, 1 M li, dann ist die vordere Spitze wie bei dem viereckigen Ausschnitt zu bilden.

Enganliegendes Halsbündchen

Die Maschen des geraden Rückenausschnittes werden nicht abgekettet, sondern bleiben für das Bündchen stehen. In den Rand des vorderen Ausschnittes zieht man Markierungen im Abstand von 1 cm ein. Nun errechnet man anhand einer Maschenprobe die Anzahl der Maschen für das ganze Bündchen und teilt diese durch die Anzahl der cm des Halsausschnittes. Die erhaltene Zahl entspricht den Maschen, die auf 1 cm aus dem Rand herauszustricken sind. Die Maschen für das Bündchen werden nicht aus den Randmaschen direkt, sondern aus den darunterliegenden Maschen herausgestrickt. Liegen die einzelnen Maschen zu weit auseinander, dann sind aus den dazwischenliegenden Quergliedern Maschen verdreht herauszustricken.

Man strickt in der Runde oder, wenn der Halsausschnitt sehr eng ist, geteilt (am Rückenteil ist dann ein Reißverschluß einzuarbeiten) in der Technik 1 M r/1 M li im Wechsel.

Nach etwa 5 cm kettet man locker ab, schlägt das Bündchen zur Hälfte nach innen und näht es leicht mit Hexenstichen an.

Ist die verarbeitete Wolle sehr dick, genügt es, nur etwa 2 cm hoch zu stricken und alle Maschen sorgfältig abzuketten.

Eckenbildung: 1. Runde: die 2. M vor der Eckm. abheben, die folgende M rechts stricken, die abgehobene M überziehen, die Eckm. rechts stricken, die beiden folgenden M rechts zusammenstricken.

In jeder folgenden Runde wie in 1. Runde abnehmen. Zum Schluß locker abketten.

Soll ein Randstreifen eine Ecke erhalten, so wird er mit einem Maschenanschlag begonnen, der dem äußeren Umfang des Randstreifens entspricht.

1. Reihe: rechts.

2. Reihe: rechts bis auf 1 Masche vor der Ecke, hier wird die Eckmasche mit 1 Masche davor und danach zusammengestrickt (die Masche vor der Ecke wird abgehoben wie eine rechte Masche, die Eckmasche und die Masche nach der Ecke werden rechts zusammengestrickt und die abgehobene Masche über die letztere gezogen).

Diese beiden Reihen solange wiederholen, bis der Randstreifen die gewünschte Breite hat. Zum Schluß abketten.

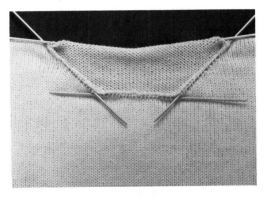

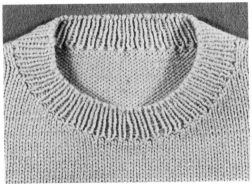

Viereckiger Halsausschnitt

Von der vorderen Mitte des Pullovers aus bleiben nach beiden Seiten die Maschen für die Halsausschnittbreite stehen (also nicht abketten), man faßt sie auf einen Hilfsfaden. Bei der Festlegung der Ausschnittbreite ist zu berücksichtigen, daß der Besatz ringsherum 2 cm breit wird. Die übrigen Maschen strickt man wie gewöhnlich bis zur Schulterlinie. Nach Schließung der Schulternähte faßt man die Randmaschen ringsherum auf 4 Nadeln (Ausrechnung, Verteilung und Herausstricken der Maschen an den Seitenkanten s. Enganliegendes Halsbündchen) und strickt den ganzen Besatz in der Runde in der Technik 1 M r/1 M li 2 cm hoch.

Schulterschrägung

Gleich den vorhergehenden Beschreibungen richtet sich die Schrägung der Schulter nach dem Schnittmuster. Um eine schräge Richtung der Schulterlinie zu erhalten, läßt man stufenweise 4 bis 10 Maschen ungestrickt auf der Nadel. Nach dem Wenden der Arbeit wird die 1. Masche stets abgehoben, auf der Vorderseite rechts, auf der Rückseite links. Auf diese Weise fährt man fort, bis die Schulterlinie ihre Länge erhalten hat. Zum Schluß werden die Maschen abgekettet.

Man kann die Schulter auch auf eine andere Art abschrägen, indem man stufenweise, je nach Schnitt, 4–10 Maschen abkettet.

Kragen

Rollkragen

Man arbeitet genauso wie bei dem enganliegenden Halsbündchen (siehe Seite 318), strickt jedoch einen geraden Schlauch, etwa 10 cm lang, und kettet locker ab.

Für den Rollkragen eignet sich auch die Technik 2 M r/2 M li.

Aufgesetzter Kragen, glatt rechts gestrickt mit Kraus- oder Perlmusterrand

Zuerst wird ein Glatt-rechts-Teil mit der nötigen Breite und Höhe gestrickt. Dann werden die Maschen nicht abgekettet, sondern beiderseits an den seitlichen Rändern die Randmaschen aufgefaßt. Über alle Maschen werden noch 6 Reihen kraus oder im Perlmuster gestrickt. An den Ecken wird dabei je 1 Masche markiert und beiderseits der markierten Maschen in jeder 2. Reihe 1 Masche zugenommen. Nach der 6. Blendenreihe werden alle Maschen abgekettet. Der Anschlagrand wird an den Halsausschnittrand genäht.

Auf eine andere Art kann der Kragen wie folgt gestrickt werden: Für den gesamten äußeren Kragenrand werden die Maschen angeschlagen, wobei für die zwei Ecken je 6 Maschen mehr zu berechnen sind. Dann werden 6 Reihen kraus oder im Perlmuster gestrickt, dabei je 1 M für die Ecken markiert und beiderseits der markierten Maschen in jeder 2. R 3mal 1 Masche abgenommen. Nach der 6. Kraus- oder Perlmuster-R werden beiderseits die äußeren Blenden-Maschen bis zur Eck-Masche stillgelegt und die mittleren Maschen glatt rechts weitergestrickt. Am Ende der folgenden Hinreihe wird die Randmasche abgehoben, die nächstliegende Masche von anschließender Hilfsnadel rechts gestrickt und die abgehobene Masche darübergezogen, am Ende der Rückreihe wird die

Randmasche mit der nächstliegenden Masche von der anschließenden Hilfsnadel links zusammengestrickt.

Dies wird so oft wiederholt, bis beiderseits alle stillgelegten Maschen aufgebraucht sind. Sollen die vorderen Kragenränder schräg verlaufen, so wird in den Hinreihen wie folgt abgenommen: Nach dem ersten Zusammenstricken wird die folgende Masche abgehoben, die nächste Masche rechts gestrickt und die abgehobene Masche darübergezogen. Vor dem letzten Zusammenstricken werden 2 Maschen rechts zusammengestrickt. Dieses Abnehmen wird so oft wiederholt, wie es die Schrägung verlangt. Die letzte Reihe wird abgekettet und der Abkettrand an den Halsausschnittrand genäht.

Ein aufgesetzter Kragen mit spitzen Ecken wird in der gleichen Weise gearbeitet wie der Kragen mit geraden Ecken, jedoch werden am Glattrechts-Gestrick an beiden Seiten dem Schnitt entsprechend Maschen aufgenommen.

Reverskragen, kraus gestrickt

Reverskragen können auch extra gestrickt und in Pullover oder Jacken mit V-Ausschnitten eingenäht werden.

Die Abbildung zeigt einen halben Reverskragen, der wie folgt gearbeitet wird:

Mit mittelstarkem Garn und Nd. 3–3½ mm 10 M anschl. und kraus = jede Reihe rechts str. Am Ende der 9. Reihe 1 M zun. und in jeder 10. folg. Reihe noch 20mal 1 M zun. = 31 M. Nach 180 R = 90 Rippen ab Anschlag sind 28 M auf

der Nadel. In folg. Hinreihe werden die ersten 18 M abgekettet und die restlichen 10 M gestr. In folg. Rückreihe werden anstelle der abgeketteten Maschen wieder 18 M neu angeschlagen. Nach dem letzten Zunehmen ab 210. R = 105. Rippe mit 31 M gerade weiterstr. Für die erforderliche äußere Kragenweite werden verkürzte Reihen eingestrickt: Nach der 20. R ab letztem Zunehmen in folg. Hinreihe 22 M str., mit 1 Umschl. wenden, zurückstr., wenden und wieder über alle Maschen str., dabei den Wende-Umschl. mit der Masche danach r zus.str. Im Abstand von 6 Reihen = 3 Rippen noch 3–5mal (je nach Halsausschnittweite) verkürzte Reihen einarbeiten. Nach der letzten verkürzten Reihe noch 4 Reihen = 2 Rippen str. Damit ist die rückw. Mitte erreicht. Die zweite Kragenhälfte wird gegengleich angestrickt.

Der schräge Zunahmerand wird an der Innenseite des vorderen Halsausschnittes, der gerade linke Arbeitsrand an den rückw. Halsrand genäht. Je nach Ausschnitthöhe kann der Kragen auch mit 21., 31. oder 41. R begonnen werden.

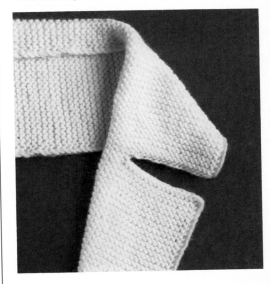

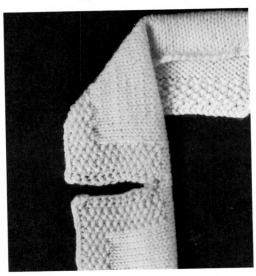

Verbreiterte Revers, glatt rechts gestrickt

Bei verbreiterten Revers läuft die Masche, die den Bruch an den vorderen Kanten bildet, gerade weiter. Die Zunahmen, die die Revers verbreitern, beginnen an der Außenkante für den Untertritt und seitlich von der Knopf- bzw. Knopflochleiste. Man bezeichnet auf dem Schnitt die Stelle, an der das Revers beginnen soll. Dann errechnet man, um wieviel Maschen es verbreitert und wieviel Reihen es hoch werden soll.

Angenommen, das Revers soll um 25 M verbreitert werden und ist bis zur Schulter 75 Reihen hoch. Die Anzahl der M von der vorderen Mitte bis zum Beginn der Schulterschrägung beträgt 25. Es ist also in jeder 3. Reihe (75 : 25) 1 M zuzunehmen, und zwar einmal seitlich der Knopf- bzw. Knopflochblende und zweimal an der Seitenkante des Untertritts (1 M für die Verbreiterung und 1 M für den geraden Untertritt). Die Zunahmen seitlich der Knopf- bzw. Knopflochblende kommen nicht übereinander, sondern verschieben sich um 1 M nach der Seite. An der Seitenkante des Untertritts wird 1 M nach der Randm. und 1 M nach 2 weiteren M zugenommen. Nach 25maligem Zunehmen ist das Revers beendet. Der Untertritt wird nach innen geschlagen und die nunmehr gegenüberliegenden Maschen werden, an der Mittelmasche beginnend, durch Maschenstich miteinander verbunden.

Kellerfalte

Maschenzahl durch 30 teilbar und 2 Randmaschen.

1. Reihe: Randm., ★ 4 M r, 1 M abh., 4 M r, 1 M li, 10 M r, 1 M li, 4 M r, 1 M abh., 4 M r. Ab ★ wiederholen.

2. Reihe: M str., wie sie erscheinen. Die abgeh. M li.

1. und 2. Reihe fortlaufend wiederholen.

Statt der hier beschriebenen Faltentiefe von 4 M können auch mehr M genommen werden. Zwischen den beiden abgeh. M muß dann jeweils die doppelte Maschenzahl der Faltentiefe, zwischen den 2 li M die doppelte Zahl plus 2 M liegen.

Das Schließen der Falten:

Randm., ★ die ersten 4 r M und die abgeh. M auf eine Hilfsnadel nehmen, die folgenden 4 r M und die li M auf eine 2. Hilfsnadel heben und diese umdrehen. Nun legt man alle 3 Nadeln parallel nebeneinander und strickt jeweils die 3 vorderen M dieser Nadeln (von jeder Nadel 1 M) r zusammen. Dann werden die folgenden 5 r M wieder auf die 1. Hilfsnadel gefaßt, die li M und die 4 r M nimmt man auf die 2. Hilfsnadel und dreht sie um. Die 3 Nadeln legt man wieder parallel und strickt immer die 1. M jeder Nadel r zusammen. Ab ★ wiederholen.

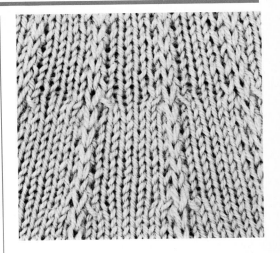

Plisseestreifen

Plisseestreifen mit »Rechts«-Grund

Die Streifen können beliebig breit gemacht werden. Zwischen den einzelnen Streifen wird eine Relief-Masche heraufgeführt, die man auf der Vorderseite abhebt, auf der Rückseite li strickt. Angenommen, der Streifen soll unten 14 M breit sein, so muß die Maschenzahl durch 15 teilbar sein + 2 Randmaschen.

1. Reihe: Randm., ★ 1 M li abh. (Faden läuft hinter der Arbeit), 14 M r. Ab ★ wiederholen, Randm.

2. Reihe und alle weiteren Rückreihen: links.

3., 5., 7. und 9. Reihe wie 1. Reihe.

11. Reihe (Abnehme-Reihe): Randm., ★ 1 M li abh., 2 M r zus.str., 10 M r, 1 M li abh., 1 M r und die abgeh. M überziehen. Ab ★ wiederholen, Randm.

13., 15., 17., 19. und 21. Reihe: Randm., ★ 1 M li abh., 12 M r. Ab ★ wiederholen, Randm.

23. Reihe (Abnehme-Reihe): Randm., ★ 1 M li abh., 2 M r zus.str., 8 M r, 1 M li abh., 1 M r und die abgeh. M überz. Ab ★ wiederholen, Randm.

Die 1.–12. Reihe wiederholt man fortlaufend, nur ist nach jeder Abnehme-Reihe der Streifen 2 M schmäler. Wieviel »glatte Reihen« zwischen 2 Abnehme-Reihen zu stricken sind, wird wie folgt errechnet:

Der Unterschied zwischen »oberer und unterer Weite« des gewünschten Gestricks ergibt zunächst die Gesamtzahl der abzunehmenden M. Diese Zahl wird durch die Anzahl der Streifen geteilt und daraus ergibt sich die Anzahl der M, die bei 1 Streifen abzunehmen sind.

Jetzt berechnet man anhand einer kleinen Strickprobe, wieviel Reihen für die ganze Länge des Strickstücks benötigt werden. Diese Reihenzahl wird durch die Zahl der »Abnahmen in 1 Streifen« geteilt und dann verdoppelt (da bei einer »Abnahme« 2 M eines Streifens verlorengehen), und das ergibt dann den Abstand zwischen 2 Abnehme-Reihen. Wird in umgekehrter Richtung gestrickt, sollen also die Streifen breiter statt schmäler werden, so wird nicht ab-, sondern zugenommen.

Plisseestreifen mit »Links«-Grund

Ausführung genau wie oben, die M zwischen den Relief-Maschen werden jedoch auf der Vorderseite li und auf der Rückseite r gestrickt. Bei den Abnehme-Reihen strickt man die 2 M vor und nach der Relief-Masche jeweils li zusammen.

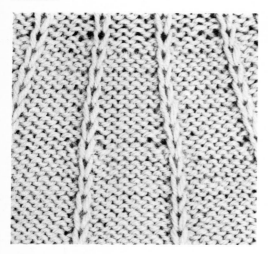

Der Abstand zwischen den Abnehme-Reihen hängt von der Höhe des Kleidungsstückes ab und muß jedesmal extra berechnet werden, siehe »Plisseestreifen mit Rechts-Grund«.

Sonnenplissee, »kraus« gestrickt

Die Streifen können beliebig breit begonnen werden. Angenommen, die Falten sollen 12 M breit sein, so muß die Maschenzahl durch 12 teilbar sein + 1 Masche + 2 Randmaschen.
1. Reihe: Randmasche, 1 M li, ⋆ 11 M r, 1 M li, ab ⋆ wdh., Randmasche.
2. Reihe: Randmasche, 6 M r, 1 M li, ⋆ 11 M r, 1 M li, ab ⋆ wdh. Die Reihe endet: 6 M r, Randmasche.
1. und 2. Reihe fortlaufend wiederholen.
Beim Abnehmen ist darauf zu achten, daß in den Hinreihen abwechselnd 1mal beiderseits jeder Glatt-rechts-Masche und 1mal beiderseits jeder Glatt-links-Masche 2 M r zus. gestrickt werden.

Detailarbeiten an Häkelstücken

Knopfloch

Je nach Größe des Knopflochs 3–5 Lftm. häkeln und ebenso viele M der Vorreihe übergehen. Bei der folgenden Reihe die Lftm. überhäkeln, d. h. in jede Lftm. 1 M häkeln. Beim senkrechten Knopfloch an der betreffenden Stelle erst die rechte, dann die linke Seite arbeiten und nach entsprechender Knopflochhöhe mit der folgenden Reihe die Öffnung wieder schließen.

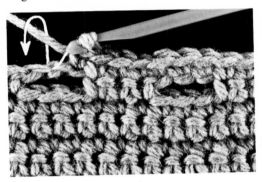

Armausschnitt

Je nachdem der Armausschnitt mehr oder weniger tief sein soll, beginnt man dem Schnitt entsprechend mit 3 bis 5 Km (auf der Abbildung 4 Km), hierauf 1 f.M., 1 h.Stb., 1 Stb., dann Fortsetzung des bisherigen Häkelmusters.
Wird der Pullover in festen Maschen gearbeitet, so läßt man selbstverständlich das halbe sowie das einfache Stb. weg.
Häkelt man zurück zum Ausschnitt, so geschieht dies nur bis vor das letzte Stb., die folg. Reihe beginnt wieder mit 1 Km, es folgt 1 h.Stb., 1 Stb. und dann wieder Fortsetzung des Musters. Geht der Ausschnitt noch tiefer, so übergeht man zu Beginn der Reihe die 1. Masche.

Abschlußarbeiten

Vernähen der Fäden

Ein neuer Faden darf nie innerhalb einer Reihe mit dem eben zu Ende gegangenen Faden verknotet werden! Knoten ergeben bei Handarbeiten immer einen unsauberen Gesamteindruck. Bei Strickstücken sollte die Mühe nicht gescheut werden, die Reihe bis zum Rand zurückzustricken. Die Fäden werden dann am Rand vernäht, indem von 5–10 Randmaschen jeweils auf der Arbeitsrückseite ein Glied umstochen wird. Wird in Runden gestrickt, verlegt man den Fadenwechsel bei Pullovern, Röcken usw. möglichst an die gedachten Seitennähte, bei Ärmeln zwischen Rundenbeginn und Rundenende = Ärmelinnenseite. Dann wird am Schluß die Arbeitsrückseite nach außen gedreht, der Knoten wieder aufgemacht, die Fäden verkreuzt und in Schlangenlinie vernäht, indem man nur die Hälfte einer Masche von oben nach unten durchsticht, den Faden durchholt und eine kleine Schlinge stehen läßt, dann die folgende Masche von unten nach oben durchsticht und dabei wieder nur die Hälfte des Maschenfadens erfaßt. Dies wird mehrmals wiederholt.

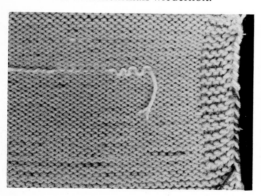

Vorbereitung zum Dämpfen

Damit ein Teil beim Dämpfen nicht seine Form verliert, wird es vorher mit besonderer Sorgfalt aufgesteckt. Das Aufstecken geschieht am besten auf einer dicken, nicht zu weichen Unterlage (Filz oder eine mehrfach zusammengelegte Wolldecke), über die noch ein weißes Tuch gebreitet wird.

Nun legt man die einzelnen Teile nacheinander auf die entsprechenden Schnitteile.

Die Einzelteile werden im Abstand von etwa 1 cm an den Rändern genau auf die Kante des Papierschnitts gesteckt. Die Stecknadeln sollten leicht schräg eingestochen werden, damit man auch gut darüberdämpfen kann.

Paßt das Stück nicht ganz genau auf den Schnitt, kann man durch leichtes Dehnen die gewünschte Form erreichen. Starkes Dehnen hat jedoch keinen Sinn, da so das Maschenbild verzerrt wird und außerdem im Gebrauch die Überdehnung reiner Wolle bald nachläßt – gedämpftes, überdehntes und synthetisches Garn bleibt für alle Zeiten weit. Alle Rundungen, wie Halsausschnitt oder Armausschnitt, müssen etwas eingehalten werden, bei Schulterschrägungen sollte man darauf achten, sie nicht zu verziehen. Knopflöcher werden mit zwei Stecknadeln in Form gesteckt.

Da elastische Ränder durch Dämpfen ihre Form verlieren, werden sie nicht mitgedämpft; man hält sie daher lediglich an der Ansatzlinie mit Stecknadeln fest. Als Bügeltuch eignet sich am besten ein weißer, saugfähiger Stoff. Da man sich das Dämpfen erschwert, wenn die Sohle des Bügeleisens verklebt ist, sollte man vorher nachsehen, ob sie nicht noch von Rückständen gereinigt werden muß. – Zum Reinigen von Bügeleisen gibt es im Fachhandel spezielle Bügeleisenreiniger.

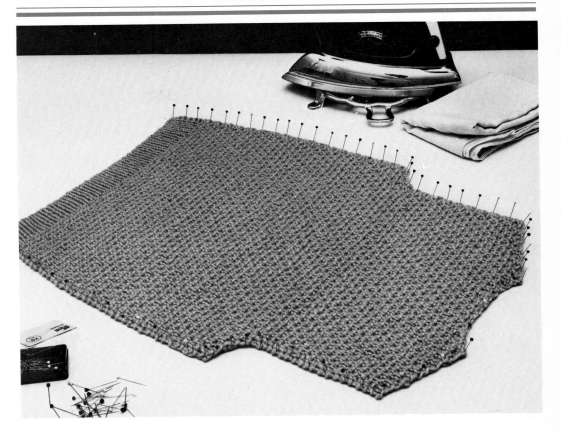

Dämpfen

Durch das Dämpfen erhalten die Einzelteile erst ihre endgültige Form.

Das feuchte Bügeltuch wird auf die aufgesteckten Teile gelegt. Dann fährt man mit dem nicht zu heißen Bügeleisen darüber, ohne aufzudrükken. Es soll also nur der Dampf auf die Wolle einwirken. Ein Drücken würde die Wolle völlig plattdrücken, während gerade die leichte Dampfbehandlung die ganze Fülle des Wollmaterials aufleben läßt und ein klares Maschenbild ergibt. Das Dämpftuch läßt man möglichst bis zum Trocknen auf dem Teil liegen.

Damit plastische Muster nicht ihre Form verlieren, werden sie nur mit einem feuchten Tuch bedeckt und nicht mit dem Bügeleisen behandelt. Das gilt auch für alle Strick- und Häkelstücke, die aus Mischgarnen oder synthetischen Garnen gefertigt wurden. Elastische Ränder, wie zum Beispiel Bündchen, werden überhaupt nicht gedämpft, da sie sonst ihre Elastizität verlieren würden.

Zusammennähen der Teile

Das richtige Zusammennähen der einzelnen Teile ist ganz entscheidend für Haltbarkeit und Sitz des Modells. Zusammengenäht wird immer nach dem Dämpfen, wobei man zweckmäßigerweise immer eine Nadel ohne Spitze verwenden sollte. Bevor mit dem Zusammennähen begonnen wird, müssen zunächst die Fäden sorgfältig vernäht werden; auch Knopflöcher und Taschen werden besser vorher schon ausgearbeitet.

Als Nähmaterial ist die Wolle zu verwenden, mit der vorher gearbeitet wurde. Ist sie zu dick, wird der Faden gespalten.

Die Nähte werden je nach Art des Strick- oder Häkelstückes mit exakten Stichen knappkantig – bei schön gestrickten Randmaschen direkt nach diesen – sonst höchstens 0,5 cm vom Rand entfernt zusammengenäht.

Steppnaht

Die Steppnaht ist in fast allen Fällen zu empfehlen, insbesondere für Seiten-, Ärmel- und Schulternähte sowie für das Einsetzen der Ärmel und für Rocknähte.

Es ist darauf zu achten, daß der Faden bei jedem Stich nicht so fest angezogen wird, damit die Naht entsprechend dem Gestrick elastisch bleibt.

Stricknaht

Die Stricknaht eignet sich besonders für die Teile, bei denen das Zusammenfügen nicht sichtbar sein soll, also zum Beispiel an Blenden und Besatzteilen.

Auch hier ist es wichtig, den Faden nicht so fest anzuziehen und ihn möglichst in der gleichen Spannung wie die einzelnen Teile zu halten.

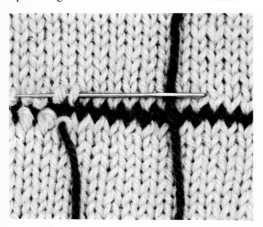

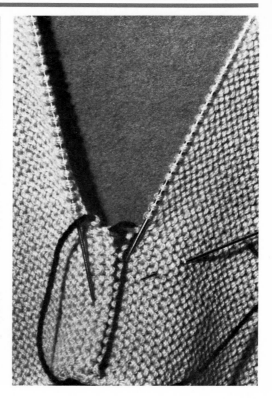

Verbinden von Glatt-rechts-Gestricken mit Maschenstichen

Beide Maschenreihen werden auf Stricknadeln gefaßt (der Deutlichkeit halber wurden die Maschen bei der Abbildung rechts oben nicht auf Nadeln gefaßt).

Da bei der oberen Nadel auf beiden Seiten noch je eine halbe Masche steht, hat die obere Nadel auch eine Masche weniger als die untere. Zuerst wird von unten in der ersten Masche von hinten nach vorn aufgestochen und die Masche abgehoben. Dann in die halbe Masche von vorn nach hinten eingestochen und sogleich die nächste Masche von hinten nach vorn auf die Nadel genommen, ausgezogen und die Masche abgehoben. Danach unten in die Masche, aus der man ausgestochen hat, von vorn nach hinten einstechen, die nächste Masche von hinten nach vorn auf die Nadel nehmen, ausziehen und Masche abheben. Dann wieder oben in die Masche, aus der man ausgestochen hat, einstechen, nächste Masche von hinten nach vorn auf die Nadel nehmen und ausziehen. – Diesen Vorgang fortlaufend wiederholen.

Verbindung von 1 M r/1 M li-Gestricken mit Maschenstichen

Diese Naht ist für Halsausschnittblenden, die am Rückenausschnitt miteinander verbunden werden sollen, geeignet. Rechts- und Linksmaschen jeder Reihe werden auf je eine Nadel (insgesamt vier Nadeln) gefaßt und parallel zueinander gelegt. Zuerst verbindet man die Rechtsmaschen der rechten Seite wie vorher beschrieben. Dann dreht man die Arbeit auf die linke Seite und verbindet die rechts erscheinenden Maschen gleichfalls mit Maschenstichen.

Knopfloch ausnähen

Wichtig für das gute Aussehen der Strickstücke ist das saubere Ausnähen der Knopflöcher.
Bei eingestrickten Knopflöchern, ob senkrecht oder waagrecht, werden die Knopflöcher mit der gleichen Wolle mit Knopflochstichen dicht ausgenäht. Ist die Wolle zu dick, wird sie geteilt. Will man in eine Kante nachträglich Knopflöcher einarbeiten, schneidet man in der Mitte des beabsichtigten Knopfloches einen Faden durch und zieht mit den entstehenden Fadenenden nach rechts und links entsprechend der Knopflochbreite die Maschen auf, so daß nach oben und nach unten offene Maschen entstehen. Die Fadenenden werden verstochen. Durch die offenen Maschen zieht man nun einen Wollfaden und näht die offenen Maschen wie oben beschrieben mit Knopflochstichen gleichmäßig aus.

Das nachträgliche Einarbeiten von Knopflöchern empfiehlt sich insbesondere bei glatt rechts gestrickten Kanten, die zur Hälfte nach innen geschlagen werden. Hier werden gleichmäßig von der vorderen Bruchkante entfernt die Maschen in Knopflochbreite einmal für die äußere Seite und einmal für den Umschlag aufgetrennt. Bei nach innen gelegtem Umschlag müssen die offenstehenden Maschen beider Teile genau übereinander kommen. Diese Maschen werden nun mit Maschenstichen ringsherum miteinander verbunden, d. h. die jeweils übereinanderliegenden Maschen der Vorder- und Rückseite werden mit Maschenstichen zusammengenäht. Ein Ausnähen ist nicht mehr notwendig, da durch den Maschenstich bereits eine saubere Kante entsteht.

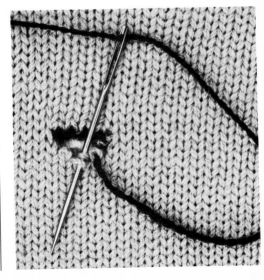

Reißverschluß einsetzen

Der vorhandene Schlitz, in welchen der Reißverschluß eingearbeitet werden soll, wird mit
dichten Maschen umhäkelt. Ist die verarbeitete
Wolle zu dick, wird sie geteilt. Beim Umhäkeln
hält man den Rand leicht ein. Der Reißverschluß darf nie zu lang sein, da er sich sonst
beim Tragen wellt.

Nach dem Einheften näht man den Reißverschluß mit farblich passender Nähseide mit
kleinen Steppstichen ein. Das Band des Reißverschlusses wird mit kleinen unsichtbaren
überwendlichen Stichen an das Strickstück genäht. Sehr sorgfältig ist der obere Rand des
Reißverschlusses an das Strickstück zu nähen.
Man schlägt dazu das überstehende Band nach
innen mit einer leichten Schrägung ein, schneidet den dadurch vorstehenden Bandteil seitlich
ab und näht das obere Ende ebenfalls mit überwendlichen Stichen fest.

Hat der obere Rand einen Umschlag, schiebt
man das Band des oberen Teiles des Reißverschlusses in den Hohlrand.

Die gleiche Verarbeitung gilt für teilbare Reiß-
verschlüsse. Besonders wichtig ist die richtige
Länge. Hier ist die Dehnfähigkeit des Gestricks
zu berücksichtigen, denn wie unschön ist eine
Jacke, bei der die Seitennähte länger herunter-
fallen, als es der Reißverschluß an der Vorderkante zuläßt. Ebenso unsauber sieht es aus,
wenn sich die Vorderkante in Wellen legt, weil
der Reißverschluß zu lang ist.

Besonders sauber sieht es aus, wenn man einen
ca. 2 cm breiten Streifen glatt rechts strickt und
auf der linken Seite über die Reißverschlußbän-
der mit unsichtbaren überwendlichen Stichen
annäht.

Zusatzdetails fertigen

Kordeln

Drehen einer Kordel

Hat man die Länge der fertigen Kordel errechnet, so verdreifacht man dieses Maß und wickelt vom Knäuel in der errechneten Länge mehrere Fäden ab, ohne sie auseinanderzuschneiden. Für eine mittelstarke Kordel braucht man 4–6 gleichmäßig lange Fäden. Die Kordel ist fertig dann 8–12fädig. Die Schlaufen an einem Ende dieses langen Stranges werden über eine Fenster- oder Türklinke gestreift, in die Schlaufen des anderen Endes steckt man eine Stricknadel oder einen Bleistift. Jetzt tritt man so weit zurück, daß der Strang straff gespannt ist, faßt mit der linken Hand dicht hinter den Bleistift und dreht diesen mit der rechten Hand so lange in einer Richtung herum, bis der Strang stark gedreht ist. Läßt man in der Spannung ein wenig nach, so müssen sich Knötchen bilden. Jetzt nimmt man den Bleistift heraus, lockert die Schlaufen ein wenig und schiebt sie ebenfalls auf die Klinke, dabei muß der Strang straff gespannt bleiben. In den Umbruch des Stranges steckt man den Bleistift und dreht ihn nun in entgegengesetzter Richtung. Dann nimmt man die Schlaufen von der Klinke, vernäht das Kordelende sorgfältig und beschneidet es.

Häkeln einer Kordel

Man beginnt mit 4 Lftm. und schließt diese zu einem Ring. In jede Lftm. wird 1 dichte M gearbeitet. Bei den folgenden 2–3 Reihen häkelt man in jede dichte M der Vorreihe wieder 1 dichte M. Es wird bis zum Schluß auf der Innenseite gehäkelt. Bei allen folgenden Reihen faßt man, von der Innenseite einstechend, das waagrechte Glied, welches zwischen 2 dichte M der Vorreihe auf der Außenseite liegt; dadurch entstehen spiralförmig laufende Rippen. Soll die Kordel stärker (dicker) werden, schlägt man entsprechend mehr Lftm. an.

Flechten einer Kordel mit zwei Farben

Man nimmt zwei in der Farbe zusammenpassende Wollfäden, legt sie in der Mitte kreuzweise so übereinander, daß der helle Faden oben liegt, und steckt mit einer Stecknadel die Wollfäden in diesem Kreuzungspunkt fest. Nun müssen die beiden dunklen Fadenenden nach oben und unten liegen, die beiden hellen nach rechts und links. Abwechslungsweise legt man nun die beiden dunklen Fäden über den Kreuzungspunkt der hellen Fäden und umgekehrt wie folgt: * Mit der dunklen Wolle den oben liegenden Faden nach unten über den Kreuzungspunkt legen, den unten liegenden Faden nach oben legen, mit der hellen Wolle den links liegenden Faden nach rechts legen, den rechts liegenden Faden nach links legen. Ab * wiederholen.

Soll die fertige Länge der Kordel 80 cm sein, so benötigt man von jeder Farbe etwa 200 cm (20 cm gehen durch dieses Flechten ein).

Knüpfen einer Kordel

Das Knüpfen wird mit beiden Enden des Wollfadens ausgeführt. Man wickelt die Wolle auf 2 Knäuel, ohne sie abzubrechen. Zuerst legt man in der Mitte des Arbeitsfadens 1 Schlinge, als wollte man 1 Anfangsmasche häkeln, steckt den Zeigefinger der rechten Hand hinein, hält die Kreuzung der Schlinge mit Daumen und

Mittelfinger der gleichen Hand fest. Es ist schon jetzt deutlich ein nach rechts und ein nach links laufender Arbeitsfaden zu erkennen. * Man holt nun mit dem Zeigefinger der linken Hand den linken Arbeitsfaden durch die Schlinge, in der der Zeigefinger noch steckt, und zieht diesen Faden zu einer neuen Schlinge hoch, und zwar sticht man immer so in die Schlinge, wie der Zeigefinger, auf dem die Schlinge liegt, hindurchzeigt (jetzt von rechts nach links).

Nun nimmt man den Kreuzungspunkt bzw. den Knoten zwischen Daumen und Mittelfinger der linken Hand, zieht den rechten Zeigefinger aus der Schlinge und zieht den rechten Arbeitsfaden mit der rechten Hand fest. Nun wird durch die linke Schlinge mit dem rechten Zeigefinger der rechte Arbeitsfaden zur neuen Schlinge heraufgeholt. Wieder fährt man dazu in die Schlinge in der Richtung wie der Zeigefinger zeigt (jetzt von links nach rechts). Hat man den Arbeitsfaden heraufgeholt, nimmt man auch den Knoten in die rechte Hand (zwischen Daumen und Mittelfinger), zieht den linken Zeigefinger aus der Schlinge und den linken Arbeitsfaden fest. Ab * wiederholen.

Man läßt den rechten bzw. linken Arbeitsfaden nie aus der Hand gleiten, sondern leitet ihn über Ringfinger und kleinen Finger.

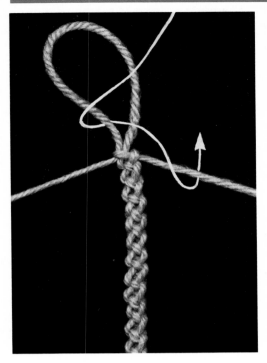

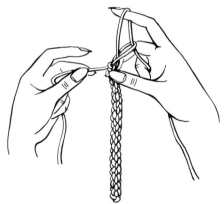

Fransen

Für Fransen schneidet man einen Kartonstreifen, dessen Höhe 1 cm mehr betragen sollte, als die fertigen Fransen lang werden, und wickelt um diesen gleichmäßig die Wolle (nicht spannen). – Je nach Stärke der Wolle wird für ein Fransenbündel mit 2–6 Umwicklungen gerechnet.

Das Fransenbündel wird auf einer Seite aufgeschnitten. Jedes Bündel Wolle knüpft man dann einzeln mit Hilfe einer Häkelnadel an. Mit der Häkelnadel durchsticht man von hinten nach vorn die Kante, faßt in der Mitte das Wollbündel und zieht dieses zu einer Schlinge auf die Rückseite. Durch diese Schlinge wird das Wollbündel geholt und der Knoten, der dadurch entsteht, gleichmäßig angezogen. Sind alle Fransen eingeknüpft, so werden sie unten noch gerade geschnitten.

Sollen mehrere Knüpfreihen gearbeitet werden, sind die Fransen entsprechend länger zu halten. Nach Fertigstellung der ersten Reihe wird die Hälfte der ersten Franse mit der nebenstehenden Hälfte der zweiten Franse im Abstand von ca. 2 cm vom Rand des Strickstückes entfernt verknüpft. Die zweite Hälfte der 2. Franse wird mit der nebenstehenden Hälfte der 3. Franse verknüpft usw. Dieser Vorgang läßt sich in einer neuen Reihe wiederholen.

Quasten

Man schneidet einen Karton zurecht, der der Länge der fertigen Quaste entspricht. Um diesen Karton wickelt man gleichmäßig die Wolle, um so öfter, je dicker die Quaste werden soll.

Dann bindet man mit dem Ende der Wolle das Wollbündel an der oberen Kante mit einigen Knoten gut ab und häkelt daran einige Luftmaschen. Am unteren Rand des Kartons wird die Wolle durchgeschnitten und der Karton entfernt.

Mit einem neuen Wollfaden bindet man die Quaste ½–3 cm, ganz entsprechend der Größe, weiter unten ab, umwickelt sie mehrmals und vernäht den Faden.

Pompons

Je nach gewünschter Größe schneidet man 2 runde Pappscheiben, die in der Mitte eine runde Öffnung haben und genau aufeinanderpassen, oder man verwendet das INOX-Pompon-Set. Mit mehrfacher Wolle werden die Pappscheiben umnäht, bis das Loch fest angefüllt ist, so daß man mit der Nadel nicht mehr durchstechen kann. Dann wird zwischen den beiden Pappscheiben die umwickelte Wolle durchgeschnitten.

Mit doppelter Wolle bindet man zwischen den beiden Pappscheiben die nun aufgeschnittenen Wollfäden fest. Den Bindefaden kann man reichlich lang nehmen, da er später zum Annähen der Pompons oder zum Schnürchendrehen benutzt wird.

Nachdem fest abgebunden ist, durchschneidet man die Pappscheiben und löst sie heraus.

Pompons mit farbigen Ringen entstehen, wenn man die verschiedenen Farben immer reihenweise auf die Pappscheiben näht, getupfte Pompons, wenn man die Grundfarbe an mehreren Stellen der Pappscheibe mit einer Schmuckfarbe etwa 20mal umnäht.

Oft müssen die Pompons noch gleichmäßig rund geschnitten, und damit sie die richtige Form erhalten, auch noch über Wasserdampf gehalten werden.

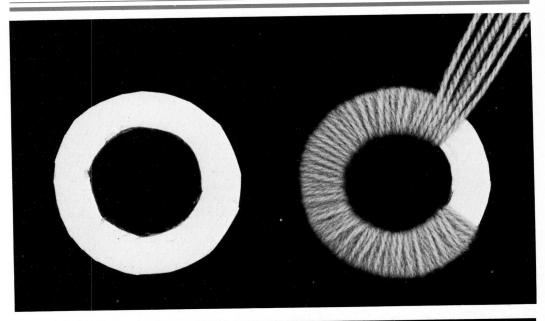

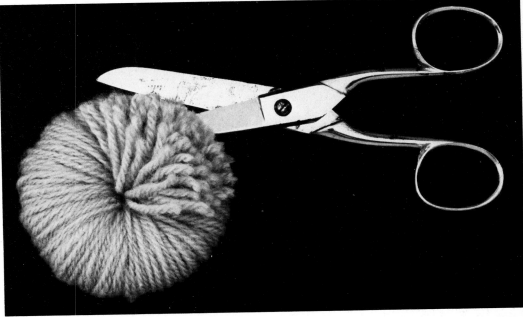

Stricken von Einzelteilen

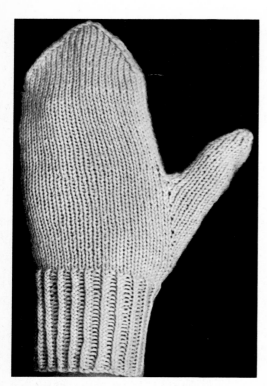

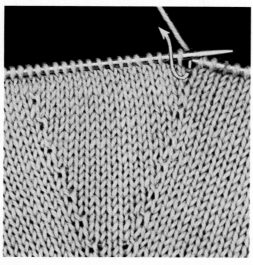

Kinderfausthandschuhe (für 8–10 Jahre)

Material: 80 g mittelstarke Wolle, 1 Spiel Strumpfstricknadeln 2½ mm.

Anschlag: 42 M. Man strickt das Bündchen im Rippenmuster 1 M r verdr./1 M li. Nachdem das Bündchen etwa 6 cm (25 Runden) hoch ist, werden 7 Runden rechts gestrickt. Nun mit dem Spickel für den Daumen beginnen.

Es wird zu Beginn der 1. Nadel 1 M zugenommen (das waagrechte Zwischenglied wird heraufgeholt und verdreht abgestrickt), 1 M gestrickt und wieder 1 M zugenommen. Hierauf folgen 2 Runden, ohne zuzunehmen. Dann wird rechts und links von den zuerst zugenommenen M abermals zugenommen; man nimmt also gleich zu Beginn der Nadel zu, strickt 3 M und nimmt wieder zu. Es folgen abermals 2 Runden, dann rechts und links von den zuletzt zugenommenen M 1 M zunehmen. Dies wird so lange fortgesetzt, bis der Spickel etwa ⅓ der Anfangsmaschen zählt (bei unserem Handschuh sind dies 15 M).

Für den Daumen sämtliche Maschen vom Spickel auf 3 Nadeln verteilen und dazu werden noch 5 weitere M mit einem Hilfsfaden angeschlagen. Dann strickt man den Daumen in der Runde, die 5 angeschlagenen M nimmt man in jeder 2. Runde in Spickelform wieder ab. Die 1. neuangeschlagene M wird mit der M davor r verdr. zus.gestr. Die 5. neu angeschlagene M wird mit der M danach r zus.gestr. Dies in folgender 2. Runde noch 1mal wiederholen (16 M). 13 Runden darüberstr. (Die Länge des Daumens stimmt für gewöhnlich mit der Länge des Spickels überein.) Man schließt in der Weise, daß 2 M zwischen das Abnehmen und nach diesem 2 Runden, dann 1 M zwischen das Abnehmen und nach diesem 1 Runde gestrickt werden. Die letzten 4 bis 6 M von links zusammenziehen.

Nach Vollendung des Daumens werden die zum Spickelchen angeschlagenen 5 M (nachdem der Anschlag aufgetrennt ist) aufgefaßt und den übrigen M angereiht. Wie beim Dau-

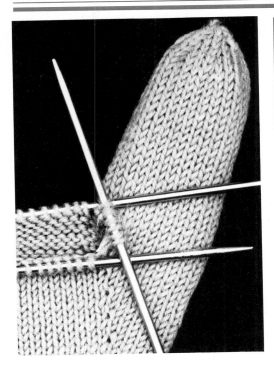

men, so werden sie auch hier wieder in Spickelform abgenommen.

Zur Handfläche braucht man vom Bund bis zum Abnehmen 58 Runden.

Die Abbildung zeigt das Abnehmen. Es werden auf der ersten Nadel die 2. und 3. M zusammengestrickt, auf der zweiten Nadel die drittletzte und vorletzte M, auf der dritten Nadel die 2. und 3. M und auf der vierten Nadel die drittletzte und vorletzte M. Abgenommen wird in jeder 2. Runde.

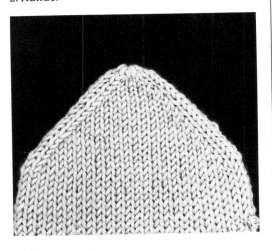

Damenfingerhandschuhe

Material: Nomotta Regia 4fach 100 g je 1 Spiel PERL-INOX-Strumpfstricknadeln 2 mm und 2½ mm

Rechter Handschuh: Mit dem dünneren Nd.-Spiel 60–64 M anschl. und ca. 30 Rd. 1 M r verdr., 1 M li im Wechsel str. Danach mit dem dickeren Nd.-Spiel rechts weiterarb. und nach 8–10 Rd. mit dem Daumenspickel beginnen. Die Breite des Spickels beträgt ein Drittel der Gesamtmaschenzahl, also

$$60\,M : 3 = 20\,M + 1\,M = 21\,M$$

Zugenommen wird wie beim Kinderfausthandschuh. Für den Daumen die 21 Spickelmaschen auf 3 Nadeln verteilen und dazu für den kleinen Daumenspickel noch 5 M neu anschl. = insges. 26 Maschen. Rechts in der Runde weiterstr. und in 2. folg. Runde die 1. neuangeschl. M mit der M davor r verdr. zus.str. und die letzte neuangeschl. M mit der M danach r zus.str. 1 Runde darüberstr. und in 2. folg. Rd. in gleicher Weise abn. = 22 Maschen. Nach etwa 13–15 Runden – je nach Daumenlänge – den Daumen schließen. In folg. Rd. abwechselnd 1 M str., 2 M r zus.str., dann 1 Runde darüberstr. und in folg. Runde stets 2 M r zus.str., 1 Rd. darüber und die restl. Maschen mit dem Arbeitsfd. zus.ziehen.

Nach Beendigung des Daumens werden die 5 M vom Spickelchen aufgefaßt und zu den übrigen 59 M dazugenommen = 64 M. Wie beim Daumen, werden von diesen 5 M wieder 4 M

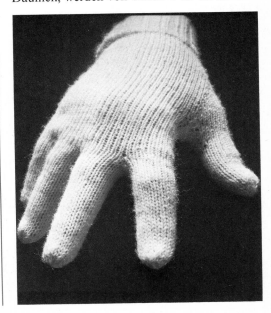

abgenommen = 60 M. Nun etwa 18 Runden
str., dann von 4. Nd. 4 M auf die 1. Nd. und von
2. Nd. 4 M auf die 3. Nd. nehmen, damit der
Daumen auf der inneren Handfläche liegt. Bei
der Maschenverteilung für die 4 Finger nimmt
man für den Zeigefinger 4 Maschen mehr. Diese
4 Maschen von der Gesamtmaschenzahl abgezogen und den Rest durch 4 geteilt ergibt die
Maschenzahl für je 1 Finger.

$$\text{Beispiel: } 60 \text{ M} - 4 \text{ M} = 56 \text{ M}$$
$$56 \text{ M} : 4 \quad = 14 \text{ M}$$

Für den Zeigefinger nimmt man 14 M + 4 M =
18 M und für den Mittel-, Ring- und kleinen
Finger je 14 M.
Zuerst den kleinen Finger wie folgt str.: Je 7 M
von 2. und 3. Nadel nehmen und dazwischen
2 M neu anschl. = insges. 16 M. Die M auf
3 Nadeln verteilen und bis zur erforderlichen
Länge str., dann wie beim Daumen zur Spitze
abnehmen. Aus den neuangeschl. M 2 M auffassen, zu den übrigen 46 M dazunehmen =
48 M und 2 Runden über alle Maschen stricken.
Ringfinger: 2 M aus den neuangeschl. M auffassen, je 7 M von innerer Handfläche und vom
Handrücken und dazwischen 3 M neu anschl.
= 19 M. Bis zur erforderlichen Länge str., dann
zur Spitze abnehmen.
Mittelfinger: 3 M aus den neu angeschl. M auffassen, je 7 M von innerer Handfläche und vom
Handrücken, dazwischen 3 M neu anschl. = 20
M.
Zeigefinger: 3 M aus den neuangeschl. M auffassen, restl. 18 M dazunehmen und mit insges.
21 M arb., dann zur Spitze abnehmen.
Linken Handschuh entgegengesetzt stricken.

Stricken eines Strumpfes

Nähtchen und Wadenabnehmen bei rechtsgestrickten Strümpfen

Bei handgestrickten Strümpfen wird gern als
hintere Naht das Nähtchen gearbeitet. Es wird
hier die letzte Masche der 4. Nadel bei jeder 2. Reihe links gestrickt. Von der Wade nach
unten bis zur Ferse wird der Strumpf durch-
schnittlich um ein Viertel enger, wozu man Maschen abnehmen muß. Abgenommen werden
2 Maschen in einer Runde, und zwar zu beiden
Seiten des Nähtchens je 1 Masche. Das Abnehmen wird zuerst auf der 4. und dann auf der
1. Nadel ausgeführt. Die 4. Nadel wird bis auf
4 Maschen abgestrickt, die beiden nächsten Maschen werden rechts zusammengestrickt, es
folgt 1 Masche rechts, Nähtchen. Auf der 1. Nadel zuerst 1 Masche rechts str., folgende Masche
abheben, nächste Masche rechts stricken und
die abgehobene Masche darüberziehen. Zwischen den einzelnen Abnehmerunden werden
6–10 Runden glatt rechts gestrickt.

Wadenabnehmen ohne Nähtchen:
4. Nadel: bis auf die letzten 3 Maschen stricken,
die beiden folgenden Maschen rechts zusammenstricken, 1 Masche rechts.
1. Nadel: 1 Masche rechts, die folgende Masche
abheben, 1 Masche rechts stricken und die abgehobene Masche überziehen. Die Nadel rechts
zu Ende stricken.

Ferse

Zur Ferse benötigt man die Hälfte der Maschenzahl. Mit dem Stricken der Ferse wird in hinterer Mitte begonnen, die 1. Nadel gestrickt, gewendet, die 1. und 4. Nadel gestrickt, gewendet und so fort. Die gewöhnliche Ferse zeigt auf beiden Seiten neben der Randmasche ein Doppelnähtchen. Man strickt auf der Vorderseite die beiden letzten Maschen vor der Randmasche der 1. Nadel und die 2 ersten Maschen nach der Randmasche der 4. Nadel stets links ab. Auf der Rückseite wird durchweg links gestrickt. Die Ferse erhält so viele Doppelnähtchen oder Randmaschen, wie die Hälfte der Anfangsmaschenzahl der Ferse beträgt. Bei einer glatten Ferse strickt man die Vorderseite rechts und die Rückseite links. Die Abbildung zeigt die Ferse mit seitlichen Nähtchen. Die erste und letzte Masche ist eine einfache Randmasche.

Vierteiliges Käppchen

Beim vierteiligen Käppchen wird die Maschenzahl einer Nadel in 4 Teile geteilt. Der 1. Teil wird »glatt rechts« gestrickt, der 2. Teil wird maschenweise dazugestrickt und die beiden anderen Teile gehen durch Zusammenstricken auf. Mit dem Stricken des Käppchens wird auf der Vorderseite in der Mitte begonnen. Beispiel: es sind 16 Maschen auf der Nadel; ¼ = 4 Maschen. Also 4 Maschen stricken, Arbeit wenden, 1 Masche links abheben, 7 Maschen links, Arbeit wenden, 1. Masche rechts abheben, 3 Maschen rechts stricken. In der 2. Reihe werden auf jeder Nadel 5 Maschen gestrickt und dann wird die Arbeit gewendet. In der 3. Reihe 6 Maschen stricken (also stets eine Masche über die Lücke, die durch das Wenden der Arbeit entstanden ist) und dann die Arbeit wenden, abheben und zurückstricken. So fortfahren, bis vor und nach der Lücke gleichviel Maschen sind, bei dem Beispiel 8 Maschen vor der Lücke und 8 Maschen danach. Von jetzt an wird immer 1 Masche vor der Lücke mit 1 Masche nach der Lücke zusammengestrickt, und zwar auf der Vorderseite verdreht und auf der Rückseite links. Ausführung des Abnehmens: Sollen die Maschen verdreht zusammengestrickt werden, so wird von der Seite nach hinten in 2 Maschen eingestochen, der Arbeitsfaden wird geholt und durch beide Maschen zugleich durchgezogen. Soll links abgenommen werden, so strickt man 2 Maschen links zusammen. Nach dem Abnehmen wird die Arbeit wieder gewendet und die 1. Masche abgehoben, wie oben erwähnt. Dies wird wiederholt, bis die Maschen nach der Lücke durch Abnehmen aufgebraucht sind.

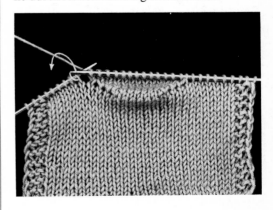

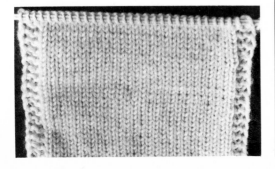

Dreiteiliges Käppchen

Das dreiteilige Käppchen wird auf der Vorderseite in der Mitte der Ferse begonnen. Die Maschen einer Fersennadel werden in 3 Teile geteilt. Man strickt beispielsweise bei 18 Maschen 6 Maschen rechts, die 7. und 8. Masche rechts verdreht zusammen und wendet die Arbeit. Dadurch entsteht eine Lücke. Die 1. Masche hebt man links ab und strickt links zurück bis zur Mitte und von der anderen Nadel noch 6 Maschen dazu. Die 7. und 8. Masche strickt man auf dieser Seite links zusammen. Die Arbeit wenden, die 1. Masche rechts abheben und rechts stricken bis 1 Masche vor der Lücke. Von jetzt an wird immer die Masche vor und nach der Lücke auf der Vorderseite rechts verdreht und auf der Rückseite links zusammengestrickt, bis die Maschen des 1. und 3. Drittels aufgebraucht sind.

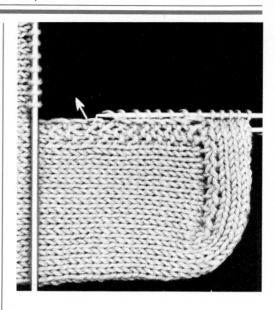

Verbindung von Ferse und Spann

Hierzu werden die Randmaschen längs der Ferse aufgefaßt. Man verteilt die Käppchenmaschen auf 2 Nadeln. Jede Nadel faßt an der Ferse abwärts die Maschen auf, und zwar stets das hintere Glied der Randmasche. Dieselben werden bei der ersten Runde verdreht abgestrickt. Damit in den Ecken, an denen sich die Randmaschen mit den Maschen der Spannadeln treffen, keine Löcher entstehen, kann je 1 Querglied aufgefaßt werden.

Man kann auch die Randmaschen aufstricken. Es werden dabei beide Glieder von vorn nach hinten gefaßt, dann wird der Faden geholt und durchgezogen. Wenn man kein Doppelnähtchen strickt, ist diese Art vorzuziehen.

Spickelabnehmen

Nachdem die Maschen von Ferse und Spann wieder in einer Runde liegen, strickt man 2 Runden rechts. Nun beginnt das Spickelabnehmen auf der 1. und 4. Nadel. Die 1. Nadel strickt man bis zur drittletzten Masche, dann werden die dritt- und zweitletzte Masche rechts zusammen – und die letzte Masche rechts gestrickt. Auf der 4. Nadel strickt man 1 Masche rechts, die 2. und 3. Masche rechts verdreht zusammen. Diese Abnehmerunde wird für gewöhnlich so oft wiederholt, bis man wieder so viele Maschen hat wie vor Beginn der Ferse. Über die Abnehmerunden werden 2 Runden glatt rechts gestrickt.

Einfache Strumpfspitze

Beim Schlußabnehmen soll auf jeder Nadel zweimal abgenommen werden, einmal in der Mitte und einmal am Ende jeder Nadel. Beispiel: es befinden sich 18 Maschen auf einer Nadel.

1. Abnehmerunde: 7 Maschen stricken, abnehmen, 7 Maschen stricken, abnehmen usf., 7 Runden darüber;
2. Abnehmerunde: 6 Maschen stricken, abnehmen usf., 6 Runden darüber;
3. Abnehmerunde: 5 Maschen stricken, abnehmen usf., 5 Runden darüber;
4. Abnehmerunde: 4 Maschen stricken, abnehmen usf., 4 Runden darüber;
5. Abnehmerunde: 3 Maschen stricken, abnehmen usf., 3 Runden darüber;
6. Abnehmerunde: 2 Maschen stricken, abnehmen usf., 2 Runden darüber;
7. Abnehmerunde: 1 Masche stricken, abnehmen usf., 1 Runde darüber.

Von jetzt an wird ohne Zwischenrunde abgenommen, bis die Runde noch 8 Maschen zählt, dann wird der Faden abgebrochen und mit einer Straminnadel durch die Maschen gezogen. Durch die ersten 2 Maschen muß der Faden nochmals durchgeführt werden. Auf der Rückseite wird der Arbeitsfaden vernäht.
Dieses Schlußabnehmen heißt Kreisabnehmen.

Einfaches Schlußabnehmen

Bei diesem Abnehmen wird auf jeder Nadel nur einmal abgenommen, indem man am Schluß der Nadel die zweit- und drittletzte Masche zusammenstrickt. Bei dem 1. Drittel der Abnehmerunde folgen auf jede Abnehmerunde 2 Runden glatt, bei dem 2. Drittel über jede Abnehmerunde 1 Runde glatt. Beim letzten Drittel wird in jeder Runde abgenommen, bis in der Runde noch 8 Maschen sind, die zum Schließen des Strumpfes bleiben. Um die Abnehmerunden berechnen zu können, werden zu Beginn 8 Maschen von der Maschenzahl abgezogen. Zählt die Runde z. B. 68 Maschen, so sollen durch Abnehmen 60 Maschen verlorengehen. In einer Abnehmerunde verliert man 4 Maschen, das sind bei 15 Abnehmerunden 60 Maschen. Das Abnehmen verteilt man also auf folgende Weise: 5mal über die Abnehmerunde je 2 Runden glatt, 5mal über die Abnehmerunde je 1 Runde glatt, 5 Abnehmerunden ohne glatte Zwischenrunden.

Bandförmiges Schlußabnehmen

Dieses wird am Schluß der 1. Nadel und am Anfang der 2. Nadel, am Schluß der 3. Nadel und am Anfang der 4. Nadel ausgeführt.
Die 1. Nadel bis auf 3 oder 4 Maschen stricken, je nachdem, ob man das Band 2 oder 4 Maschen breit wünscht, dann rechts abnehmen, 1 oder 2 Maschen stricken.
2. Nadel: 1 oder 2 Maschen stricken, verdreht abnehmen. Die 3. und 4. Nadel wird ebenso gestrickt wie die 1. und 2. Nadel. Damit sich das verdrehte Abnehmen schöner legt, kann man zuerst die beiden Maschen eine nach der andern rechts abheben, mit der linken Nadel in die beiden Maschen von der Seite wieder einstechen und verdreht abstricken. Über die erste Abnehmerunde strickt man 3 Runden, über die 2. und

3. Abnehmerunde 2 Runden und über die 4., 5.
und 6. Abnehmerunde je 1 Runde glatt. Von
jetzt an wird in jeder Runde abgenommen, bis
außer der Bandbreite zu beiden Seiten noch 1
oder 2 Maschen stehen. Nun faßt man die Maschen der 1. und 4. Nadel sowie die Maschen
der 2. und 3. Nadel auf je eine Nadel und verbindet die gegenüberliegenden Maschen durch
eine Stricknaht oder durch Zusammenstricken
auf der Rückseite.

Herrensocken (Größe 9)

Material: 100 g Strumpfwolle, 1 Spiel Strumpfstricknadeln 2 mm.
Anschlag: 68–72 Maschen. Bis zur Ferse werden 13–14 cm im Rippenmuster 1 Masche
rechts verdreht, 1 Masche links gestrickt. Vor
der Ferse werden 4–5 Runden rechts gestrickt,
wobei in der 1. Runde auf jeder Nadel eine Masche abgenommen wird. Die Fersenhöhe zählt
10–11 Zöpfchen oder Doppelnähtchen. Die
Länge ab Ferse bis zur Strumpfspitze mißt man
an einem passenden Strumpf. – Käppchen,
Spickelabnehmen, Strumpfspitze siehe Seiten
339 bis 341.

Ausbessern von Strickstücken

Stopfen im Maschenstich

Stopfen im Maschenstich eignet sich für nicht zu feines Gestrick und für kleinere Löcher.

Zuerst schneidet man das Loch sauber aus, legt die Maschen am oberen und unteren Rand frei und trennt an den Enden noch 1–2 Maschen weiter auf. Die freigelegten Maschen faßt man am besten auf zwei Sicherheitsnadeln. Die seitlichen freien Ränder biegt man in einer senkrechten Maschenreihe auf die Rückseite um.

Dann werden die Spannfäden von Masche zu Masche senkrecht über das Loch hinweg gezogen. Dazu nimmt man möglichst dieselbe Garnart.

Bei der ersten freistehenden Masche sticht man in der rechten unteren Ecke aus, macht einen großen Maschenstich hoch und faßt die freie Masche am oberen Rand des Loches. Auf diese Weise füllt man das Loch mit großen Maschenstichen aus.

Beim Übernähen beginnt man wieder in der rechten unteren Ecke jeweils zwei Maschen vor den Spannfäden und endet auch zwei Maschen nach ihnen. Zum Nähen eignet sich besonders eine Stopfnadel ohne Spitze: Man sticht unter den beiden ersten Fäden durch und sticht wieder in die darunter liegende Masche ein, aus der vorher ausgestochen wurde. Dabei müssen die Maschen so angezogen werden, daß sie ebenso groß wie die Maschen des Gestricks sind. Es ist darauf zu achten, daß man nicht in die Spannfäden einsticht, da diese zum Schluß wegen der Elastizität wieder herausgezogen werden. Beim Umkehren am Ende der Reihe wird die letzte Masche wie die anderen gebildet. Für den Anfang der zweiten Reihe sticht man dann aber senkrecht über der letzten Masche wieder aus. Die ganze Arbeit wird nun gedreht, so daß man wieder von rechts nach links arbeiten kann. Beim Ein- und Ausstechen in der Masche der Vorreihe sticht man immer zwischen die beiden Spannfäden, während man für die neue Masche wieder unter den beiden durchstich.

Bei der letzten Reihe wird in die Masche vom oberen Rand eingestochen. Da der Rand durch das Übernähen gut befestigt ist, können Fäden und Maschen an den Rändern der Rückseite abgeschnitten und die Spannfäden herausgezogen werden.

Einstricken

Läßt sich ein Loch nicht mehr durch Stopfen schließen, muß das fehlende Teil eingestrickt werden.

Für das Einstricken wird das Loch zunächst in eine eckige Form gebracht, wobei nur so viele Maschen und Reihen aufgelöst werden, wie unbedingt erforderlich sind. Dann faßt man die Maschen auf und strickt die fehlenden Reihen ohne Randmaschen nach. Wieder geschlossen wird die Arbeit durch den Maschenstich, wobei man zur Arbeitserleichterung die Maschen auch von der Nadel auf einen Hilfsfaden auffädeln kann. Die Schlitze an den seitlichen Rändern werden von der Rückseite her verbunden.

Das Einstricken einer Ferse erfordert etwas mehr Erfahrung.

in der Mitte gezählt. Nun wird mit den aufgefaßten Maschen der ersten zwei Nadeln die Ferse gestrickt, wobei diese so viele Randmaschen bzw. Reihen in der Höhe wie die alte Ferse haben muß. Es folgt das Käppchen und das Maschenauffassen bei den Randmaschen. Die aufgefaßten Maschen werden in der folgenden Reihe verdreht abgestrickt. Nach einer weiteren Reihe über die Fersen-Anschlußmaschen werden diese mit den stillgelegten Sohlenmaschen im Maschenstich miteinander verbunden.

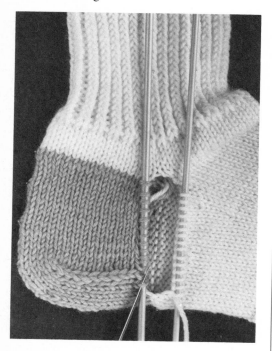

An dem zu reparierenden Strumpf werden die Maschen der Reihe, mit welcher die Ferse begonnen wurde, aufgetrennt und auf zwei Nadeln gefaßt. Dabei beginnt man in rückwärtiger Strumpfmitte. Die dritte Reihe nach der Ferse wird bei den Sohlenmaschen ebenfalls aufgetrennt, wobei in Sohlenmitte begonnen wird. Diese Maschen werden auf Nadeln gefaßt und stillgelegt. An der herausgetrennten Ferse werden die Randmaschen und die Sohlenmaschen

Kürzen und Verlängern

Beim Kürzen von Strickstücken mit Bündchen wird die gewünschte Länge markiert (Bündchen berücksichtigen!) und an der markierten Stelle eine Reihe aufgetrennt. Dann werden die Maschen oberhalb der Trennreihe auf eine Hilfsnadel stillgelegt, beim anderen Teil wird bis zur 1. Grundmusterreihe über dem Bündchen aufgetrennt und die Maschen auf eine Nadel oder einen Hilfsfaden genommen. Die Maschen beider Teile verbindet man im Maschenstich.

Bei Strickstücken ohne Bündchen kann ebenso bei gewünschter Länge eine Reihe aufgetrennt werden. In diesem Fall werden die Maschen des oberen Teiles auf eine Nadel gefaßt und abgekettet.

Beim Verlängern von Strickstücken, die ein Bündchen haben, trennt man die 1. Reihe nach dem Bundmuster auf, nimmt die Maschen der 2. Reihe auf einen Hilfsfaden und läßt dieses Teil ruhen. Die Maschen der letzten Bundmusterreihe werden auf eine Nadel gefaßt und im Grundmuster so viele Zentimeter gestrickt, wie

zur Verlängerung notwendig sind. Dann werden diese Maschen mit den Hilfsfadenmaschen im Maschenstich verbunden. Eine andere Möglichkeit besteht darin, die Grundmustermaschen der 2. Reihe auf eine Nadel zu fassen und entgegengesetzt zur ehemaligen Strickrichtung die benötigte Länge und das Bündchen anzustricken.

Bei Glatt-rechts-Gestricken ohne Bündchen wird einfach die unterste Reihe aufgetrennt, die Maschen werden auf eine Nadel genommen und die benötigte Länge kann angestrickt werden.

Pflege von Wollsachen

Durch eine sorgfältige Pflege läßt sich die Lebensdauer und Tragfähigkeit der Wollsachen um vieles verlängern.

Die Pflege beginnt schon bei der Aufbewahrung: Wollsachen werden grundsätzlich nicht über einen Bügel gehängt, da sie sich sonst durch das Eigengewicht verziehen. Alle hellen Kleidungsstücke sollte man zusätzlich in einer Schutzhülle aufbewahren, um Staubkanten an den Brüchen zu vermeiden.

Zum Waschen empfiehlt Schachenmayr die Woolite Kaltwaschpflege, die in Textil- und Handarbeitsgeschäften erhältlich ist.

Nachfolgend einige Tips fürs Wolle-Waschen:

Zwei Verschlußkappen Woolite-Kaltwaschpflege in 4–6 Liter kaltes Wasser geben.

Das Waschgut drei Minuten einweichen lassen, dabei mehrmals gut durchdrücken, aber nicht reiben; anschließend in kaltem Wasser gründlich klarspülen.

Leicht ausdrücken – nicht wringen – und in Frottiertuch einrollen und nochmals vorsichtig durchdrücken, in Form bringen und flachliegend trocknen lassen.

Wenn nötig, von links mit feuchtem Tuch bügeln.

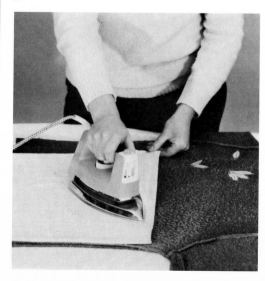

Abkürzungen

M	=	Masche
Lftm.	=	Luftmasche
f. M	=	feste Masche, dichte Masche
Stb.	=	Stäbchen
Km.	=	Kettenmasche
Randm.	=	Randmasche
Hilfsnd.-M	=	Hilfsnadelmasche
r	=	rechte Masche
li	=	linke Masche
str.	=	stricken
abn.	=	abnehmen
zun.	=	zunehmen
umschl.	=	umschlagen
Umschl.	=	Umschlag
abh.	=	abheben

r abh. = rechts abheben (d. h. einstechen wie zu einer r M, der Faden liegt hinter der Arbeit)

li abh. = links abheben (d. h. einstechen wie zu einer li M, der Faden liegt hinter der Arbeit)

überz.	=	überziehen
verdr.	=	verdreht
verkr.	=	verkreuzt
zus.	=	zusammen
anschl.	=	anschlagen
Grundfb.	=	Grundfarbe
Schmuckfb.	=	Schmuckfarbe
Ms	=	Mustersatz

r verdr. M = rechts verdrehte Masche, d. h. von der rechten Seite in das hintere Maschenglied einstechen und abstricken wie eine rechte Masche.

li verdr. M = links verdrehte Masche, d. h. von links hinten in das hintere Maschenglied einstechen und links abstricken.

2 M li verdr. zus.str. = 2 Maschen links verdr. zusammenstricken, d. h. Faden vor die rechte Nadel legen, dann die hinteren Maschenglieder von hinten fassen und links zusammenstricken.

doppelt abnehmen im Wechsel = 1 M abh., 2 M zus.str., die abgehobene M überziehen.

im Wechsel = eine kleine Maschengruppe fortlaufend wiederholen, z. B. 2 M r, 2 M li im Wechsel.

ab ⋆ wiederholen = eine größere Maschengruppe (Mustersatz) fortlaufend wiederholen. Diese größeren Gruppen sind in Zeichen eingeschlossen.

Umschlag/ umschlagen = beim Häkeln das Fadenholen; beim Stricken zur Bildung von Lochmustern und zum Patentstricken, der Faden wird dabei wie zur Bildung einer Linksmasche über die abstrickende Nadel gelegt.

Muster versetzen = den Mustersatz bei der Wiederholung so verschieben, daß er über den Zwischenräumen der darunterliegenden Mustersätze liegt.

Zeichenerklärung

Stricken

	rechte Masche
I	rechte Masche
—	linke Masche
U	Umschlag
	2 M r zus.str.
	2 M durch Überziehen zus.str. (= 1 M abh., 1 M r str. und die abgehobene M überziehen).
	1 M abheben, 2 M r zus.str. und die abgeh. M überziehen.
	1 M abheben, 1 M li str. und die abgehobene M überziehen.
a	1 M li abheben, 2 M li zus.str. und die abgeh. M überziehen.
∧	1 M li abheben, 2 M r verdr. zus.str. und die abgehobene M überziehen.
■	2 M zus. r abheben, folg. M r str. und die abgeh. M überziehen.
	1 M abheben, 2 M r str. und die abgeh. M überziehen.
◇	1 M r verdr.
	1 M abheben, 1 M r verdr. str. und die abgeh. M überziehen.
◆	1 M li verdr.
V	aus dem Zwischenglied 1 M r verdr. herausstr.
∩	1 M li abheben (Faden hinten).
	1 M li abheben (Faden vorn).

	2 M r verdr. zus.str.
	3 M r verdr. zus.str.
	2 M li zus.str.
	2 M li verdr. zus.str.
∪	2 M li abheben (Faden hinter den M).
∩	2 M li abheben (Faden vor den M).
∧	3 M r zus.str.
	3 M li zus.str.
	aus 1 M 1 r M und 1 r verdr. M herausstr.
	aus 1 M 3 M herausstr., und zwar 1 M r, 1 M r verdr., 1 M r oder 1 M r, 1 M li, 1 M r.
	die Randmasche mit folg. M r zus.str.
	die letzte M mit der Randmasche abheben und in folg. Reihe li zus.str.
+	1 Randmasche
	aus dem Umschlag der Vorreihe 2 M herausstr., und zwar 1 M li, 1 M r.
f	1 M fallen lassen.
~	Umschläge der Vorreihe fallen lassen.
	den Umschlag der Vorreihe li abheben.

den doppelten Umschlag der Vorreihe als 1 Umschlag li abheben.

aus 1 M 5 M herausstr., und zwar 1 M r, 1 M r verdr., 1 M r, 1 M r verdr., 1 M r (oder 1 M r, 1 M li im Wechsel)

5 M zus.str. wie folgt: die ersten 3 M auf die rechte Nd. nehmen und die beiden ersten M über die 3. M ziehen, diese dann wieder auf die linke Nd. nehmen und die 4. und 5. M über die 3. M ziehen, diese dann r str.

aus 1 M 4 M herausstr., und zwar 1 M r, 1 M r verdr., 1 M r, 1 M r verdr. (oder 1 M r, 1 M li im Wechsel)

4 M zus.str. wie folgt: die ersten 2 M auf die rechte Nd. nehmen und die beiden folg. M r zus.str., dann die beiden M von der rechten Nd. nacheinander darüberziehen.

die Randmasche mit den 2 ersten M zus.str.

die 2 letzten M mit der Randmasche abheben und in folg. Reihe zus.str.

2 M auf Hilfsnd. nehmen und hinter die Arbeit legen, die 1. abgehobene M der Vorreihe r str., dann die 2 Hilfsnd.-M r zus.str.

die 2. abgehobene M der Vorreihe auf Hilfsnd. nehmen und vor die Arbeit legen, 2 M r zus.str., dann die Hilfsnd.-M r str.

in die beiden nächsten M so einstechen, als wolle man sie r zus.-str., diese auf rechte Nd. und wieder zurück auf die linke Nd. heben, so daß die 2. M vorne ist. Nun diese beiden M mit der nächsten M r verdr. zus.str.

die 5 Fäden der Vorreihen zus.-str., und zwar 1 M li, 1 M r herausstricken.

die nächste M auf Hilfsnd. vor die Arbeit legen, folg. M vorne übergehen, die nächste M r str., die übergangene M r str. und beide M von linker Nd. gleiten lassen, Hilfsnd.-M r str.

aus folg. M 6 M herausstr., und zwar 1 M r, 1 M r verdr., 1 M r, 1 M r verdr., 1 M r, 1 M r verdr. und diese M nacheinander über die letzte Schlinge ziehen.

folg. 2 M auf Hilfsnd. nehmen und vor die Arbeit legen, die nächsten 2 M r zus.str., 1 M r, Hilfsnd.-M r.

folg. 3 M auf Hilfsnd. nehmen und hinter die Arbeit legen, 2 M r, dann die beiden ersten Hilfsnd.-M r zus.str., 3. Hilfsnd.-M r str.

1 M auf Hilfsnd. vor die Arbeit legen, 1 M r, Hilfsnd.-M r str.

1 M auf Hilfsnd. hinter die Arbeit legen, 1 M r, Hilfsnd.-M r str.

2 M auf Hilfsnd. vor die Arbeit legen, 2 M r, Hilfsnd.-M r str.

2 M auf Hilfsnd. hinter die Arbeit legen, 2 M r, Hilfsnd.-M r str.

3 M auf Hilfsnd. vor die Arbeit legen, 3 M r, Hilfsnd.-M r str.

3 M auf Hilfsnd. hinter die Arbeit legen, 3 M r, Hilfsnd.-M r str.

4 M auf Hilfsnd. vor die Arbeit legen, 4 M r, Hilfsnd.-M r str.

4 M auf Hilfsnd. hinter die Arbeit legen, 4 M r, Hilfsnd.-M r str.

2 M auf Hilfsnd. hinter die Arbeit legen, folg. 2 M auf Hilfsnd. vor die Arbeit legen, folg. 2 M r str., dann die 2 M der vord. Hilfsnd. r str. und anschließend die 2 M der hinteren Hilfsnd. r str.

3 M auf Hilfsnd. hinter die Arbeit legen, folg. 3 M auf Hilfsnd. vor die Arbeit legen, folg. 3 M r str., dann die 3 M der vord. Hilfsnd. r str. und anschließend die 3 M der hinteren Hilfsnd. r str.

1 r M, 1 li M, 1 r M auf Hilfsnd. vor die Arbeit legen, folg. M auf Hilfsnd. hinter die Arbeit legen, folg. 3 M als 1 M r verdr., 1 M li, 1 M r verdr. abstr., dann die M von hinterer Hilfsnd. r verdr. str. und abschließend von vord. Hilfsnd. 3 M li str.

3 M auf Hilfsnd. hinter die Arbeit legen, folg. M auf eine zweite Hilfsnd. hinter die Arbeit legen, folg. 3 M li abstr., dann die M der 2. Hilfsnd. r verdr. str. und die M der 1. Hilfsnd. als r verdr. M, 1 li M, 1 r verdr. M abstr.

1 M auf Hilfsnd. hinter die Arbeit legen, 1 M r bzw. 1 M r verdr., Hilfsnd.-M li str.

1 r M bzw. 1 r verdr. M auf Hilfsnd. vor die Arbeit legen, folg. M li str., Hilfsnd.-M r bzw. r verdr. str.

1 M auf Hilfsnd. hinter die Arbeit legen, 2 M r bzw. r verdr., Hilfsnd.-M li str.

2 M auf Hilfsnd. vor die Arbeit legen, 1 M li, Hilfsnd.-M r bzw. r verdr. str.

1 M auf Hilfsnd. hinter die Arbeit legen, 3 M r bzw. r verdr., Hilfsnd.-M li str.

3 M auf Hilfsnd. vor die Arbeit legen, 1 M li, Hilfsnd.-M r bzw. r verdr. str.

2 M auf eine Hilfsnd. hinter die Arbeit legen, folg. 2 M auf eine Hilfsnd. ebenfalls hinter die Arbeit legen, und zwar so, daß diese Hilfsnd. hinter der ersten Hilfsnd. liegt, folg. 2 M r str., dann die M der 2. Hilfsnd. r str. und abschließend die M der 1. Hilfsnd. r str.

3 M auf eine Hilfsnd. hinter die Arbeit legen, folg. 3 M auf eine zweite Hilfsnd. ebenfalls hinter die Arbeit legen, und zwar so, daß diese Hilfsnd. hinter der ersten Hilfsnd. liegt, folg. 3 M r str., dann die M der 2. Hilfsnd. r str. und abschließend die M der 1. Hilfsnd. r str.

1 M auf Hilfsnd. vor die Arbeit legen, 1 M auf Hilfsnd. hinter die Arbeit legen, 1 M r str., die M der hinteren Hilfsnd. li str., die M der vord. Hilfsnd. r str.

2 M auf Hilfsnd. hinter die Arbeit legen, 1 M r, die Hilfsnd. mit den M drehen, und zwar so, daß die r M oben liegt, und 1 M li, 1 M r str.

1 r M, 1 li M, 1 r M auf Hilfsnd. vor die Arbeit legen, folg. M auf Hilfsnd. hinter die Arbeit legen, 1 r verdr. M, 1 li M, 1 r verdr. M str., dann die M von hinterer Hilfsnd. r verdr. str. und abschließend von vord. Hilfsnd. 1 r verdr. M, 1 li M, 1 r verdr. M str.

1 r M und folg. li M auf Hilfsnd. hinter die Arbeit legen, folg. M r str., dann von der Hilfsnd. 1 r M, 1 li M str.

folg. M auf Hilfsnd. vor die Arbeit legen, 1 M li, 1 M r str., dann die Hilfsnd.-M r str.

2 M auf Hilfsnd. hinter die Arbeit legen, folg. M r str., Hilfsnd.-M r str.

1 M auf Hilfsnd. vor die Arbeit legen, folg. 2 M r str., Hilfsnd.-M r str.

1 M auf Hilfsnd. hinter die Arbeit legen, 2 M r, Hilfsnd.-M r str.

2 M auf Hilfsnd. vor die Arbeit legen, folg. M r, Hilfsnd.-M r str.

3 M r str., dann die 1. der 3 Rechts-M über die folgenden 2 Rechts-M ziehen

3 M auf Hilfsnd. hinter die Arbeit legen, folg. 2 M auf Hilfsnd. vor die Arbeit legen, 1 M r verdr., 1 M li, 1 M r verdr. str., dann die 2 Hilfsnd.-M vor der Arbeit nach rechts verkreuzen = zuerst die 2. M, dann erst die 1. M r str. und miteinander von der Nd. heben. Zuletzt die M der hinteren Hilfsnd. als 1 M r verdr., 1 M li, 1 M r verdr. abstr.

○ 1 Noppe mit Kraus-M = aus 1 M 5 M herausstr. (1 M r, 1 M li im Wechsel oder 1 M r, 1 Umschl. im Wechsel), die Arbeit wenden, 5 M r str., Arbeit wenden, 5 M r str., Arbeit wenden, 5 M r verdr. zus.str. oder die ersten 3 M auf die rechte Nd. heben, folg. 2 M r zus.str. und die 3 M von der rechten Nd. nacheinander darüberziehen.

● 1 Noppe mit Glatt-rechts-M = wie die Noppe mit Kraus-M str., jedoch die 5 Noppen-M in den Rückr. li, in den Hinr. r str.

○ 1 M abk.

2 M rechts verkreuzt abstricken wie folgt: Zuerst die 2. M r verdr. str., (dabei muß die rechte Nd. hinter der ersten M vorbeigeführt und von hinten eingestochen werden), hochziehen und über die erste M ziehen, dann erst die erste M rechts str.

2 M li verkreuzt abstr. wie folgt: Zuerst die 2. M li str., (dabei muß die rechte Nd. vor der ersten M vorbeigeführt und von vorn wie zum Links-str. eingestochen werden), hochziehen und über die erste M ziehen, dann erst die erste M links str.

Häkeln

∩ Kettmasche

• Luftmasche

0 hochgezogene Luftmasche

| feste Masche

I̲ feste Masche, dabei nur das hintere Glied fassen

∨ 2 feste Maschen in 1 Einstichstelle

∧ ⋀ 2 bzw. 3 feste Maschen zus. abmaschen

√ feste Masche, 1 Reihe tiefer einstechen

⋌ 1 feste Masche und 1 halbes Stäbchen zus. abmaschen

⊕ Noppe aus 1 festen Masche und halben Stäbchen

⋋ Sternmasche = 3, 4 oder mehr feste Maschen zus. abmaschen

† halbes Stäbchen

⋀ ⋔ 2 bzw. 3 halbe Stäbchen zus. abmaschen

Noppe oder Büschelmasche aus halben Stäbchen

Stäbchen

Doppel- bzw. Dreifachstäbchen usw.

Kreuzstäbchen

2 gekreuzte Stäbchen

2 Stäbchen in 1 Einstichstelle

2 bzw. 3 Stäbchen zus. abmaschen

Muschel aus 3, 4 oder mehr Stäbchen

fertige Stäbchen, mit 1 Luftmasche zusammengezogen

Noppe oder Büschelstäbchen = 3, 4 oder mehr Stäbchen in 1 Einstichstelle und zus. abmaschen

Reliefstäbchen, von vorn nach hinten einstechen

Reliefstäbchen, von hinten nach vorn einstechen

Relief-Doppelstäbchen, siehe oben

Relief-Büschelstäbchen

Wickelmasche

Knotenstich

Picot aus 3 bzw. 4 Luftmaschen

Stäbchen ohne den 1. Umschlag = einstechen, Faden holen, durchziehen, Faden holen, durch 1 Schlinge ziehen, Faden holen und durch beide Schlingen ziehen

wie oben, anschl. in die 1. der 2 Luftmaschen (d.h. in das 1. senkrechte Maschenglied) 1 feste Masche häkeln

Tunesisch

rechtstunesische Masche (Hinreihe)

rechtstunesische Masche mit anschl. Luftmasche

rechtstunesische Masche mit anschl. Kettmasche

3 rechts zus.-gemaschte senkrechte Maschen mit Luftmasche

linkstunesische Masche (Hinreihe)

2 links zus.-gemaschte senkrechte Maschen

tunesischer Kreuzstich

Füllstich

Füllstich mit Luftmasche

Strickstich

Webstich

Gitterstich

Umschlag

Rückreihe

bei der Rückreihe 2 Maschen zus. abmaschen

Register